Fakta

Thomas Erikson

OMGIVEN AV IDIOTER

Hur man förstår dem som inte går att förstå

Denna Månpocket är utgiven enligt överenskommelse med
Hoi förlag, Stockholm

Omslag: Anders Timrén efter
originalomslag av Göran Alfred/Alfreds Design

Tryckt hos Nørhaven, Viborg, Danmark 2017

ISBN 978-91-7503-725-7

Innehåll

FÖRORD

IPU Profilanalys har en över 20 år lång historia i Sverige. Institutet för Personlig Utveckling arbetade då, 1992, med utbildning och utvecklingsfrågor. Under en internationell konferens fick jag med mig en stor mängd material kring ett nytt sätt att arbeta med ett beteendeanalysinstrument.

På denna tid var den här typen av verktyg relativt okända och få kände till vilken nytta det skulle kunna göra för att utveckla individer, grupper och organisationer.

Jag tog med mig allt material till en personalchef i ett större företag – tillsammans med uppgiften att fundera på om det kunde vara värt att använda. När han kom tillbaka var det med ett tydligt besked: ”Om det här stämmer så är detta det bästa beteendeanalysinstrument jag någonsin sett!”

Resten är, som man säger, historia.

Våra första tester i Sverige, som gjordes på engelska, visade att man redan då upplevde att minst 80 procent av rapportens innehåll stämde in på personerna.

Med det i ryggen påbörjades ett tålmodigt och noggrant översättningsarbete. Varje nyans i ord och meningar spelar roll så vi använde oss av tre olika översättare som tillsammans skapade den första svenska versionen.

Det arbetet har fortsatt sedan dess. Formulären har omarbetats fem gånger och databasen uppdateras kontinuerligt för att hela tiden vara så språkligt och innehållsmässigt relevant som möjligt.

Ett resultat av allt detta arbete är att vi ser att fler och fler väljer att använda IPU Profilanalys. Trots att utbudet av andra analysverktyg bara blir större.

Vi tror själva att en av förklaringarna, utöver relevansen och träffsäkerheten, är enkelheten i pedagogiken. Med hjälp av färgspråket och det pedagogiska profilhjulet kan tusentals svenskar varje år öka sin förståelse för egna, varandras och andras beteenden på ett sätt som gör det direkt användbart i praktiken.

Den praktiska nyttan för individer, grupper och organisationer kunde vi bara ana och drömma om för 20 år sedan!

En av våra konsulter är Thomas Erikson, författare till den här boken. Här väver han in vårt material med trevliga historier om hur personer med olika beteendestilar kan uppfattas och agera.

En intressant läsning med många tänkvärda ”aha”-upplevelser.

Lycka till med läsningen.

Sune Gellberg
Grundare av IPU

INLEDNING

MANNEN SOM VAR OMGIVEN AV IDIOTER

Det var i gymnasiet jag till slut upptäckte att jag kom bättre överens med vissa än med andra. Med vissa kompisar var det lätt att prata. Vi hittade alltid orden i ett samtal och allt flöt hur smidigt som helst. Där var aldrig några konflikter och vi gillade verkligen varandra. Med andra blev det bara fel. Vissa saker jag sa föll platt till marken och jag kunde inte riktigt begripa vad det där berodde på.

Vad var det som gjorde att vissa var lättpratade medan andra var fullständiga träbockar? Vid så ung ålder var detta förvisso ingenting som höll mig vaken om nätterna, men jag minns ändå ett antal händelser som fick mig att fundera på varför vissa samtal flöt på och andra inte ens ville starta – oavsett hur jag betedde mig. Det var obegripligt. Jag minns att jag med olika metoder började testa folk. Jag prövade att säga samma saker i sammanhang som liknade varandra bara för att se vilken reaktion jag fick. Ibland hände precis det jag hade hoppats skulle hända: en intressant diskussion uppstod. Andra gånger hände ingenting. Folk stirrade på mig som om jag kom från en annan planet, och ibland kändes det verkligen så.

Vid unga år är det mesta väldigt enkelt. Eftersom vissa personer i min kompiskrets reagerade på ett normalt sätt var ju de automatiskt de bra personerna. De som inte förstod sig på mig var det följaktligen något fel på. Vilken annan förklaring fanns det? Jag var ju densamma hela tiden! Alltså måste det helt enkelt vara något fel på vissa. Och dem började jag helt enkelt hålla mig borta ifrån eftersom jag inte förstod mig på dem. Kalla det ungdomlig naivitet om du vill. Och det fick en del lustiga konsekvenser. Med stigande ålder har ju det där – tyvärr – förändrats.

Nåväl, livet gick vidare med arbete, familj och karriär, och jag fortsatte att sortera vissa personer som bra och vettiga medan jag ansåg att andra inte verkade ha fattat någonting överhuvudtaget.

Vid ett tillfälle, när jag var i tjugofemårsåldern, stötte jag på en man som var egen företagare. Sture var i sextioårsåldern och hade själv grundat och byggt upp sitt företag sedan många år tillbaka. Jag fick i uppgift att intervjua honom inför ett projekt som skulle genomföras. Vi började prata om hur det fungerade inom hans organisation. En av de allra första kommentarerna som Sture fällde var att han var omgiven av idioter. Jag minns att jag skrattade eftersom jag tyckte att det lät lustigt. Men han menade verkligen vad han sa. Den röda färgen steg i hans ansikte när han förklarade att de som jobbade på enhet A var kompletta idioter hela bunten. Inom enhet B fanns det bara dumskallar som ingenting fattade. Och då hade han inte ens kommit till enhet C. Där var de som allra värst, för de som arbetade där var så egendomliga och udda att Sture inte begrep hur de ens tog sig till jobbet på morgnarna.

Ju mer jag lyssnade på honom, desto mer insåg jag att det var någonting väldigt egendomligt med den här berättelsen. Jag frågade honom om han verkligen *tyckte* att han var omgiven av idioter. Han glodde på mig och förklarade att det inte fanns många bland hans personal som egentligen var någonting att ha.

Sture lät dessutom gärna sina medarbetare veta vad han tyckte. Han drog sig inte det minsta för att inför hela företaget kalla vem som helst för idiot. Detta resulterade bland annat i att medarbetarna höll sig undan från honom. Ingen vågade sitta i enskilda möten med honom, han fick aldrig höra dåliga nyheter eftersom han oftast sköt budbäraren. På en av anläggningarna hade man till och med monterat en varningslampa i entrén. Den satt diskret ovanför receptionen, och när han var inne lyste den rött. Var han ute lyste den däremot grönt.

Alla visste om det där. Personalen, men även kunderna, kastade automatiskt en blick på lampan för att veta vad de hade att förvänta sig när de klev över tröskeln. Lyste lampan rött vände vissa helt enkelt i dörren, för att komma tillbaka vid ett senare tillfälle.

När man är ung är man som vi alla vet full av goda idéer. Jag ställde därför den enda fråga jag kunde komma på: *Vem är det som har tagit in alla idioter?* Jag fattade ju att det var han själv som anställt de flesta. Vad som var värre var att Sture fattade att jag fattade. Det jag underförstått sa var: *Vem är egentligen den största idioten här?*

Sture kastade ut mig. Senare fick jag höra att han mest av allt hade velat hämta hagelbössan och skjuta mig.

Händelsen fick mig att fundera. Här hade vi en man som snart skulle gå i pension. Han var uppenbart en skicklig entreprenör och ytterst respekterad för sin kunskap inom sitt speciella affärsområde. Men han kunde strängt taget inte hantera människor. Den enda resursen i en organisation som inte gick att kopiera, medarbetarna, den förstod han sig inte på. Och de som inte gick att förstå, tja, de var följaktligen idioter.

Eftersom jag kom utifrån såg jag enkelt hur fel han tänkte. Sture begrep inte att han utgick från sig själv hela tiden, och att alla som inte fungerade som han var idioter. Han använde uttryck som jag själv brukade använda om vissa typer av människor: förbannade snackpåsar, analfixerade paragrafryttare, oförskämda skitstövlar och knäpptysta tråkmånsar. Fastän jag själv aldrig skulle kalla människor för idioter så hade även jag uppenbara problem med vissa typer av människor.

Det var en fullkomligt förfärande tanke att vandra genom livet och hela tiden tycka att man var omgiven av människor som det inte gick att samarbeta med. Det skulle göra mina egna möjligheter i livet så otroligt begränsade.

Jag försökte se mig själv i spegeln. Beslutet var enkelt att fatta.

Jag ville inte bli som Sture.

Efter ett särskilt infekterat möte med honom och några av hans stackars medarbetare satte jag mig i bilen med en klump i magen. Mötet hade varit en fullkomlig katastrof. Alla var förbannade. Där och då beslutade jag mig för att på allvar lära mig den kanske viktigaste kunskapen av dem alla – hur människor fungerar. Eftersom jag skulle springa på människor resten av livet, oavsett vad jag arbetade med, var det lätt att se att jag skulle ha nytta av en sådan kompetens.

Sagt och gjort. Jag började studera hur man förstår sig på dem som till en början verkar svåra att förstå sig på. Varför vissa är tystlåtna, varför andra aldrig slutar prata, varför vissa alltid säger sanningar och varför somliga aldrig gör det. Varför en del av mina kollegor alltid kom i tid medan andra sällan gjorde det. Varför jag *tyckte om* vissa mer än andra. För det gjorde jag. Insikterna jag började lagra var fascinerande, och jag har inte varit densamma sedan jag inledde den här resan. Kunskapen jag skaffade mig förändrade mig som person, som vän, som kollega, som son, och som äkta man och far till mina barn.

Den här boken handlar om världens kanske mest använda sätt att beskriva olikheterna i mänsklig kommunikation, och jag har använt varianter av verktyget i över tjugo år med lysande resultat.

Alla har vi erfarenhet av människor, och vi har alla idéer om hur det här med kommunikation fungerar.

Hur blir man riktigt, riktigt duktig på att hantera olika typer av människor? Det finns givetvis olika metoder. Den vanligaste är väl att forska i saken och lära sig grunderna. Men att lära sig den teoretiska delen gör dig inte till någon kommunikatör i världsklass. Det är först när du börjar använda dig av kunskapen som du kan utveckla verklig, fungerande kompetens inom området. Precis som att lära sig cykla – det fungerar först när du sätter dig på cykeln. Bara då märker du vad det är du måste göra.

Sedan jag började studera hur människor fungerar och verkligen vinnlade mig om att förstå olikheter har jag aldrig varit densamma igen. Numera är jag inte alls lika kategorisk och jag dömer ingen bara för att han inte är som jag. Mitt tålamod med personer som är min raka motsats är sedan många år betydligt större. Jag skulle inte gå så långt som till att hävda att jag aldrig är inblandad i konflikter, lika lite som jag skulle försöka slå i dig att jag aldrig ljuger, men båda sakerna händer väldigt sällan numera.

Jag har en sak att tacka Sture för. Det är att han väckte mitt intresse för ämnet. Utan honom hade kanske inte den här boken blivit till. En sak till – för att förenkla läsningen har jag valt att genomgående använda *han* när jag refererar till exempel som inte hör ihop med någon specifik person. Det är inte av bristande respekt utan för att det gör läsningen lättare. Jag vet att du själv har fantasi nog att i tanken sätta in ett *hon* där så kan vara lämpligt.

Hur kan du göra för att öka din kunskap? En början kan vara att läsa den här boken. Hela boken, inte bara de första tre kapitlen. Med lite tur kan du inom några minuter starta samma resa jag startade för tjugo år sedan. Du kommer inte att ångra dig, det lovar jag faktiskt.

Om du inte har lärt dig någonting nytt överhuvudtaget efter att ha läst den här boken så *garanterar jag dig pengarna tillbaka.*

Thomas Erikson
Beteendevetare, föreläsare och författare

KAPITEL 1

I ALL KOMMUNIKATION ÄR DET MOTTAGAREN SOM BESTÄMMER

Låter det egendomligt? Låt mig förklara. Det som slutligen blir kvar av det du sagt till en viss person, efter att det har filtrerats genom hans referensramar, fördomar och förutfattade meningar, är det uppfattade budskapet. Han kan av olika skäl uppfatta det du vill förmedla på ett helt annat sätt än det du avsett. Exakt vad som uppfattas varierar förstås beroende på vem du pratar med, men det är mycket sällan hela budskapet når fram exakt som det såg ut i ditt eget huvud.

Det kan möjligen kännas deprimerande att själv ha så liten kontroll över det som mottagaren uppfattar. Hur mycket vett du än vill banka in i den andres skalle finns det i slutändan inte så mycket du kan göra åt saken. Naturligtvis kan du se detta som en av många utmaningar. Allt kan ju inte vara enkelt. Hur mottagaren fungerar kan du inte ändra på. De flesta människor är nog trots allt medvetna om, och känsliga för, hur de vill bli bemötta. Genom att anpassa dig till hur andra människor vill bli bemötta kan du bli mer effektiv i din kommunikation.

VARFÖR ÄR DETTA SÅ VIKTIGT?

Du hjälper människor att förstå dig genom att skapa en trygg kommunikationsarena – på deras villkor. Mottagaren kan använda sin energi åt att förstå istället för att medvetet eller omedvetet reagera på ditt sätt att kommunicera.

Vi kan alla behöva träna upp vår flexibilitet, för att därmed kunna variera vår kommunikationsstil och anpassa den när vi pratar med människor som är olika oss själva. För det är en annan sanning. Vilket sätt vi än väljer att kommunicera på kommer du som individ alltid att vara i minoritet. Vilket beteende du än har så kommer majoriteten att fungera på ett annat sätt. Och de andra kommer alltid att vara fler. Du kan inte utgå från dig själv. Denna flexibilitet och förmåga att tolka andra människors behov är vad som kännetecknar en god kommunikatör.

Att känna till och förstå en annan persons beteendestil, och sätt att kommunicera, medför att dina gissningar blir mer kvalificerade avseende hur personen kan tänkas reagera i olika situationer. Denna förståelse ökar också dramatiskt din förmåga att nå fram till personen i fråga.

INGA SYSTEM ÄR VATTENTÄTA

Låt mig vara tydlig på en viktig punkt. Den här boken gör inga som helst anspråk på att vara heltäckande när det kommer till hur vi människor kommunicerar med varandra. Det finns ingen bok som kan göra det, eftersom alla olika signaler vi oavbrutet sänder ut inte skulle rymmas i en bok. Även om vi inkluderade kroppsspråk, skillnaden mellan manlig och kvinnlig dialog, kulturella skillnader och alla andra sätt att definiera skillnader på, skulle vi inte kunna skriva ner allting. Vi kan addera psykologiska aspekter, grafologi, ålder och astrologi utan att få en hundraprocentigt komplett bild.

Men det är samtidigt tjusningen med alltihop. Människor är inga Excelark. Vi kan inte räkna ut allting. Vi är för komplicerade för att beskrivas till fullo. Till och med den enklaste, mest obildade, lägst stående på våra respektive skalor är mer komplicerad än vad som kan uttryckas i en bok. Men vi kan undvika de värsta tabbarna genom att förstå grunderna i mänsklig kommunikation.

DET HAR HÅLLIT PÅ ETT TAG

”Vi ser vad vi gör, men vi ser inte varför vi gör som vi gör. Alltså bedömer och värderar vi varandra utifrån vad vi ser att vi gör.”

Orden är psykoanalytikern Carl Jungs. Olika beteenden är det som skapar dynamik i våra liv. Alla människor beter sig ju på något sätt. Vissa beteenden känner man igen sig i medan känner vi varken igen eller förstår andra beteenden. Som bekant beter sig var och en av oss dessutom på olika sätt i olika situationer, vilket kan vara till antingen glädje eller irritation för omgivningen.

Det finns egentligen inga beteenden som är rätt eller fel i det här avseendet, och de flesta beteenden är okej. Det finns ingenting som heter korrekt beteende eller inkorrekt beteende. Du är den du är, och det är egentligen ingen idé att fundera över varför det är så. Du är bra hur du än är. Oavsett hur du väljer att bete dig, oavsett hur du uppfattas, så är du bra. Inom rimliga gränser, naturligtvis.

Jag är sådan här, okej?

I den bästa av världar vore det ju enkelt att bara säga att *jag är sådan här och det är okej för det har jag läst i en bok.* Och visst vore det skönt att slippa göra våld på sin egen personlighet? Att alltid få agera och uppträda som man känner för just då? Det kan du göra. Du kan bete dig precis hur du vill. Det enda du behöver göra är att hitta rätt situation att göra det i.

Det finns två lägen då du kan vara precis dig själv:

- ***Det ena läget*** är när det bara är du i rummet. Då spelar det ingen roll hur du pratar eller vad du gör. Det skadar ingen om du vill svära och gorma eller bara sitta knäpptyst och fundera över livets stora gåta eller varför Fredrik Reinfeldt alltid ser så ledsen ut. I din ensamhet kan, och får, du bete dig precis hur du vill. Enkelt, eller hur?

- ***Det andra läget*** då du kan vara dig själv är när alla i rummet är exakt likadana som du. Vad var det våra mammor lärde oss? *Behandla andra som du själv vill bli behandlad.* Ett utmärkt råd, och mycket välment. Och visst fungerar det, så länge alla är precis som du. Det enda du behöver göra är att skriva en lista över alla du känner som tycker, tänker och agerar *exakt som du* i alla situationer. Nu är det bara att söka upp dem och börja umgås.

Vid samtliga övriga tillfällen kan det vara en god idé att förstå hur du uppfattas och att lära dig hur andra människor fungerar. Jag tror inte jag skapar några större rubriker när jag säger att de flesta människor du faktiskt möter inte är precis som du.

I begynnelsen var ordet och ordet var hos Gud. Och Gud sa: *Varde ljus!* Och det blev ljus.

Otroligt, inte sant? Vilken kraft ord kan ha! Men vilka ord vi väljer och hur vi använder dem varierar. Som du sett av titeln på den här boken finns det olika tolkningar av just ord. Och när man använder fel ord, ja, då är man kanske en idiot.

Omgiven av idioter – eller inte?

Eller vänta nu. Hur är det egentligen med det där? Någonstans på vägen hit plockade jag upp följande liknelse: beteenden är som en växellåda. Alla olika typer behövs. För precis som med en växellåda kan en växel vara rätt ibland, och fel ibland. Det går bra att starta bilen i ettans växel – femmans vore svårt. Men ibland är ettan helt fel – till exempel i hundra kilometer i timmen.

Det finns de som vänder sig emot tanken på att sortera in människor i olika personlighetstyper. Kanske tillhör du en av dem som anser att man inte ska kategorisera människor på det sättet. Att det är fel att stoppa in människor i fack. Dock gör alla det. Ibland kanske på en annan ledd än jag gör i den här boken, men vi noterar likafullt våra olikheter. Och faktum är att vi är olika, och att poängtera det menar jag kan vara något positivt, om man bara gör det på rätt sätt. Felaktigt använt kan alla typer av verktyg vara skadliga. Det handlar mer om den som använder det, än verktyget i sig självt.

Delar av det du kommer att läsa har jag hämtat från IPU, Institutet för Personlig Utveckling. Jag vill passa på att tacka Sune Gellberg och Edouard Levit för att de så generöst delat med sig av både sina erfarenheter och sitt utbildningsmaterial. Se den här boken som en introduktion till mänskligt beteende och dialog. Resten är upp till dig.

HUR EGENDOMLIGT DET ÄN SER UT – I PRINCIP ALLTING ÄR NORMALT. BETEENDE ...

... är relativt förutsebart. Men:

- alla reagerar vanemässigt på likartade situationer.
- det är omöjligt att förutsäga alla tänkbara reaktioner innan de äger rum.

... är en del av ett mönster.

- Vi reagerar ofta i konsekventa banor. Vi bör därför respektera varandras mönster. Och förstå det egna ...

... är föränderligt.

- Vi bör kunna lära oss att lyssna, handla, tala öppet, reflektera, det vill säga göra det som är relevant just nu. Alla kan anpassa sig.

... kan observeras.

- Vi bör kunna observera och förstå de flesta former av beteenden utan att vara amatörpsykologer. Alla kan fundera på varför.

... är förståeligt.

- Vi bör kunna förstå varför andra människor känner och gör vad de gör – just nu. Alla kan fundera på varför.

... är unikt.

- Trots de villkor, som vi har gemensamt, är varje människas beteende unikt för just honom. Lyckas på egna villkor.

... är ursäktligt.

- Tillbakavisa personlig avundsjuka och klagomål, det hjälper att få prata om det. Lär dig att ha tolerans och tålamod, både med dig själv och med andra.

KAPITEL 2

VARFÖR BLEV VI SOM VI BLEV?

Var kommer beteenden ifrån? Varför är olika människor så olika? Säg det. Det handlar i all korthet om en kombination av arv och miljö. Redan innan vi föds läggs grunden till de beteenden vi kommer att uppvisa i vuxen ålder. Ärftliga temperaments- och karaktärsegenskaper påverkar våra beteenden och dessa sätter igång en process redan på genstadiet. Exakt hur det där fungerar grälar forskarna fortfarande om, men att det spelar in kan vi nog enas om. Vi ärver inte bara drag från våra egna föräldrar, utan också från deras föräldrar. I varierande grad även från andra släktingar. Vi har väl alla någon gång hört att vi pratar eller ser ut som en farbror eller en moster. Själv påminde jag som barn om min farbror Bertil – det var någonting med mitt röda hår. Att förklara hur detta genetiskt är möjligt tar en väldig tid. Låt oss för stunden bara konstatera att detta arv lägger grunden för vår beteendemässiga utveckling.

Vad händer när vi väl har kommit ut? Barn föds i de flesta fall impulsiva, djärva och utan några som helst spärrar. Barnet gör precis som det själv vill. Barnet säger ”Nej, jag vill inte!” eller ”Jag kan visst!” Och det är uppfyllt av tanken att det kan klara av vad som helst. Detta spontana och ibland helt okontrollerade beteende är förstås inte alltid vad föräldrarna önskat sig. Och vips startar transformationen av det som en gång var ett original – till i bästa/värsta fall en kopia av någon annan.

HUR PÅVERKAS BARN?

Barn lär sig i huvudsak på två sätt. Antingen söker barnet sig från otillfredsställelse och missnöje till tillfredsställelse och nöjdhet.

Eller så lär sig barnet genom att härma – den vanligaste inlärningsmetoden. Barnet apar efter vad det ser omkring sig och ofta är det den föräldern av samma kön som blir förebild för imitationen. (Det här är inte på långa vägar heltäckande för hur processen går till, men boken handlar heller inte om hur vi påverkar våra barn.)

MINA VÄRDEGRUNDER

Längst in i mig finns mina värdegrunder, saker så djupt rotade i min karaktär att det knappast är någon idé att försöka ändra på dem. Det är de saker jag lärde mig av mina föräldrar som barn och sådant jag blev itutad i skolan när jag var riktigt liten. I mitt fall var det olika variationer av *studera och var duktig i skolan så kommer du att få ett bra jobb när du blir stor* eller *det är fel att slåss.* Den senare har till exempel gjort att jag inte lyfter min hand mot andra människor. Jag har inte slagits sedan tredje klass, och jag vill minnas att jag förlorade. (Hon var jättestark.)

En annan viktig grundvärdering är att alla människor är lika mycket värda. Eftersom mina föräldrar visat mig detta under hela min uppväxt så kommer jag aldrig att döma en människa utifrån hans ursprung, kön eller hudfärg. Alla bär vi på en mängd sådana grundvärderingar. Man vet instinktivt vad som är rätt och vad som inte är det. Ingen kan ta dessa grundvärderingar ifrån mig.

ATTITYDER OCH FÖRHÅLLNINGSSÄTT

Nästa lager är mina attityder, som inte riktigt är samma sak som en grundvärdering. Attityder är saker jag bildat mig en uppfattning om mer baserat på egna upplevelser, slutsatser jag dragit av saker jag varit

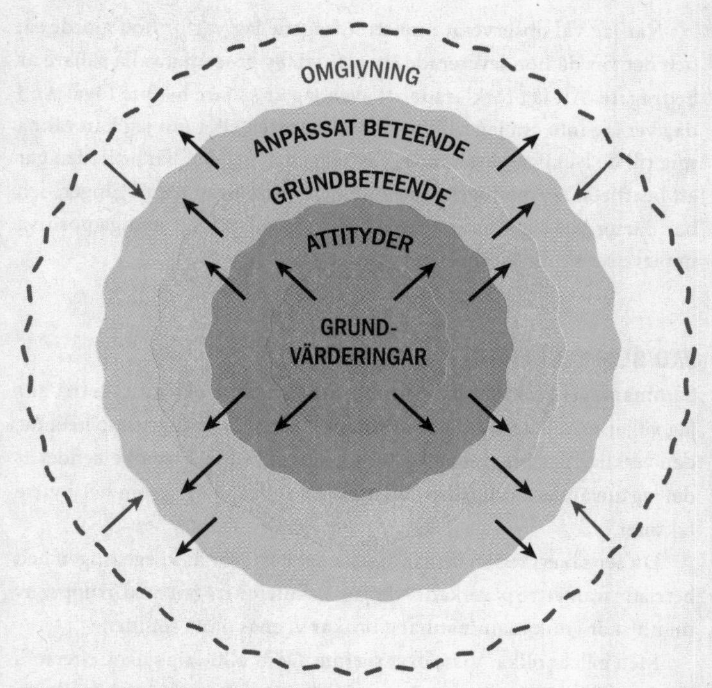

En enkel modell som kan vara till hjälp.

® IPU INSTITUTET FÖR PERSONLIG UTVECKLING

med om under senare delen av skolgången, gymnasiet, högskolan, första jobbet. Men även senare upplevelser kan skapa attityder.

En kvinnlig släkting sa en gång till mig att hon inte litade på säljare. Nu är hon förvisso inte ensam om att ha bestämda attityder till säljare, men i hennes fall tog det sig lustiga uttryck. Hon kunde inte köpa någonting utan att lämna tillbaka det. En tröja, en soffa, en bil – inköpsprocessen var oändlig. Alla fakta skulle undersökas och utforskas. Men hur mycket hon än tog reda på i förväg, ville hon lämna tillbaka det hon köpt efteråt.

När jag väl observerat mönstret frågade jag varför hon gjorde så, och det var då hon levererade sin attityd: 85 procent av alla säljare är bedragare. Att jag förklarade att även jag är säljare hjälpte föga. Än i dag vet jag inte om jag tillhör de 85 procenten eller om jag kan räkna mig till de lyckliga, resterande 15. Poängen är att den här attityden går att bearbeta. Förmodligen har hon blivit rejält lurad några gånger, och har därför lärt sig att misstro säljare. Men tillräckligt många positiva upplevelser skulle kunna vända det hela.

VAD BLIR RESULTATET?

Sammantaget påverkar både grundvärderingarna och attityderna hur jag väljer mitt beteende. Tillsammans skapar de mitt grundbeteende, den verkliga personen som jag helst av allt vill vara. Grundbeteendet är det jag använder i full frihet, utan påverkan från några som helst yttre faktorer.

Du ser säkert redan utmaningen i det här: När är vi egentligen helt befriade från yttre påverkan? När jag diskuterar frågan med grupper av människor i olika sammanhang brukar vi enas om: i sömnen.

Men folk är olika. Vissa bryr sig inte. De är alltid sig själva, eftersom de aldrig funderat över hur de uppfattas. Ju starkare din självinsikt är, desto större blir förmodligen din anpassning till omgivningen.

VAD ÄR DET ALLA ANDRA EGENTLIGEN SER AV MIG?

Det vi andra oftast ser är det anpassade beteendet. Den tolkning av en specifik situation som var och en gör, och därefter väljer beteende är vad andra får uppleva. Det handlar om den mask man tar på sig för att passa in i en given situation. Och vi kan förstås ha flera olika masker. Att ha en på arbetet och en hemma är inte alls ovanligt. Ytterligare en annan hos svärföräldrarna, kanske. Detta är inte fördjupningskurs i psykologi – utan jag nöjer mig med att konstatera att vi gör olika tolkningar och agerar därefter.

De omgivande faktorerna får mig att – medvetet eller undermedvetet – välja ett visst agerande. Jag gör inte anspråk på att med denna enkla förklaring ha redogjort för samtliga faktorer som skapar en människas beteendemönster, men det fungerar som introduktion.

Och detta är hur vi agerar. Titta på den här formeln:

$$\text{BETEENDE} = f(P \times Of)$$

- ***Beteende*** är en funktion av ***Personlighet*** och ***Omgivande faktorer.***
- ***Beteende*** är det vi kan observera.
- ***Personlighet*** är det vi försöker räkna ut.
- ***Omgivande faktorer*** är det vi kan påverka.

Slutsats: Vi påverkar ständigt varandra i någon form. Tricket är att försöka komma på vad som finns under ytan.

KAPITEL 3

EN INTRODUKTION TILL DET SYSTEM DU STÅR I BEGREPP ATT LÄRA DIG

I slutet av boken finns en bakgrundsbeskrivning till hur systemet uppkommit, men eftersom du antagligen vill kasta dig in i det mest intressanta – hur allting fungerar i praktiken – kan du lugnt läsa vidare. Annars kan du alltid gå direkt till sidan 253.

Som du ser finns det fyra huvudkategorier av beteendetyper, och den här boken handlar om hur du kan känna igen dem. Ganska snart

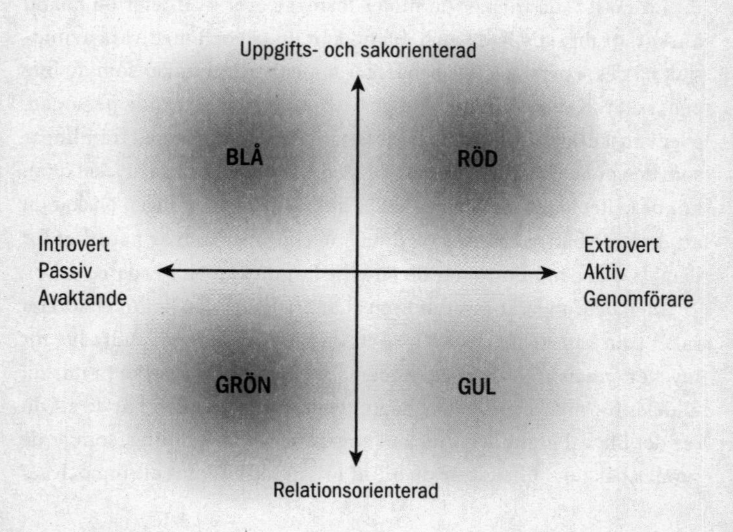

ANALYTISK	DOMINANT
• Långsam reaktion • Maximal ansträngning för att organisera • Minimalt intresse för relationer • Historisk tidsram • Försiktig handling • Tendens att avvisa inblandning	• Snabb reaktion • Maximal ansträngning för att styra • Minimalt intresse för försiktighet i relationer • Aktuell tidsram • Direkt handling • Tendens att avvisa overksamhet
STABIL • Lugn reaktion • Maximal ansträngning för samband • Minimalt intresse för förändring • Aktuell tidsram • Stödjande handling • Tendens att avvisa konflikt	**INSPIRERANDE** • Hastig reaktion • Maximal ansträngning för att involvera • Minimalt intresse för rutin • Framtida tidsram • Impulsiv handling • Tendens att avvisa isolering

kommer du att se ansikten framför dig när du läser om vissa färger. Ibland kanske det rent utav är ditt eget ansikte du ser.

En massa människor du möter förfogar över kvaliteter du ibland önskar att du själv hade, och ibland kan du till och med vara avundsjuk på dessa personer. De behärskar uppenbarligen saker som du inte behärskar. Kanske vill du bli mer beslutsam som den röda personen, eller kanske önskar du att du hade lättare för att umgås med främlingar som den gula. Eventuellt önskar du att du inte stressade så mycket, utan kunde ta det lugnt som den gröna är duktig på, och möjligen önskar du att du hade bättre ordning på dina anteckningar som är naturligt för den blå. I den här boken får du lära dig hur du kan bli likadan.

Men det fungerar givetvis även åt andra hållet. Du kommer att läsa saker som kanske får dig att inse att du själv bossar runt andra lite för mycket, precis som de röda tenderar att göra. Eller kanske pratar du alldeles för mycket, vilket är något de gula gör. Det kan hända att du tar det lite väl lugnt och inte kan engagera dig i någonting, som är de grönas baksida. Eller så är du alltid misstänksam mot allting och ser risker överallt, precis som de blå. Här kan du lära dig att se dina egna fallgropar, och hur du kan agera för att komma runt dem.

Oavsett vad du läser och ser, ta gärna anteckningar, stryk under i boken, se till att du får med dig det du behöver.

RÖD	GUL	GRÖN	BLÅ
DOMINANS	INSPIRERANDE	STABILITET	ANALYTISK
Drivande	Utåtriktad	Tålmodig	Utforskande
Ambitiös	Övertygande	Pålitlig	Försiktig
Viljestark	Verbal	Uppmärksam	Systematisk
Målmedveten	Öppen	Behärskad	Precis
Problemlösare	Positiv	Älskvärd	Noggrann
Handlingskraftig	Empatisk	Uthållig	Logisk
Tävlingslysten	Optimistisk	God lyssnare	Konventionell
Kraftfull	Kreativ	Vänlig	Distanserad
Nyfiken	Spontan	Försiktig	Objektiv
Direkt/Rak	Känslig	Stödjande	Perfektionist
Initiativtagare	Inspirerande	Genomförare	Metodisk
Bestämd	Behöver	Hjälpsam	Granskar
Otålig	uppmärksamhet	Lojal	Följer regler
Påstridig	Känslig	Hänsynsfull	Strukturerad

KAPITEL 4

DET RÖDA BETEENDET

HUR DU KÄNNER IGEN EN RIKTIG ALFAHANNE, OCH VAD DU SEDAN GÖR FÖR ATT INTE HAMNA I VÄGEN

Vad ska vi göra? Låt oss göra det på mitt sätt! Nu!

Detta är den personlighetstyp som Hippokrates via sin teori om mänskliga temperament kallade kolerisk. Om vi konsulterar Microsoft Words synonymordbok – du vet: högerklicka och skrolla ner till synonymer – finner vi följande: *häftig, hetsig, uppbrusande, hetlevrad* och *lättretad.* Oj då. Man lägger snabbt märke till en röd person, eftersom han inte gör den minsta ansträngning att dölja vem han är.

Den röda personen är en dynamisk och driven individ. Han har mål i livet som andra kan ha svårt att ta till sig. Eftersom målen är så högt ställda ser de ut att vara omöjliga att nå. De röda strävar alltid framåt, pressar sig alltid hårdare och de ger nästan aldrig upp. Deras övertygelse om sin egen förmåga är oöverträffad. De bär på en äkta känsla av att de i princip kan åstadkomma vad som helst – bara de arbetar tillräckligt hårt.

Människor med mycket rött i sitt beteende är uppgiftsorienterade, extroverta och de njuter av utmaningar. De tar snabba beslut och är ofta bekväma med att ta täten och att ta risker. En gängse uppfattning är att röda personer är *ledartyper.* Det här är personer som gärna tar befälet och går i fronten. De är så drivna att de tar sig fram även om någonting står i vägen. Deras lynne är perfekt för konkurrensutsatta situationer.

Det är således inte ovanligt att en VD eller en president har mycket rött i sitt beteende.

Den här formen av konkurrens finns i allting de röda gör. Att säga att de ständigt vill tävla och konkurrera är förmodligen inte alldeles sant, men uppstår en möjlighet att vinna någonting – varför inte? Exakt vad man vinner är inte alltid så viktigt, men tävlingsmoment gör att de röda går igång på alla cylindrar.

En av mina tidigare grannar, Pelle, gillade att tävla så mycket att han utvecklade helt nya intressen. Jag gillar själv att jobba i trädgården, så jag tillbringar en hel del tid där. Det gjorde inte Pelle, men när han hade hört andra kommentera min vackra trädgård tillräckligt många gånger fick han nog. Han satte igång med det ena projektet efter det andra, alla med ett enda men mycket tydligt syfte: att bräcka mig. Så Pelle grävde till sin hustrus förundran nya rabatter, planterade otaliga, helt fantastiska växter och arbetade upp gräsmattan till golfklubbsnivå. Det enda jag behövde göra för att hålla honom igång var att hota med att själv skaffa ännu fler växter. Då åkte han till den lokala handelsträdgården fortare än vad det tar att säga ”dålig förlorare”.

Du känner även igen röda personer på andra beteenden. Vem pratar högst? Den röda. Vem tar i från tårna när han ska förklara någonting? Den röda. Vem svarar snabbast på frågor? Rött igen. Vem fäller, under en i övrigt trevlig middag, totalt kategoriska omdömen om precis vad som helst? Och vem kan få för sig att döma ut en hel världsdel baserat på ett program han sett på TV?

Tillsammans med röda personer kommer det alltid att hända saker. De kan inte sitta stilla. Inaktiv tid är bortslösad tid. Livet är kort, bäst att sätta igång direkt. Känner du igen typen? Alltid på språng. Så flytta dig åt sidan, för nu kör vi.

På det här stället har vi högt i tak – på riktigt, alltså

Röda personer har inga problem med att *säga som det är.* I specifika frågor talar de oftast om exakt vad de tycker utan krusiduller. De har inget behov av att linda in saker i en massa tomma fraser. När en tanke dyker upp får vi veta det omedelbart. De har åsikter om det mesta och torgför dessa snabbt och effektivt.

En vanlig kommentar är att röda personer är väldigt ärliga eftersom de vågar uttrycka sina egna sanningar till människor. Själva förstår de inte vad det är frågan om. De har ju bara sagt som det är.

Behöver man någon med extra energi kan det vara bra att bjuda in en röd person i teamet eller projektgruppen. Oförtrutet stretar de vidare medan andra gett upp för länge sedan. Såvida de har bestämt sig för att lyckas, vill säga. En uppgift som blivit ointressant eller meningslös kan lika gärna bli totalt ignorerad av en röd person.

Jag kallar fenomenet för att *slita eller smita.* Är uppgiften tillräckligt viktig går den röda personen genom eld och vatten för att få den klar. Känner han att den inte fyller något syfte åker den i soptunnan.

Vad säger du? Det är väl lika så gott att köra vidare – plattan i mattan!

Kan man vinna någonting? I så fall är jag med.

Röda personer tycker alltså om att tävla. De uppskattar det lätt antagonistiska som faktiskt ligger i att tävla – själva momentet att vinna i grenar som kanske inte ens existerar annat än i den rödas medvetande. Det kan vara att spela kort, eller att hitta den absolut bästa parkeringsplatsen. Att vinna i femkampen på midsommarafton trots att leken bara går ut på att lära känna varandra och att ingen av de andra deltagarna egentligen tävlar. För den röda personen kommer det här naturligt eftersom han ser sig som en vinnare.

Låt mig ge ett exempel. Jag arbetade en gång på ett företag där VD:n var röd. Han var energisk och effektiv – ytterligt dynamisk alltså. Inga möten var så korta som med den här VD:n. Men han var svag för just tävlingsmomentet. Som ung hade han spelat innebandy och på den här arbetsplatsen hade man en vårturnering i innebandy som var mycket populär, redan innan han kom till företaget.

Han var givetvis tvungen att delta. Detta hade ingen VD före honom gjort, men det var inte problemet. Problemet var i stället att han blev som förbytt så fort han fick klubban i handen. Vild av tävlingslust sprang han omkull alla som stod i vägen.

Det här fortgick några år, tills någon vågade berätta för honom att han satsade lite väl hårt – det var ju faktiskt inte på riktigt. VD:n förstod ingenting. Han hämtade upp den senaste inbjudan till leken, på vilken det stod innebandyturnering. Turneringar tyder på ett tävlingsmoment, och tävlar man så gör man det för att vinna. Enkelt.

Han tävlade i trafiken, på innebandyplanen, i affärer. Inget område var för betydelselöst för att inte göra det till en tävling. Han utmanade till och med sig själv i hur fort han kunde läsa ut en bok. Det där vi andra gör som avkoppling, det förvandlade han till en tävling. Hundra sidor på en timme borde vara fullt möjligt att klara av.

Det framkom till och med att hans hustru förbjudit honom att spela Memory med barnen, fem och sex år gamla. Eftersom de hade mycket bättre minne än han och faktiskt spelade bättre än vad han gjorde, vann de allt som oftast, och i sin frustration skrämde han upp dem ganska rejält.

Innan du tänker att det där låter som en ganska osympatisk kille måste vi titta på hans intentioner. Den här typen av intensivt och konkurrensinriktat beteende upprör ofta andra människor, eftersom de tror att det handlar om att dominera och trycka ner andra. Inget kunde vara felaktigare. Han hade sällan några direkt onda avsikter. Han ville bara vinna.

Detta är en av de rödas största utmaningar. Det är inte ovanligt att andra människor retar sig på dem för att de är sådana kraftfulla personligheter. Jag ska längre fram i boken berätta hur man bemöter dessa individer, men jag kan redan nu avslöja att det är ganska enkelt.

TID ÄR PENGAR

Röda personer har bråttom. Punkt. Gå vidare.

Fort är synonymt med bra för röda personer. Om du sitter i ett möte och plötsligt upptäcker att en av mötesdeltagarna sysselsätter sig med något helt annat, kan det handla om en röd person som tappat intresset. Tittar du närmare kommer du att inse att hans tankar finns på annat håll. På nästa steg i processen som diskuteras, till exempel. Eftersom röda personer är så snabba i tanken har de hunnit vidare långt innan alla andra.

Få saker irriterar en röd person mer än långsamhet. Om ett möte eller en diskussion drar ut på tiden kan han mycket väl avbryta och fråga om det verkligen är nödvändigt att harva detta ytterligare. Vi har ju redan pratat i tjugo minuter. Herregud, det handlar ju bara om några miljoner i investeringar. Hur svårt kan det vara?

Om du tänker efter har de ofta rätt. När andra i en grupp kan ha svårt att fatta ett beslut är den röda oftast beredd att ta vilket beslut som helst i sin strävan att komma vidare. Med en röd person i arbetslaget kommer ingenting dras i långbänk. När allt kommer omkring är det ju alltid bättre att göra *någon*ting än *ingen*ting. Eller hur?

Fördelen är uppenbar. Här pratar vi om människor som aldrig slösar tid på saker som inte leder framåt. Så fort en uppgift tenderar att bli otydlig eller ta för lång tid kommer den röda personen se till att farten upprätthålls hela vägen genom ett visst projekt, en vanlig arbetsuppgift eller ett husbygge. Undan ska det gå.

För ungefär femton år sedan började jag på ett litet konsultbolag med ett tiotal anställda. Det var en smidig organisation med mycket entreprenörsanda och bra fart på affärerna. En av orsakerna till att de var så effektiva gick att hitta i den röda grundarens personlighet. För Björn gick ingenting fort nog. Inga möten tog mer tid än absolut nödvändigt.

Andra eller tredje veckan på det nya jobbet satt jag i en bilkö när min mobiltelefon ringde. Jag tittade på displayen och konstaterade att det var Björn. Jag svarade – helt i enlighet med vad jag fått lära mig när jag började på firman – med *välkommen, mitt namn* och *företagets namn.*

Otåligt avbröt han mig med att kasta ur sig en fråga.

Har du sökt mig? Nej, svarade jag och drog efter andan för att säga någonting mer. Det hann jag inte. *Okej,* sa han och tryckte bort mig.

Åtta sekunder.

Otrevligt? Tja, vid den här tiden kände vi inte alls varandra. Jag ska erkänna att det hela – åtminstone vid just det tillfället – oroade mig en aning. Tre veckor gammal i företaget och hövdingen själv ringer, och låter dessutom vresig på rösten.

När vi lärt känna varandra – och jag lärt mig att Björn var röd – frågade jag honom varför han varit så tvär i telefonen. Förutom att han naturligtvis inte mindes det hela sa han att det enda han antagligen hade velat var att ta reda på om jag hade sökt honom. När jag av allt att döma inte hade det fanns ingen anledning att prata vidare. Att ödsla tid på artighetsfraser eller utdragna avsked låg inte för honom.

Men samtidigt var detta en person med en arbetskapacitet långt utöver det vanliga. Björn hann med mer än de flesta en normal arbetsdag. Han har fortfarande en enastående förmåga att utnyttja all ledig tid. Det finns inte en lucka på fem minuter där han inte klämmer in ett mail, ett telefonsamtal eller genomgång av ett protokoll. Sett utifrån kan det tyckas som ett onödigt jagande av effektivitet. Men en röd person avskyr overksamhet. Det måste hända saker. Addera känslan av ständig brådska och det blir helt enkelt en hel del gjort.

THE SKY IS THE LIMIT – ELLER ÄR DEN EGENTLIGEN DET?

För en röd person är en realistisk budget en feg budget. Om vi inte utmanar oss till bristningsgränsen har vi inte ansträngt oss tillräckligt. Ambitionsnivån vet vanligtvis inga gränser, eftersom röda personer älskar svåra uppgifter. Det röda beteendet definieras ju just av förmågan att hantera svåra situationer och utmaningar.

När en person med röda drag ska sätta upp sina mål händer flera saker. Till att börja med så vill han exempelvis veta hur bra en viss uppgift under gynnsammast möjliga förutsättningar skulle kunna utföras. Om alla nitton parametrar verkligen samspelar och vi har lite extra flyt ovanpå det – skulle ett fenomenalt resultat kunna uppnås. Det innebär att allting under den nivån är ointressant, eftersom det bevisligen finns åtminstone avlägsna sannolikheter att nå just dit. Om dessutom någon annan har lyckats med det omöjliga är saken klar i den rödas huvud.

Ingenting är omöjligt – det tar bara lite längre tid. Antagligen var det en röd person som kom på det uttrycket.

Givetvis handlar det även om syftet med det som ska uppnås. Det räcker till exempel inte bara med att få en omöjlig säljbudget. Om den röda personen inte tycker om att sälja struntar han i budgeten. Eftersom han helst tar alla beslut själv kommer han förmodligen inte att låta sig luras in i någonting han inte har lust med. Men det är heller inte problemet. Röda personer ställer högre krav på sig själva än någon annan färg skulle göra. Och de är alltid beredda att arbeta hårt. Jag skulle inte gå så långt som att säga att inga andra arbetar lika hårt som de röda, men jag vågar nog påstå att en röd person skulle kunna bjuda vem som helst på en rejäl match.

Ambitionerna hos den röda bör inte förväxlas med maktbegär. Röda personer har inga problem med att placera sig själva i maktpositioner, de är ju välkänt orädda. Uttryck som att det är ensamt och blåsigt på toppen skrämmer inte. De struntar i vilket. Men makten är inget självändamål. Makten kommer dock väl till pass för den som gillar att ta egna beslut och slippa vänta på andra.

En röd person kan faktiskt vara ganska prestigelös. Han har visserligen ett starkt ego, men status och prestige har inte samma värde som för andra färger. Skälet är enkelt. Vad andra tycker struntar den röda oftast i. Han finns inte här för deras skull – han finns här för sin egen skull.

LYSSNA PÅ MIG NU, FÖR SÅ HÄR LIGGER DET EGENTLIGEN TILL

Den röda personen ger således allt. När han har en viss uppfattning eller bara vill att vi andra ska hålla med honom, tar han i från tårna.

En gång satt jag i ett möte med en massa människor som inte riktigt kände varandra. Det var en samling av konsulter som hade träffats för att diskutera ett eventuellt samarbete. Detta var mitt i en lågkonjunktur, och vi var alla bekymrade över uteblivna uppdrag. Medan vi väntade på mötets ordförande pratades det om lite av varje runt bordet.

Vid ena änden av bordet satt Elisabeth, med bestämda åsikter om allting. Rätt vad det var sa hon med fast blick att företaget X fortfarande beräknades tjäna omkring sexhundra miljoner i veckan, lågkonjunkturen till trots. Ett femtontal konsulter, alla välutbildade och tänkande, intelligenta människor nickade samfälligt. Tänk dig själv – sexhundra miljoner! I *veckan!*

Medan Elisabeth la ut texten om hur situationen borde lösas inom konsultvärlden började jag fundera över siffrorna en aning. Jag sa ingenting eftersom jag inte hade en aning om var uppgiften kom ifrån. Den kunde ju vara riktig, den kunde också vara skarvad. Jag visste ärligt talat inte. I väntan på att mötet officiellt skulle börja räknade jag ut hur mycket sexhundra miljoner i veckan blev på ett år. Pappret räckte inte till.

Efter mötet fick jag svaret på mina funderingar. Jag satt i en taxi på väg till nästa möte när chauffören slog på radion. På nyheterna meddelade man att företaget X antogs tjäna mellan åtta och nio miljoner i veckan. Jag insåg att det var från nyheterna Elisabeth hämtat uppgiften. Jag förstod även att åtta–nio miljoner i veckan var avsevärt mer realistiskt än de sexhundra miljoner som hon hade refererat till.

Men vänta nu. En liten avstämning mot verkligheten behövs här. Varför var det ingen som reagerade? Ingen i rummet höjde ett finger och ifrågasatte hennes uppgifter. Varför?

För att hon lät så övertygande! Hennes min var bestämd, ansiktet var distinkt ordnat och hon darrade inte det minsta på rösten när hon drog sina siffror.

Och så fungerar röda personer. När de tror på någonting låter de folk veta att detta är den enda rådande sanningen. Nu kanske vän av ordning hävdar att detta är ett bedrägligt beteende, eftersom vi numera vet att företaget X tjänade åtta miljoner i veckan och inte alls några sexhundra.

Men jag är övertygad om att Elisabeth verkligen trodde på det hon sa. Hon hade fått någonting om bakfoten, inget snack om det. Hon var inte intresserad av detaljer, visst. Min poäng är att hon lät så övertygande när hon deklarerade att företaget X numera drog in två årsintäkter – i veckan – att vi alla gick på det.

Eller för att citera en god vän till mig: *Det finns två sätt att göra det här på – mitt sätt och fel sätt.*

Resten kan du säkert fylla i själv.

BARA DÖDA FISKAR SIMMAR MED STRÖMMEN

De är både banbrytande och viljestarka. Varför inte även addera resultatinriktade och beslutsamma när vi ändå håller på? För röda personer duger det inte att göra som alla andra. Och bara för att det är jobbigt betyder det inte att man borde låta bli.

Röda personer är inte rädda för att ta beslut. När alla andra tvekar, funderar och undrar över riskerna klämmer den röda i med det mest kontroversiella beslutet. Röda personers drivkrafter är oftast väldigt starka. Har de väl bestämt sig så blir det åka av.

Deras oräddhet gör att de vågar ta sig an saker som andra tvekar inför. Det visar sig ofta när det hettar till och de räds inte tuffa tag eller kniviga beslut. Det är ingen slump att många entreprenörer är röda. Att starta nya företag – särskilt om de grundas på helt nya affärsidéer – är i vår nuvarande typ av ekonomi ingenting för veklingar. Det skadar inte om den drivande kraften är just drivande. Det krävs ett starkt sinne för att komma framåt, vetskap om att risker är en del av vardagen, och att allting handlar om hårt arbete från tidig morgon till sen kväll – i flera år. De röda inser detta redan från början, men skräms inte alls av det.

Behöver du någon som driver en viss fråga i bostadsrättsföreningen? Kanske har ni kommit på kant med elleverantören som säger att det inte alls är fel på mätaren. Eller så har kanske entreprenören som lagt om taket och installerat de nya hissarna slarvat och vill nu inte ta ansvaret. Själv möts du av en mur av telefonister och info@-adresser och du är precis på väg att ge upp när du plötsligt erinrar dig killen på andra våningen i porten intill din. Var inte han ganska röd av sig? Var det inte han som vågade gå emot ordföranden i dennes hjärtefråga om soptömningen på senaste stämman? Jo, det var det.

Kasta in killen från andra våningen i förloppet och du ska se att det kommer att hända saker. Du får kanske motivera honom en aning, förklara att han har en del att vinna på det själv. Men han kommer att få saker att hända. En del av det kommer att vara bra, riktigt bra. Leverantören som har sjabblat kommer att börja höra av sig igen. Killen på tvåan kommer inte att ligga sömnlös om någon blir förbannad på honom.

Generellt sett kan man säga att de rödas styrkor ofta är väldigt starka. De är ytterst tydliga i sin kommunikation, och man behöver inte leta länge för att identifiera ett rött beteende. Givetvis har många röda personer med åren lärt sig att lägga band på sig, men det brukar inte hålla några längre stunder. I full frihet blir det på något sätt gasen i botten i alla fall. Med allt vad det innebär.

DET VAR INTE ALLS BÄTTRE FÖRR. GLÖM DET, OCH GLÖM DET FORT.

Den röda håller inte fast vid en ståndpunkt när han väl är överbevisad om att det finns en bättre lösning. Han är snabbtänkt och har inga problem att vända på en femöring. En av fördelarna med det här är att han inte heller förkastar andras idéer om han inte har en egen. Allt som för utvecklingen framåt är värt att titta närmare på.

Ibland kan besluten komma väl så fort, men viljan att ständigt förändra skapar en stark dynamik och flexibilitet. Om någonting varit statiskt för länge – säg, i flera veckor – kommer detta att vridas om ett halvt varv. Andra kan stressas av det här, men när man frågar den röda varför han ändrade på något som faktiskt fungerade kan svaret bli: För att jag kunde.

Givetvis finns det baksidor. De röda tröttnar fortare än alla andra på det vi redan har uppnått och omgivningen vet inte vad som kommer att hända. När gröna och blå personer börjar vänja sig vid den nya organisationen och tycker sig ha förstått hur den är tänkt att fungera, ja, då har den röda personen redan skissat på nästa steg.

Bra eller dåligt? Vad tycker du?

SLUTSATSER OM RÖTT BETEENDE

Så vad säger du? Känner du några röda personer? Har du några i din omgivning? Om du vill stifta närmare bekantskap med några kända röda personer kan du alltid titta förbi hos Fredrik Reinfeldt, Mikael Persbrandt, Gunde Svan eller Göran Persson. I både Fredrik Reinfeldts och Göran Perssons fall är det ganska intressant att studera hur de båda lärt sig att uppträda, lugnt och sansat, och jämföra med hur de i sina grundbeteenden egentligen fungerar. Internationellt har vi annars Barack Obama och Moder Teresa.

Jo, det är sant. Om du tänker igenom Moder Teresas gärning, vilken kraft som krävdes och vilka hon hade att hantera – världens främsta ledare – för att åstadkomma det hon gjorde, så inser du säkert att hon var ytterst målmedveten och kraftfull som person. En typiskt röd profil.

KAPITEL 5

DET GULA BETEENDET

HUR DU KÄNNER IGEN NÅGON SOM FÖRLORAT MARKKONTAKTEN, OCH HUR DU GÖR FÖR ATT FÅ NER HONOM PÅ JORDEN IGEN

Vem ska göra det där roliga jobbet? Jag vill vara med!

I den Hippokratiska världen har vi nu kommit till sangvinikern. Vilka synonymer finns att beskriva honom med? *Optimisten* och *livsbejakaren*, en person med ljus livssyn kanske? Microsoft Word föreslår till och med epitetet *möjligheternas man* … vad sägs om det? Faktum är att det är en utomordentlig beskrivning av det gula beteendet. Detta är människor som lever för att leva och som alltid ser möjligheter till njutning. Livet är en fest, och de gula tänker se till att få ut det mesta av det. De drivs av att ha kul och att skratta utan avbrott. Och varför inte? Jag menar, solen skiner ju faktiskt alltid någonstans.

Känner du någon som ser solsken där alla andra ser mörka moln? Har du träffat någon som kan skratta trots att inga goda nyheter förekommit på månader? Då har du träffat en gul person. Har du varit på en fest och undrat varför alla flockas runt en viss person, man eller kvinna? Tja, i mitten av cirkeln står en gul person och underhåller alla som vill bli underhållna. De gula ser till att stämningen är på topp, och att det verkligen blir ett kalas av det hela. För när det inte är roligt längre, då hoppar de vidare till en annan plats där stämningen är bättre.

Den gula personen är lätt att känna igen. Det är han som pratar hela tiden. Det är han som i stället för att ställa frågor ger svar. Ofta på frågor som ingen ställt. Det är han som besvarar en fråga med en historia som kanske eller kanske inte har med saken att göra. Men det spelar ingen större roll, för han kommer att göra dig på gott humör. Hans orubbligt positiva attityd gör dessutom att du inte kan vara upprörd någon längre stund.

Jag skulle till och med våga sträcka mig så långt som till att påstå att de gula personerna är mer populära än andra. Hur kan jag säga en sådan sak? Titta själv. De underhåller, skapar gott humör och det kommer alltid att hända roliga saker runt omkring dem. De vet hur de ska fånga allas uppmärksamhet, och de vet hur de ska behålla den. De får oss andra att känna oss viktiga. De är helt enkelt förbaskat trevliga.

De är även mycket typiska känslomänniskor. Precis som de röda tar de gula gärna snabba beslut men de kan sällan förklara det med rationella motiv. *Det kändes rätt*, är ett mer troligt argument. Och visst, magkänslan ska inte underskattas. Det finns studier som visar att magkänslan kan vara rätt oftare än vi tror. Men det är inte sådan magkänsla vi pratar om här. Här handlar det om beslut som baseras på känsla mest för att det inte fanns någon tanke.

Jag har en syster som är gul. Hon är så lättsam till sitt sätt att jag aldrig hört någon uttala ett enda negativt ord om henne. Någonsin. Hur partisk jag än må vara har jag aldrig mött någon som inte omedelbart tycker om henne. Hon har en fullkomligt unik förmåga att nå fram till varenda människa hon möter.

Marita säger många underhållande saker. En del av de där sakerna är dock så besynnerliga, att jag ibland måste fråga henne hur hon egentligen tänkte. Oftast svarar hon med ett gapskratt: *Inte tänkte jag!*

Att komma hem till henne och hennes man Leif är en befrielse på många sätt. Deras nästan obegripliga förmåga att se ljuspunkter i allt omkring dem är så härlig att få upptas i att det frigör min egen lättsamma sida. Jag är aldrig så glad och uppsluppen som när jag kommer dit. Jag undrade under många år vad detta egentligen berodde på, och har kommit fram till att gult beteende helt enkelt är smittsamt.

Det ser ut att bli regn, kan jag säga till min syster. *Det kan jag inte tänka mig*, svarar hon. *Fast nu börjar det faktiskt att regna*, säger jag och pekar ut genom fönstret. *Det ser faktiskt riktigt mörkt ut, det kan nog bli åska också innan det här är över. Visst*, säger hon, *men sedan kommer solen! Vänta ska du få se.* Sedan skrattar hon. Igen. Medan trädgården gror igen sitter hon i soffan och har oförskämt roligt. Och jag, och alla andra, skrattar med eftersom det inte går att stå emot.

JU FLER VI ÄR TILLSAMMANS, JU GLADARE VI BLI. OCH DINA VÄNNER ÄR MINA VÄNNER ...

Människor med mycket gult i sitt beteende är fokuserade på att skapa relationer. De är utåtriktade och kan vara ytterst övertalande. De blir lätt entusiastiska och exalterade och berättar gärna om sina känslor för andra, inte sällan även för fullständiga främlingar.

Gula personer kan prata med vem som helst. De är inte alls blyga, utan ser de flesta de möter som trevliga människor. Även främlingar ses som någonting positivt – de är bara bekanta som man inte lärt känna ännu.

En vanlig kommentar är att gula personer är väldigt positiva, eftersom de ler och skrattar hela tiden. Och det är tveklöst en av de bästa styrkorna en gul person har. Optimismen är oslagbar. Kommentarer från andra om att det är på väg åt helsike med världen möts ofta med *men vilken härlig utsikt vi har på vägen!*

Precis som röda personer har de gula väldigt mycket energi. Det mesta är intressant, och gula individer är de mest nyfikna du någonsin träffat. Allt som är nytt är kul, och mycket av den gula energin går till att hitta på nya sätt att till exempel få jobbet gjort.

Vilka får flest julkort tror du? Gula personer. Flest kontakter i sin mobil? Just precis – de gula. Flest vänner på Facebook? Du har fattat det här märker jag – de gula. De har kompisar precis överallt, och de är suveräna på att hålla kontakt med alla för att på så vis hålla sig uppdaterade. För de gula vill veta vad som händer. De vill vara med där det händer, och de kommer att se till att komma på varenda fest som är på gång.

Jag inser att du redan nu är väldigt inspirerad. Låt oss därför titta närmare på detaljerna.

VISST ÄR DET FANTASTISKT? JAG FULLKOMLIGT ÄÄÄLSKAR DET!

Är det någonting som kännetecknar det gula beteendet så är det den obegränsade optimismen och entusiasmen. Få saker kan hålla det goda humöret borta någon längre stund. Hela den gulas väsen är koncentrerat på en och samma sak – att hitta möjligheter och att se lösningar.

Redan Hippokrates på sin tid kallade den gula för sangviniker, och rent språkligt betyder det helt enkelt optimist. Ingenting är egentligen ett problem. Det kommer att ordna sig. Att världen nu råkar vara full av bekymmer och mödor hör liksom inte hit. Obotligt positiva gläder gula individer sin omgivning med glada tillrop och underhållande vitsar.

Jag kan inte säga varifrån den gulas enorma energi kommer, men den är inriktad på att ha roligt och att idka umgänge med andra. Alla ska involveras, och en gul person tillåter inte någon att hänga med huvudet.

En god vän till mig är gul, och hans liv har innehållit mer än lovligt många utmaningar. Mickes fru har gått ifrån honom, hans barn har haft problem i skolan och han har förlorat sitt arbete ett flertal gånger på grund av att hans arbetsgivare gått i konkurs. Jag kan inte ens räkna hur många gånger han blivit påkörd när han kört bil, haft inbrott i sitt hem eller blivit bestulen på dyrbara saker. Ibland vågar jag knappt svara när jag ser att det är han som ringer. Micke är ärligt talat den mest otursdrabbade människa jag någonsin mött.

Men det som är så egendomligt med honom är att han aldrig tycks låta sig nedslås av allt detta. Naturligtvis blir han bedrövad när olyckorna inträffar, men han verkar inte kunna behålla nedstämdheten några längre stunder. Det bubblar och porlar inom honom mest hela tiden.

Jag minns ett tillfälle när vi båda var ganska unga. Han hade precis köpt en gammal Alfa Romeo. Det var en tvåsitsig sak med två dörrar, plågsamt rostig och att den höll ihop över huvud taget var inget annat än ett under. Micke hade väl haft den här bilen någon vecka när han krockade med en lyktstolpe så att han inte kunde kliva ut på förarsidan. Efteråt frågade jag oroligt hur det hade gått, om han hade skadat sig. Hans svar?

Det gjorde ingenting! Jag hade ju en dörr till!

OPTIMISTKONSULTEN SLÅR TILL IGEN. OCH IGEN.

Eftersom de gula individerna är så positiva och gladlynta sprider de mycket glädje och värme i sin omgivning. Genom sin obändiga optimism bryter de effektivt ner allt motstånd.

Och vem kan vara bedrövad när någon annan hela tiden pekar ut ljuspunkterna? Hur kan du undgå att bli inspirerad av en person som vägrar se halvtomma glas? Som bara ser halvfulla?

En av mina kunder är försäljningsdirektör för ett läkemedelsbolag. Marianne har jobbat sig upp inom bolaget och gått det man kallar den långa vägen. Det hennes chefer och alla medarbetare är överens om är att hon har nått sina framgångar tack vare en enda sak: hennes förmåga att inspirera sin omgivning.

Vid ett par tillfällen har jag suttit med när hon hållit i säljmöten med sina säljare. Jag tycker själv att jag är en hyfsad inspiratör, men när Marianne går igång är det bara att lyfta på hatten. Inom ett par minuter har taket lyft, och skulle hon be säljarna hoppa ut genom fönstret skulle de förmodligen göra det. Trots att det är fem våningar ner. Hon får nämligen allting att låta så enkelt.

Det är en bra idé att hoppa ut genom fönstret! Vi kan göra det. Låt oss hoppa!

Och gruppen hoppar efter henne. Hon är enastående på att med sin optimism och ljusa syn förmå människor att uträtta stordåd, genom att helt enkelt blunda för det negativa. Genom ren inspiration blåser hon upp folks självförtroende till osannolika nivåer.

En gång såg jag henne hantera en rasande kund som ansåg sig illa behandlad av hennes organisation. Kanske inte varje persons drömsituation. Det visade sig nu inte vara ett problem för Marianne. Genom att strängt taget bara le mot kunden och vägra lyssna på hans negativa kommentarer, vände hon honom från rasande, till milt leende och slutligen högljutt skrattande. Hur gick det till? Jag tror inte ens att hon själv skulle kunna förklara den bakomliggande processen. Det kom helt enkelt naturligt för henne.

VAD HÄNDER OM VI VÄNDER UPP OCH NER PÅ ALLTIHOP?

Påhittigare finns inte. Är det någonting gula personer har en fallenhet för så är det att se lösningar där ingen annan ser dem. De har en unik förmåga att vrida och vända på saker för att komma vidare. Att kort sagt vända allting upp och ner. Tänka utanför boxen. Kalla det vad du vill, men deras tänkande följer inte alltid något givet mönster.

Fort går det: den gulas intellekt är mycket snabbt, vilket gör att det kan vara svårt att hänga med. Och ibland kan de ha svårt att förklara vad de egentligen menar med sina inte sällan vilda idéer.

En god vän till mig tycker om att jobba med sitt hem. Allting relaterat till heminredning och trädgårdsdesign fascinerar honom. Jag misstänker till och med att Robban i hemlighet hellre skulle vilja jobba med inredning på heltid än det han egentligen arbetar med.

Jag har sett det själv, men framför allt har jag hört från hans hustru hur det går till. Han går en vända på tomten. Hon brukar räkna baklänges från tio. Det slår aldrig fel. *Älskling, jag har en idé,* säger Robban på sju.

Jag tror att detta beror på flera saker. Dels har han lätt för att tänka i bilder. Han kan helt enkelt "se" saker framför sig långt innan sakerna existerar. Dessutom har han mod, han är inte rädd för att testa nya saker. Eller att prata om dem. Munnen går vanligtvis parallellt med att han upptäcker de här idéerna.

Jag har själv arbetat med en gul person som kunde korsa gatan och komma på ett par riktigt tänkvärda affärsidéer bara genom att se sig omkring. Hur det går till? Jag vet inte riktigt. Under lång tid bad vi honom skriva ner sina förslag, och vad som hände därefter återkommer jag till under rubriken *svagheter.*

En annan sak som hjälper den gula är att han sällan känner några begränsningar. Han vågar verkligen gå utanför de vanliga ramarna när han kreerar. Ramar är ju annars en begränsning men gula bekymrar sig sällan för sådant. Det finns bevis på att den gula individen inte ens uppfattat att där fanns några ramar.

Behöver du hjälp med nya uppslag eller idéer – leta upp den gulaste person du känner. Har du fastnat i dina egna tankar, behöver du en ny vinkling på ett gammalt problem – prata med en gul. Det är inte säkert att just de idéer som kommer upp går att genomföra – realism står inte på den gulas karta – men det ena kan leda till det andra och rätt vad det är har du någonting som funkar.

ATT SÄLJA SNÖ TILL PINGVINER OCH SAND TILL BEDUINER

Genom all den här energin och optimismen blir de gula personerna mycket övertygande. Det är lätt att ryckas med och se möjligheter och lösningar där andra kanske bara ser låsningar.

Man brukar säga att det är skillnad på att övertyga och övertala, och visst går många gula personer ibland över gränsen. Men ofta låter allting så oerhört bra. De kan verkligen konsten att med språkets hjälp vinna över människor till sin sida.

Språket, förresten: de flesta gula har, som jag beskriver i kapitlet *Kroppsspråk* (se sidan 123), ett rikt och varierat sätt att gestikulera. Detta leder i sin tur till att helhetsupplevelsen blir väldigt stark.

Men det är inte bara energi och vilja. Gula personer har ett uttryckssätt som gör att vi blir övertygade. De talar ofta i bilder, och påverkar därför fler sinnen än bara hörseln. Och det i sin tur skapar ett intryck som inte sällan känns i hela kroppen.

Utan att ens veta om det är många gula personer skickliga retoriker. De vet instinktivt att deras Ethos, bäraren av budskapet, är lika viktig som budskapet självt. Därför är de noggranna med att verkligen nå fram till dig som individ. Oftast genom att vara personlig och skaka hand med dig. Komma med små personliga kommentarer. Få dig att känna dig viktig.

Det sägs att president Bill Clinton var fenomenal på det där. Han kunde genom sin blotta närvaro få människor att känna sig extremt sedda och uppskattade. Han hade den slags karisma som finns naturligt hos många gula personer. Det synliga intresset för en annan person, förmågan att ställa de exakt rätta frågorna som verkligen fick andra att känna att de var betydelsefulla. Om det var det som till slut gav honom problem med gylfen vet jag inte, men det är å andra sidan en helt annan historia.

JAG KÄNNER MASSOR AV MÄNNISKOR. ALLIHOP, FAKTISKT.

Om gula personer inte tillåts odla sina relationer kommer de att sakta men säkert förtvina och dö. Okej, det var kanske överdrivet, men tänk efter – själva definitionen av gult beteende finner vi i deras förmåga till relationsskapande.

Det gula draget står för *inspiration*. De inspirerar helt enkelt sin omgivning, och det gör man bäst genom att bygga relationer. Den gula personen vet att relationen är det ojämförligt viktigaste i till exempel affärer. Om din kund inte känner någonting för dig blir det svårare att komma någon vart.

Gula personer känner alla. De har fler bekanta än alla andra. De gillar alla. En gul person behöver inte känna en person särskilt väl för att kalla honom sin vän. För att travestera det gamla uttrycket ur nya testamentet: *Den som inte är med mig är emot mig.* För den gula är det precis tvärtom. Den som inte är aktivt emot mig är naturligtvis *med* mig. Kom ihåg att när de röda frågar *vad* som ska göras vill de gula genast veta *vem* som ska göra det. Denna fråga är helt avgörande för engagemanget. Om laget eller gruppen inte fungerar kommer den gula inte att må bra. Han behöver de fungerande relationerna för att komma till sin rätt.

SLUTSATSER OM GULT BETEENDE

Vad tror du? Har du träffat en riktigt gul person någon gång? Kända exempel från världen är annars George Bush den yngre. Alla grodor han släppte ifrån sig kommer att gå till historien, och då pratade han bara fritt ur hjärtat. Och vem kommer att glömma när han mitt under ett toppmöte började massera axlarna på Angela Merkel? Det är vad jag skulle vilja kalla att ge efter för spontana infall. Internet är fullt av hans grodor, men det är helt enkelt så det är med gula personer. Det hoppar grodor ur munnen på dem. Kända svenskar som uppvisar tydliga gula drag är Carolina Klüft, Sven Melander, Babben Larsson, Jonas Gardell, KD-ledaren Göran Hägglund och prinsessan Madeleine. Och då har vi inte ens pratat om Filip och Fredrik … Försök få en syl i vädret där om du kan.

KAPITEL 6

DET GRÖNA BETEENDET

ANLEDNINGEN TILL ATT DET ÄR SÅ SVÅRT ATT FÖRÄNDRA SAKER OCH TING – OCH HUR MAN KOMMER RUNT DET

Hur ska det här gå till? Det är väl ... inte bråttom?

Den gröna personen är den vanligaste, så du kommer att möta honom i princip överallt. För att enklast förklara vem han är, skulle jag vilja beskriva honom som genomsnittet av alla andra färger. Tolka nu inte detta som någonting negativt, utan betänk vad det faktiskt innebär. Där de röda är stressade prestationsunder, de gula kreativa festprissar och de blå – se sidan 63 – perfektionistiska Excelryttare – där är de gröna mer balanserade. De väger upp de övriga extrema personlighetsdragen på ett mycket bra sätt. Flegmatiker, kallade Hippokrates dessa. Jordmänniskor, sa aztekerna. *Trög, sävlig, okänslig, maklig, loj, liknöjd* och *lugn* hävdar synonymordboken i Microsoft Word.

Och det är ju bara att konstatera fakta – alla kan inte vara extremer – vi skulle inte få någonting gjort. Alla kan inte vara drivna ledartyper för det skulle inte finnas någon att leda. Alla kan inte vara gladlynta underhållare, för det skulle inte finnas några att roa. Och om alla vore kontrollerande pedanter skulle det inte finnas någonting att kontrollera.

Det betyder att gröna personer inte sticker ut på samma sätt som de andra. Och detta skänker ofta ett lugn till en situation. Där den röda och gula går igång på högsta växeln tar den gröna det betydligt lugnare. Och där den blå fastnar i detaljer försöker den gröna mer känna sig fram till vad som är rätt.

Om du har en vän som är grön så kommer han inte att glömma din födelsedag. Han kommer inte att missunna dig dina framgångar, och han kommer inte att försöka ta äran av dig genom att dra sina egna historier. Han kommer inte att försöka bräcka dig, och han kommer inte att jaga på dig och stressa upp dig genom att ständigt komma med nya och värre krav. Inte heller kommer han att se er som konkurrenter om ni skulle hamna i en sådan situation. Han kommer inte att ta befälet om han inte har mandat att göra det. Han kommer heller inte att ...

Ett ögonblick, kanske du tänker nu. Det där är bara en massa saker han *inte* gör. Men vad *gör* han då?

Det går inte att bortse från att de gröna är mer passiva än andra. De är inte lika drivna som de röda, inte lika påhittiga som de gula och inte lika ordningsamma som de blå. De är helt enkelt *som folk är mest.*

Av just den anledningen är de lätta att ha att göra med. De låter dig vara dig själv. De kräver inte så mycket och de bråkar aldrig i onödan. Barn med gröna drag brukar omtalas som att de är små änglar. De äter när de ska, de sover när de ska, de läser sina läxor när de ska.

Men det är inte bara det. Gröna personer förolämpar inte folk om de kan undvika det. De vill helst inte förolämpa någon överhuvudtaget och de kommer inte att käfta emot om chefen kommer med underliga beslut. (Kämpa emot så att det hörs, vill säga. Vid kaffemaskinen kan det låta annorlunda, men mer om det senare.) De strävar oftast efter att passa in, vilket gör dem till mer balanserade personer. De är perfekta för att lugna ner stirriga gula personer, till exempel. Och de är mycket bra på att värma upp de blå som kan bli lite väl svala emellanåt.

Vi umgås regelbundet med en familj där mannen är gul och gärna spexar och står i centrum – han hittar på lustiga lekar och svarar gärna på alla frågor själv. Alla vi andra är hans publik och han kliver aldrig av scenen. Hans fru är grön. Lugn, sansad och hur cool som helst. När han hoppar omkring och busar (detta är personer i medelåldern) sitter hon lugnt i en soffa och ler. Hon har minst lika roligt åt underhållningen som alla andra. När man frågar henne om hon inte tröttnar på sin spexiga man ibland svarar hon lugnt: *Men han har ju så roligt.*

Och det är ett typiskt grönt drag. De är väldigt fördragsamma med andra människors mer speciella beteenden. Börjar bilden klarna? De gröna är helt enkelt de där du kanske inte tänker på. Det vill säga de flesta.

NÅGRA ENKLA GRUNDER

Gröna personer är vänligheten personifierad. Här kan du räkna med en hjälpande hand när du behöver den. De är utpräglade relationsmänniskor som kommer att göra allt som står i deras makt för att rädda er relation. Och de kommer att investera livslångt. De kommer att hålla reda på när du fyller år, när din partner fyller år, när era barn fyller år osv. Det skulle inte överraska mig om de faktiskt hade koll på när katten såg dagens ljus.

En vanlig kommentar är att de gröna är de bästa lyssnarna, och det är sant. En grön person kommer alltid att vara mer intresserad av dig än av sig själv, och skulle han till äventyrs vara intresserad av sig själv skulle han aldrig drömma om att visa det. Gröna personer finner man skapligt ofta i den offentliga sektorn, där de utan tanke på egen vinning hjälper andra människor.

De är också utpräglade lagspelare. Teamet, gruppen, familjen kommer alltid före den enskilda individen, och jag skulle nog säga att samhällen uppbyggda av gröna personer alltid kommer att ta hand om de sjuka och svaga. De lämnar inte en vän i nöd, man kan ringa dem när som helst. De har alltid en axel att gråta ut mot.

Förändringar är inte deras största styrka, även om förändringar inte är alldeles främmande för dem. Kan du bara motivera och ge tillräckligt med tid kan även en grön tänka sig att testa nya saker. Men man vet ju vad man har och inte vad man får. Gräset är faktiskt inte per automatik grönare på andra sidan, så att säga.

GRÖNA PERSONER ser oftast sig själva som:

Vänliga	Lugna	Pålitliga
Hänsynsfulla	Behagliga	Tålmodiga
Förutsägbara	Stabila	Lagspelare
Diskreta	Omtänksamma	Goda lyssnare

Det låter väl trevligt? Låt oss nu titta på det mer i detalj.

VÄRLDENS BÄSTA KOMPIS

Jag har redan sagt det, detta är naturligt vänliga människor. När de berättar att de är uppriktigt bekymrade för hur du har det kan du lita på att de ligger sömnlösa för din skull. Precis som de gula är de gröna relationsmänniskor, och de grönas intresse för andra är genuint och äkta.

Frågar man i en grupp om någon kan ställa upp kommer den gröna inte att kasta sig fram och skrika *Ta mig!* Dock kommer han att titta sig omkring och om ingen annan anmäler sig kommer han att göra det. Varför? Därför att han inte vill lämna dig i sticket. Han vet att det kan få dig att må dåligt om du inte får någon hjälp, och även om han kan vara passiv ställer han upp för en vän.

Jag minns fortfarande en ung kvinna jag arbetade med på ett konsultbolag i början av det här seklet. Maja var visserligen även blå, men framför allt var hon grön. Hennes problem var uppenbart: när någon frågade om hjälp så ställde hon upp. Varje gång.

Hennes skrivbord var svårt att upptäcka under allt arbete, men hon fixade allting till slut. Vi kunde alltid lita på att hon skulle ställa upp och reda ut sådant som vi andra glömt. Vi satte henne i receptionen eftersom hennes vänliga och varma leende var det första nya kunder mötte. Hon förbisåg aldrig att ställa fram kaffe, rätta till kuddar, hålla ordning på hur länge kunder fått vänta.

Dessutom missade Maja aldrig någons födelse- eller namnsdag. Eller hustrurs eller barns för den delen. Diskreta små mail gick regelbundet ut för att påminna oss stressade konsulter om att vi hade en familj som också behövde tas om hand. Visst, vi kunde hålla rätt på oss själva, men hennes vänlighet och omtänksamhet gjorde det liksom åt oss. Det var naturligt för henne, och när vi bad henne ta hand om sig själv tog hon nästan illa upp. Hon ville ta hand om oss, det fick henne helt enkelt att må bra. Självklart fanns det gränser, och Maja löpte ständigt risken att någon överutnyttjade hennes stora hjärta. Men med viss balans är det en mycket fin egenskap.

Gröna personer gör det helt naturligt. Sitter man vid ett kaffebord är det en logisk sak att fråga andra om de vill ha påtår. Så när övriga färger mycket väl skulle kunna ta med sig sin tomma kopp till kaffemaskinen skulle den gröna hämta hela kannan och fylla på åt alla.

Han vill hålla sig väl med alla, så även de han inte gillar särskilt mycket kommer han att försöka ställa upp för. Annars kan det ju, som bekant, bli bråk.

Han tror gott om de flesta. Och han visar förtroende för andra. Ibland så mycket att det slutar illa, men det handlar mer om omgivningen än om den gröna personen. Han är så godhjärtad att han utan vidare blir utnyttjad av andra då och då.

En god vän till mig, Lasse, är en sådan där riktig helyllekompis. Det spelar liksom ingen roll hur mycket han själv har att göra, behöver någon ett handtag är han där och hjälper till. Och han glömmer ibland bort sina egna uppgifter i sin iver att utföra andras.

På helgerna kör han barn, egna och andras, överallt dit de vill. Han hjälper andra att flytta, han lånar ut sina verktyg utan att man ens behöver fråga. Han lyssnar om man ringer och beklagar sig, och han bjuder alltid på kaffe om han själv är sugen på en kopp. Allt detta tar givetvis en massa tid för honom, men han trivs med det.

HAR DE VÄL SAGT ATT DE SKA UTFÖRA EN VISS SAK KAN DU LITA PÅ ATT DET BLIR SÅ

Om en grön person säger att han ska utföra ett visst jobb kan du lita på att han kommer att göra det. Om det står i hans makt att leverera kommer han att leverera. Det kommer inte att bli klart på kortast möjliga tid, men det kommer att visa sig i din inbox ungefär när du räknat med det. De vill inte bli ertappade med att inte kunna leverera, eftersom det kan sätta andra i trubbel. Och eftersom de är goda lagspelare vill de inte göra någonting som kan ställa till det för laget. Laget kommer före jaget, och laget kan vara företaget, teamet, fotbollslaget eller familjen. Men för den gröna är det naturligt att titta på alla andra och se hur de har det.

Orsakerna till varför det funkar så bra med gröna personer kan diskuteras. Vissa gånger handlar det helt enkelt om att de inte tycker om konflikter. Oftast är det dock deras vilja att göra omgivningen glad och nöjd som styr. Kan de glädja dig med ett väl utfört arbete kommer de att göra det. Att vara andra till lags är snudd på en drivkraft i sig hos gröna personer. Det kommer naturligt och kräver ingen ansträngning. Och detta levereras alltid med ett slags upphöjt lugn som sänker stressnivån hos omgivningen.

OBEHAGLIGA ÖVERRASKNINGAR ÄR INGET VI ÖNSKAR. DET ÄR BRA ATT VETA VAD SOM KOMMER ATT HÄNDA. VARJE GÅNG.

Du vet var du har den gröna individen. Har du ställt honom i ett visst hörn kan du lita på att han står kvar där. I vissa organisationer är det ett krav att kunna lita på sina medarbetare. Kreativitet och uppfinningsrikedom står inte överst på önskelistan: här behöver man kort sagt människor som förstår jobbet och som utför det utan en massa egna oönskade initiativ.

Då anställer man gröna personer. De utgör den där stabila kärnan som kommer att göra det de blir tillsagda. De har ingenting emot att ta en order – så länge den är sympatiskt formulerad. De mår bra av att själva kunna känna stabilitet och att uppleva en viss förutsägbarhet på arbetsplatsen. Eller i hemmet. Eller i bostadsrättsföreningen. Eller i fotbollsklubben.

Tänk dig själv. När det blåser hårda vindar där ute – det kan handla om lågkonjunktur eller om att nya chefer ska in – så ser vi alla möjliga intressanta beteenden i en grupp. Röda personer lyssnar förstås inte klart på meddelandet utan rusar iväg och gör vad de nu anser behöver göras. Om de inte skäller ut ledningen förstås, eftersom de kanske inte alls uppskattar beslutet. De gula drar utan dröjsmål igång vilda diskussioner och underrättar allt och alla om precis hur de ser på det inträffade. Istället för att arbeta kommer de att debattera tills lamporna släcks. De blå kommer att sätta sig på bakhasorna och formulera en halv miljon frågor som ingen ännu vet svaret på.

De gröna? De knotar på. Har nu ledningen faktiskt lyckats undvika att allvarligt sabotera deras känsla av trygghet kommer de att gneta vidare utan att knorra. De fortsätter helt enkelt i tangentens riktning. Det är ingen idé att tjafsa om saken. Lika bra att fortsätta med vad man nu hade för händerna. Och det underlättar faktiskt. Jag kommer till hur vi får de gröna att ändra riktning, men de är suveräna på att hålla stämningen på en hanterbar nivå när det gäller.

Du kommer alltid att veta vad den här personen kommer att svara på vissa frågor, eftersom han inte ändrar sin uppfattning särskilt ofta.

För några år sedan coachade jag Greger. Greger hade varit VD under några år och hade en ledningsgrupp bestående av idel gröna mellanchefer. Han brukade roa sig med att leka lite när han skulle lansera nya idéer. Han skrev små lappar med de svar han trodde han skulle få av respektive person. *Nej* från Anna. *Ja* från Stefan. *Kanske* från Bertil. Det stämde varje gång. Greger kände dem och visste hur de skulle reagera på hans förslag.

Det hade aldrig gått med gula personer. De vet inte ens själva hur de kommer att svara när den stora luckan där framme öppnas. Spännande – javisst. Men arbetsamt i längden för omgivningen. Det behöver du inte oroa dig för när det gäller gröna medarbetare.

VEM? JAG? JAG ÄR INTE VIKTIG. GLÖM ATT DU SÅG MIG. TITTA PÅ DE ANDRA ISTÄLLET.

Gruppen kommer alltid att komma före den enskilda gröna individen. Laget före jaget. Kom ihåg det. Detta är en grundläggande sanning för en grön person, och bör inte utmanas alltför hårt. Arbetsgruppen, teamet, klubben eller familjen – alla dessa olika grupper är viktiga för en grön person. Han bortser ofta från sina egna behov så länge gruppen får vad den behöver.

Kanske anser du nu att grupper består av människor, och om alla enskilda individer är tillfredsställda blir även gruppen som helhet bra? Det kan nog hända, men fokus kommer att vara kollektivet snarare än individen. Ett grönt förhållningssätt är att om gruppen mår bra mår individerna bra.

Här kommer även mycket av den grönas enorma hänsynstagande in – hänsyn till alla i omgivningen. Det är bland annat därför det är svårt att få raka svar från en grön person. Han försöker ju göra alla andra nöjda.

Låt mig berätta en ganska så målande historia. En söndag för ett antal år sedan blev jag uppringd av en kollega som jag egentligen inte kände så värst bra. Jag hade bara jobbat med Kristoffer några månader, och jag tyckte nog inte riktigt att jag kommit underfund med honom.

Så när han ringde mig en söndag förmiddag svarade jag överraskat. Jag såg vem det var, men jag hade ingen aning om vad han ville mig vid den tiden. Han hälsade glatt och undrade vad jag höll på med. Jag hade vid tillfället just köpt ett nytt hus, och höll på att renovera. Kristoffer frågade givetvis vad som stod på agendan just den här söndagen, och jag minns att jag svarade att jag oroade mig för värmepannan. Det var tidig vinter. Temperaturen låg strax under noll grader och en av cirkulationspumparna fungerade inte riktigt som den skulle. Eftersom vintern definitivt var på väg undrade jag om den skulle klara en rejäl köldknäpp.

Grön som han var ställde Kristoffer en lång rad frågor samtidigt som han gav en hel del goda råd. Han hade haft en liknande panna, och dessutom kände han en rörmokare som han kanske kunde be komma förbi och ta en titt. Om jag var intresserad, förstås. Vi pratade en stund, och jag blev alltmer fundersam kring varför han egentligen hörde av sig.

Han frågade var jag bodde. Jag gav honom adressen, och han lovade att skriva ner den och lämna den till sin kompis rörmokaren. Sedan frågade han helt apropå om jag hade några planer på att åka in till stan den här dagen. Jag bodde ett par mil från kontoret, och hade inte för avsikt att jobba den här söndagen. Jag förklarade detta för Kristoffer.

Vi pratade på en stund till, och till slut frågade jag rakt ut vad han egentligen ville. Då kröp det fram att han själv stod utanför kontoret i t-shirt eftersom han råkat låsa sig ute när han hade sprungit ner för att hämta sig lite lunch. Jag tittade på termometern. Två grader minus och det snöade lätt. Vi hade pratat i säkert femton minuter. Jag satte mig i bilen och räddade honom från att frysa näsan av sig.

Alla andra är viktigare. En grön person begär helt enkelt ingenting.

JAG FÖRSTÅR PRECIS VAD DU MENAR

Man säger ju att gröna personer är introverta, det vill säga aktiva i den inre världen. Det innebär att de inte pratar bara för att prata. När man är mer tyst än omgivningen blir det naturligt att man lyssnar. Och de vill lyssna. De är intresserade av dig och dina idéer.

De hör faktiskt vad man säger. Till skillnad från röda som bara lyssnar när det finns något att vinna på det, eller gula som inte lyssnar alls (även om de huvudsakligen kommer att förneka detta faktum) – hör de gröna vad du verkligen säger. De har ett genuint öra för mänskliga problem. Det är inte säkert att du får några förslag på lösningar, men de missar inte det du säger. Förväxla inte detta med att de håller med eller förstår – men de är goda lyssnare.

Så här långt har du förmodligen försökt att lägga ett pussel. Var passar de olika färgerna in? Vilka jobb kan vara lämpliga för den ena eller den andra? Och det är naturliga frågor, även om det inte finns några enkla svar. En sak som ofta kommer upp när jag jobbar med sådana här frågor inom olika organisationer är att röda och framför allt gula måste vara bra som säljare. Och det stämmer säkert. Men man missar ofta den gröna. Är det något vi lär ut till säljare så är det att prata mindre och lyssna mer, något den gröna redan gör helt naturligt.

Helena var en grön säljare jag coachade för några år sedan. Hon var grön, och väldigt mjuk till sättet. De flesta förstod inte hur hon egentligen överlevde i den där tuffa branschen. Men jag har en teori. Hon berättade en gång om när hon skulle träffa en tuff koncernchef som alla hade en väldig respekt för. Ingen i hela företaget hade lyckats sälja någonting till honom, men Helena hade efter lite coachning från mig bestämt sig för att göra ett försök. Och hon fick verkligen till ett möte.

De sprang på varandra redan ute på parkeringen till lunchrestaurangen där de skulle träffas. Den bistre koncernchefen svängde in med sin gamla amerikanare från sent sextiotal. Blank och fin och uppenbart väldigt speciell. Helena sa det enda hon kunde komma på: *Wow!*

Gillar du bilar? frågade koncernchefen innan de ens hade hälsat. Helena nickade. Sedan berättade han om bilen, om hur mycket han lagt ner för att göra i ordning den, om lacken, och fälgarna, om motorn. Han visade hur det såg ut under huven och Helena nickade och hummade och hoppades att han inte skulle ställa några frågor eftersom hon inte kunde skilja en Ford från en Chevrolet. Men hon avbröt inte utan lyssnade bara. Sedan var det en promenadseger. De satte sig och han bad att få se avtalet. Det festliga är att hon gjorde affär direkt. Hur gjorde hon? Genom att inte göra någonting alls förutom en sak – hon lyssnade. Han skrev under redan innan maten hade kommit in.

SLUTSATSER OM GRÖNT BETEENDE

Okej. Har du några gröna personer i familjen? Högst troligt.

Kända svenskar med gröna inslag är Stefan Einhorn, Lottie Knutson, Mark Levengood och kung Carl Gustaf. Gamle statsministern Ingvar Carlsson är ett annat mycket bra exempel på en grön person. Han frågade alla om allting hela tiden, och var ytterst obekväm med konflikter. Han har själv sagt att han förankrade sina beslut så ordentligt att han knappt själv visste vad som var beslutat vissa gånger. Och så kanske Jesus. Där hade vi en kille som visste hur man ställde upp för andra.

KAPITEL 7

DET BLÅ BETEENDET

HUR DU VET ATT DU ALLTID KOMMER ATT BETRAKTAS SOM EN SLARVER AV VISSA

Varför ska vi göra det här? Finns det någon analys bakom?

Den sista av de fyra färgerna är en intressant herre. Du har förmodligen mött honom. Han gör inte mycket väsen av sig, men han har ruggig koll på vad som pågår omkring honom. Där den gröna mer glider med sitter den blå på alla de rätta svaren. I bakgrunden analyserar han: sorterar, utvärderar, bedömer.

Du vet att du har träffat en blå person om du kommer hem till någon och allting är organiserat på ett visst sätt. Tydliga namnlappar på varje krok så att barnen ska veta exakt var de ska hänga sina jackor. Matscheman på kylskåpsdörren i sexveckorsintervaller för att garantera en balanserad kost. Tittar du bland hans verktyg kommer du att finna att alla har en given plats och att ingenting saknas. Varför inte? För att den blå hemmasnickaren alltid lägger tillbaka sakerna där de hör hemma.

Han är även pessimist, förlåt: realist. Han ser felen och han ser riskerna. Och han är melankolikern som sluter cirkeln. *Tungsint, sorgsen, vemodig, nedstämd, dyster* och *svartsynt*. Allt enligt Microsoft Word.

URSÄKTA MIG, DET DÄR STÄMMER NOG INTE RIKTIGT ...

Vi har alla en sådan kompis. Tänk efter: du sitter på en restaurang med dina bästa kompisar. Ni diskuterar katter, fotboll eller rymdraketer. Någon slänger ur sig en förflugen kommentar. Det kan vara den röda kompisen som hävdar att Christer Fuglesang varit tre gånger i rymden, det kan vara den gula som glatt påstår att han bott i samma kvarter som Christer Fuglesang som barn i Växjö.

Den blå kompisen harklar sig, och säger med mild röst att Christer Fuglesang faktiskt varit i rymden endast två gånger, att han andra gången gjorde det tyngsta lyftet någonsin i viktlöst tillstånd (omkring 800 kilo) och att han nog inte alls är uppvuxen i Växjö, kanske inte Småland överhuvudtaget, utan snarare i Nacka utanför vår kungliga huvudstad. Dessutom, adderar den gode vännen utan att röra en min, med tanke på att Christer var femtiotvå år gammal när han 2009 gjorde sin andra rymdresa blir det knappast en tredje. Sannolikheten får faktiskt bedömas som tämligen låg. Under 5,74 procent.

Det är bara att ge upp, grabbar. Den här killen har helt enkelt koll. Han gör ingen stor sak av det, men han har ett sätt att lägga fram fakta som gör att du inte kan ifrågasätta det. Han vet var han har hittat uppgiften och han kan mycket väl hämta boken som bevisar det.

Och så är det med blå personer. De har oftast tagit reda på hur saker och ting förhåller sig innan de öppnar munnen. De har googlat, läst instruktionsboken – och därefter avlämnar de fullständig rapport.

Men – en viktig sak att notera: om frågan *inte* dyker upp är det inte säkert att den blå kompisen säger någonting i ämnet. Han har nämligen inget behov av att berätta för alla andra vad han kan. Givetvis kan en blå person inte allting, det kan ingen. Men det han säger kan du oftast lita på att det stämmer.

Märkte du det? Så klart du gjorde. Den här gången listade jag de olika egenskaperna i bokstavsordning – något en blå person kommer att uppskatta. Något som däremot kan ge mig problem är att jag inte kommenterar samtliga på nästkommande sidor. Till alla blå individer som läser detta – och som förmodligen har gjort en minnesanteckning i marginalen att gå in på min hemsida för att titta efter möjliga förklaringar till detta missgrepp – vill jag bara säga att jag inte ville vara orsaken till fler fällda träd än nödvändigt.

Var? Detaljer? Varsågod:

DET VAR VÄL INGET MÄRKVÄRDIGT – JAG GJORDE BARA MITT JOBB

Var är det för anspråkslöst med en person som alltid vet bäst? Det ligger förstås i betraktarens öga, men nog är det blygsamt att inte göra något väsen av sig även om man har svaret på det mesta.

En helt blå person har sällan något större behov av att stå på barrikaderna, att slå på stora trumman – eller sig själv för bröstet – i syfte att göra klart för världen vem som är den verkliga experten. Det räcker oftast med att själv vara på det klara med vem som vet bäst.

Jag menar inte att det bara är positivt: jag har mer än en gång stått mitt bland en massa människor och haft konkreta problem som vi tillsammans har försökt lösa. Efter två timmar kommer en blå person fram och pekar ut svaret. För honom var det aldrig något problem. Han visste ju hur det låg till med det ena eller det andra, och eftersom blå personer ofta missar helheten agerar de inte alltid. Det har hänt att jag undrat varför han inget sa när han såg att vi hade ett problem att lösa. Och svaret har några gånger varit *du frågade aldrig.*

Det är lätt att irritera sig på en sådan kommentar. Men jag kan samtidigt förstå honom. Var han inte inbjuden i diskussionen är det snarast mitt problem. Han visste att han visste svaret, det fick räcka.

Inte heller finns det någon större anledning att jubla, applådera eller kalla upp den blå på podiet när han har gjort något jättejobb på ett fantastiskt vis. Det skadar knappast att jubla i och för sig. Han kommer att nicka, ta emot berömmet och prischecken och gå tillbaka till skrivbordet där han kommer att fortsätta på nästa projekt. Men han kan mycket väl undra vad uppståndelsen egentligen handlade om – han gjorde faktiskt bara sitt jobb.

URSÄKTA MIG, MEN VAR HAR DU LÄST DET NÅGONSTANS? OCH VILKEN UPPLAGA VAR DET?

En blå person kan sällan få för mycket fakta på bordet och för liten koll på det finstilta. Svaret ligger i detaljerna, har någon sagt, och jag kan föreställa mig att det var en blå person som sa det.

Ingen detalj är för liten för att uppmärksammas. Att slarva är helt enkelt inte ett alternativ för en blå person.

Stopp nu, tänker du: att inte ha koll på varenda pytteliten detalj är faktiskt inte samma sak som att slarva. Men frågar du en blå person så är det faktiskt det. Att inte ha full koll är samma sak som att inte ha någon koll alls. Och vad vinner vi på att slarva? Hur kan man motivera det?

Det går faktiskt inte. Säg till en blå person att han kan strunta i detaljerna kring det nya kontraktet, hoppa över de där sista trettio paragraferna – de innehåller ändå knappast något av värde – och han kommer att titta mycket uppmärksamt på dig och undra hur det är ställt med dina mentala förmågor. Som vanligt kommer han inte nödvändigtvis att säga något. Han kommer snarare helt bortse ifrån vad du säger. Han sitter hellre uppe hela natten för att verkligen kontrollera samtliga fakta i målet.

För några år sedan försökte jag sälja ett ledarskapsprogram till VD:n i ett bolag inom förpackningsindustrin. Att han var blå rådde det ingen tvekan om. Hans e-mail var omständliga och lite torra, och för vårt första möte hade han avsatt femtio minuter. Inte en timme, inte trekvart, utan femtio minuter. (Det fanns skäl till det, efter mötet skulle han på lunch, och matsalen låg sex minuter bort. Detta, samt ett toalettbesök på omkring två minuter, var exakt vad han behövde hinna med.)

Första gången vi sågs placerade han mig på en bestämd stol vid ett bestämt hörn vid besöksbordet. Han frågade inte om jag haft svårt att hitta dit – vilket jag haft, adressen var helt omöjlig – han erbjöd varken kaffe eller te. Han log inte när han hälsade. Han undersökte noga mitt visitkort.

Efter att ha gått igenom bolagets behov förklarade jag att jag var beredd att åka tillbaka till mitt kontor för att ställa samman en offert. Väl tillbaka vid mitt skrivbord grunnade jag på hur jag skulle gå till väga. Normalt sett var mina offerter tio–tolv sidor långa. Jag visste att det inte skulle räcka här. I stället la jag manken till och fick ihop säkert trettiofem sidor.

Jag postade materialet till honom i fysisk form, eftersom det skrivna och tryckta ordet för en blå person är betydligt mer värt än det sagda – eller det digitala. Efter någon vecka följde jag upp det hela med ett telefonsamtal. *Det var intressanta rubriker,* sa VD:n, han var beredd att gå vidare. Kunde han nu få själva offerten? Vad han egentligen sa var:

Finns det mer material?

Jag minns att jag kliade mig i huvudet. I offerten hade jag enligt mitt sätt att se det beskrivit programmet ganska väl. Varje moment hade en agenda, ett tydligt mål och ett tydligt syfte. Jag hade lämnat viss bakgrundsfakta, referenser samt källhänvisningar.

Som säljare kan man ju inte ge upp, så jag tog i så jag höll på att spricka. Jag fick ihop säkert åttiofem sidor andra gången: varje moment nerbrutet i tvåtimmarsintervaller, ännu mer bakgrund, exempel på övningsuppgifter, analysverktyg, mallar, rubbet. Detaljer på en nivå som hade fått en gul kund att kräkas.

Nöjd med mig själv skickade jag över hela rasket.

Det tog flera veckor innan jag hörde av VD:n. Jag frågade om han var redo att ta ett beslut. Nu hade han ju verkligen ett stort underlag.

Finns det mer material? frågade han.

Hm. Den här gången ville han komma till mitt kontor. I nittio minuter satt vi på samma sida av bordet i konferensrummet på mitt kontor och gick igenom ... offertens innehållsförteckning. Han hade dragit upp de allmänna villkoren (läs: det finstilta) i A1-format, och varje paragraf var full med frågeställningar och noteringar. Efteråt sa han med fullständigt stenansikte att det var det bästa möte han haft på länge. Men vad han egentligen undrade över var:

Finns det mer material?

Jag skickade iväg honom och satte mig ner en stund och funderade. Mer material? Jag postade hela utbildningspärmen (det här var innan e-learning och virtuella klassrum) på minst trehundra sidor som täckte in varje femtonminuterspass under femton dagars utbildning i fem olika moment av ledarskap.

Detta var allt material som fanns, till och med information kring när kafferasterna borde in, exakt vilka frågor som skulle ställas till individerna i utbildningen, hur rummet skulle möbleras, rubbet. Jag intygar – det fanns inga luckor.

Jag tänkte att om jag tar detta och kör ner i halsen på honom måste han till slut bli nöjd.

Efter en månad frågade han om det fanns mer material.

Det gjorde det inte.

Ett vanligt missförstånd är att blå personer är oförmögna att fatta beslut, men det stämmer inte riktigt. Det handlade inte om att den här VD:n sköt beslutet framför sig, eller att han inte kunde bestämma sig. Han hade helt enkelt inget behov av att bestämma sig. För honom var processen fram till beslutet betydligt intressantare. Och han undrade faktiskt bara om det fanns mer material.

VARFÖR VISSA MÅSTE SOVA PÅ SAKEN SÅ LÄNGE ATT DE TILL SLUT KAN MISSTÄNKAS HA GÅTT I IDE

Exemplet ovan illustrerar även en annan viktig egenskap hos en blå person. De är i allmänhet mycket försiktiga. Ofta går de på säkerhet. Där en röd eller gul person skulle chansa hej vilt avvaktar den blå och funderar en vända till. Det kan ju finnas fler parametrar att ta hänsyn till, eller hur? Man behöver faktiskt gå till botten med saker och ting innan man agerar.

Det finns en gammal vits om vilken som är den bäste juristen. Enligt skämtet är det den utan armar, för då kan vederbörande inte hålla upp händerna och säga *å ena sidan, men å andra sidan.*

Det här kan ta sig lite olika uttryck. Det är ett faktum att vägen är viktigare än målet för en blå person, precis det rakt motsatta som för en röd. Detta kan självfallet leda till att det inte blir några beslut, och det innebär även att blå personer sällan tar några större risker. Att aldrig ta några risker garanterar ett förutsägbart liv, det kan vi nog enas om. Jag säger ingenting om hur spännande och inspirerande det skulle te sig för just dig, jag konstaterar bara fakta.

Ibland kan den blå personen till och med helt avstå från att gå in i någonting eftersom han inte kan bedöma riskerna. Jag mötte en gång en blå säljare som var ingenjör i botten, vars tes var att den bästa affären mycket väl kan vara den du *inte* gör. Riskbedömning är en komplex sak, och vem vet vilka faror som lurar där ute? I allmänhet löser den blå personen det hela genom att bygga upp avancerade system som tar hand om eventuella risker som dyker upp. De ställer tre väckarklockor. De startar två timmar tidigare när det skulle räcka med en. De dubbelkollar barnens ryggsäckar inför utflykten på morgonen, trots att de själva packat dem kvällen innan och ingen annan rört vid ryggsäckarna under natten. De känner efter en extra gång att nycklarna verkligen ligger i fickan. Och det gör de förstås. Var skulle de annars ligga?

Vinsten är uppenbar. Blå personer blir inte överraskade av oförutsedda händelser på samma sätt som alla andra. Och i längden sparar de in väldigt mycket tid.

DET SPELAR INGEN ROLL ATT DET DÄR ÄR SMIDIGARE. DET ÄR JU INTE RÄTT.

Det får inte bli fel. Det är egentligen allt som behöver sägas. Kvalitet är det enda som betyder något.

När en blå individ ser risker för lägre kvalitet i det han gör kommer tempot att stanna av. Detta måste utredas. Av vilken anledning har kvaliteten försämrats?

Med risk för att generalisera vågar jag påstå att ett hyfsat antal ingenjörer har tydliga drag av blått i sig. Noggranna, systematiska, faktaorienterade och kvalitetsmedvetna. Jag kan ju inte veta säkert, men till exempel den japanska biltillverkaren Toyota har sannolikt en god andel blå ingenjörer i sin medarbetarstab. Man har även ett synsätt som innebär att man alltid ställer fem frågor för att säkerställa kvaliteten. Jag skulle vilja säga att det är ett typiskt blått förhållningssätt. (Förutom den japanska mentaliteten, som är mycket långsiktig och ganska blå till sin form.)

Någon upptäcker en oljefläck på golvet. Ett rött förhållningssätt skulle kunna vara att skälla ut den som står närmast och sedan beordra honom att torka upp fläcken. En gul person ser fläcken och glömmer sedan bort den för att två dagar senare med förvåning halka i den igen. Den gröne ser även han fläcken, men får lite ont i magen över att den faktiskt innebär ett problem. Ingenting händer.

En blå person ställer sig frågan: Varifrån kommer fläcken? Svaret kanske är att en packning läcker. Svaret är förstås otillfredsställande för den blå personen. Av vilken anledning läcker packningen? För att den är av dålig kvalitet. Så hur kan vi ha packningar av dålig kvalitet i vår fabrik? Eftersom inköpsavdelningen har blivit tillsagd att spara pengar. Vi har helt enkelt köpt *billiga* packningar i stället för *täta* packningar. Men vem har bett oss spara pengar och tumma på kvaliteten? Så där håller det på. Kanske löser sig problemet. Kanske får vi endast en utskrift på vad som gått snett men ingen åtgärd.

I slutändan kanske lösningen är att se över våra inköpsstrategier istället för att bara torka upp en oljefläck från golvet.

Min poäng är den här: en blå person är beredd att gå mycket långt i sin strävan att få allting precis etthundra procent korrekt.

Blå personer kan mycket väl hävda att om han ska utföra den där uppgiften måste han göra den rätt. Och omvänt – om en uppgift inte är värd att utföras på ett korrekt sätt är den inte värd att utföras överhuvudtaget. Eftersom blå personer oftast har svårt att ljuga, kommer de dessutom alltid att själva peka ut felen de upptäcker – även fel som kan drabba dem själva.

Jag minns tydligt diskussioner mina föräldrar hade när jag var barn. Vi flyttade då och då, och oftast skulle något hus säljas med allt vad det innebar. Pappa – ingenjören – skulle givetvis göra jobbet själv, och han skötte visningarna personligen.

Min mamma var alltid upprörd över att han inledde varje enskild visning med att peka ut alla fel och brister i huset. Det läckte här och där och visst hade en del färg flagnat här bakom soffan. *Varför berättar du det*? undrade mamma. *För att det* är *fel där och där*, svarade pappa. *Jamen, måste du berätta det för spekulanterna? Nu vill de ju kanske inte ha huset!*

Han förstod inte problemet. Förutom att vara en mycket hederlig och ärlig person kunde han inte undanhålla de fel han kände till. Bristerna fanns ju där. Att det sällan blev några stora vinster på de här affärerna kunde han leva med. Han hade i alla fall sagt som det var. För det är så man gör.

OM TERRÄNGEN INTE STÄMMER MED KARTAN SÅ ÄR DET NÅGOT FEL PÅ TERRÄNGEN

Logiskt och rationellt tänkande är ett honnörsord för den blå personen. Bort med alla känslor, i den mån detta nu verkligen är möjligt, och in med logik till hundra procent. Givetvis kan inte blå personer stänga av sina känslor helt, det kan ingen, men de tycker om att säga att de använder rationella argument när de tar beslut. De håller logiskt tänkande högt, men de kan mycket lätt bli deprimerade över sådant som inte går deras väg. Och depression har inte alls med logik att göra – utan med känslor.

Få människor kan som de blå upprepa samma arbetsmoment ett oändligt antal gånger på exakt samma sätt varje gång. De har en unik förmåga att verkligen följa en instruktion till punkt och pricka utan att ifrågasätta den – om de förstod den och tyckte den var bra från början, vill säga.

Hur kommer det sig att de kan det, då? Tja, det är logiskt. Om en viss metod fungerar, varför ändra på den? När en gul eller röd person skulle hitta på nya sätt bara för att de var uttråkade, upprepar den blå individen samma sak gång på gång.

Ett intressant exempel är hur man sätter ihop en möbel från IKEA. Finns det en manual ska den naturligtvis läsas igenom innan man börjar. De röda, givetvis uppfyllda av tanken på att de faktiskt kan det här, börjar skruva och slå ihop de olika delarna utan att ens titta efter vad som finns i resten av kartongen. De gula sliter upp allting och utbrister att det ska bli hemskt kul att få möbeln på plats – de lever i framtiden och ser redan en tydlig bild av det nya skåpet vid rätt vägg i sovrummet med mormors duk och en vas härliga tulpaner på. De sätter ihop delar lite hur som helst utan större ansträngning. De skruvar där det ser logiskt ut för att sedan hoppa över till en annan del av skåpet. En grön hemmafixare ställer den enorma kartongen mot väggen och tar lite kaffe. Det är faktiskt ingen brådska.

Vad gör den blå? Han läser instruktionen två gånger, undersöker hur allting ser ut, att de olika sidorna i det nya skåpet ser ut att stämma med bilderna i instruktionen. Med en lätt fuktad – inte alltför blöt – trasa torkar han noggrant av alla de olika delarna eftersom de sannolikt kommer att vara dammiga. Han kontrollräknar antalet skruvar i förpackningen så att han inte blir överraskad mot slutet av att det saknas någonting (och om det blir delar över kan han mycket väl ta isär alltihop igen).

Det kan lite extra tid för den blå personen att få ihop sitt skåp, men när det väl står där kan du lita på att det kommer att stå för evigt.

DJÄVULEN SITTER I DETALJERNA

För något år sedan skulle jag lägga om uteplatsen på tomten. Eftersom jag gillar att jobba med händerna som kontrast till att bara prata på dagarna, hade jag tänkt utföra jobbet själv. Eller åtminstone en del av det. Min pappa, en bra bit över sjuttio vid tillfället, skulle hjälpa till eftersom han visste att jag hade ont om tid.

Sagt och gjort. För att göra jobbet riktigt bra skulle makadam läggas ut över ett stort område. Pappa anlände en stund innan lastbilen med allt grus. Med sig hade han en egen skottkärra, specialdesignad för att köra grus, och en särskild spade han själv alltid använde för liknande ändamål. Han förstod inte varför jag stod där med min vanliga spade. Alla visste ju att man måste använda särskilda spadar till sådant här.

Lastbilen kom och vräkte ut en rejäl hög med specialbeställd krossad sten på uppfarten. Jag såg några dagars skottande framför mig, och i ärlighetens namn gjorde det mig en aning trött. Nåväl, jag var redo att ta mig an utmaningen.

Min gamla pappa? Han tog upp lite grus mellan fingrarna, luktade, kände på det, bedömde dess kvalitet. Efter ett grymtande som åtminstone jag tolkade som ett godkännande började han bedöma själva högen.

Han måttade höjden på högen med handen, han stegade upp hur stor omkretsen var. Jag frågade vad han sysslade med. Han svarade inte, utan mumlade siffror.

En och åttio hög, fem meter i omkrets, fallvinkel, hm ... Efter en halv minut sa han att det var mellan 8,75 och 9,25 kubik grus på uppfarten. Jag anförtrodde honom att det faktiskt var nio kubik. Exakt.

Skeptiskt undrade pappa hur jag kunde veta det. Jag pekade. *Det står på lastbilen*, sa jag.

Pappa var lindrigt imponerad. Jag frågade om han ville räkna gruskornen. Han bedömde det dock inte som nödvändigt.

I timmar gick han runt på platsen och packade och tryckte till, krattade om grus, flyttade omkring massorna tills han tyckte att allt låg som det skulle. Vattenpass, lod, vatten, alla till buds stående medel för att ingenting skulle bli fel.

Fallvinkeln ut från huset skulle vara exakt 1 grad per meter. Varför då? Det står så i boken. Eftersom han är byggnadsingenjör vet han vad man lär ut till de som arbetar med sådant här hela dagarna. En grad per meter. Då ska det vara en grad. Exakt. Vem vet vilka fruktansvärda följder det kan få om man slarvar med det?

Lägg gärna märke till skillnaden på en grad och någon grad. Det förra är exakt, det senare mycket otydligt. *Någon* grad. Det skulle kunna vara uppåt två grader om det vill sig riktigt illa. Och en grad eller två graders fallvinkel, det är en skillnad på inte mindre än etthundra procent – en gigantisk avvikelse!

(Det lustiga med den här historien är egentligen inte händelsen i sig, utan vad som hände när pappa läste om den i de första upplagorna av den här boken. Han menade att det inte gått till exakt på det där viset. Han justerade min upplevelse på flera punkter och menade dessutom att lastbilen hade rymt tolv kubik – inte alls nio. Dessutom menar han att han inte bara är blå, och det kan nog ligga en del i det.)

Och så där är han med allting. Kommer det en fråga av teknisk karaktär kring en teve i hemmet, en bil, en mikrovågsugn eller en mobiltelefon – fram med rätt avsnitt i manualen. *Det står så här*, svarar han bara. *Varför tror ni de skrev så där om det inte är så man ska göra?*

Vad svarar man på det? Hur motiverar man att göra något annat än vad instruktionen säger? Det är omöjligt att finna argument som en riktigt blå person kommer att acceptera. (Pappa, ja, han stannar även för rött ljus mitt i natten även om det bara är han som är ute inom en mils radie. För det är så man gör.)

Det stora värdet av detta förhållningssätt är uppenbart. Han kommer aldrig att bli lurad, han kommer alltid att få det han betalat för. Det ger honom ett inre lugn, eftersom han vet att han har kollat upp allting mycket noggrant.

Och om du känner några blå personer kan du säkert hålla med mig. Under normala omständigheter är de mycket lugna och balanserade. Kanske hör det ihop med att de har så bra koll.

TALA ÄR SILVER MEN TIGA ÄR GULD

Introvert. Där har vi det. Jag skulle kunna sluta prata om det redan här. Många blå personer jag mött säger inte ett enda ord i onödan. Så är det bara. Innebär det att de inte har något att säga? Att de inte tycker någonting? Inte alls, de är bara väldigt, väldigt introverta. De blå personerna är de lugna, verkligt stabila individer som aztekerna jämställde med havet, elementet vatten.

Lugnt utanpå, men under ytan kunde vad som helst pågå. Introvert betyder visserligen inte tystlåten, det betyder *aktiv i den inre världen*. Men effekten blir förstås tystlåtenhet.

Generellt sett är mitt råd att verkligen lyssna uppmärksamt när blå personer väl pratar. Då har de nämligen oftast tänkt igenom vad de ska säga.

Av vilken anledning är de så tystlåtna? Bland annat beror det på att de till skillnad från gula personer inte har något behov av att höras. Att sitta i ett hörn och varken synas eller höras spelar dem ingen roll. De är observatörer, iakttagare mer än centralfigurer. Tyst kan de befinna sig i utkanten av en grupp människor där de observerar och registrerar allt som sägs.

Och glöm inte det här: att vara tystlåten är med den blå individens värderingar någonting positivt. Har du inget att säga – håll tyst.

SLUTSATSER OM BLÅTT BETEENDE

Kan du allt om blå personer nu? Har du identifierat någon i din omedelbara närhet? Ingemar Stenmark och Bosse Ringholm, vår gamla finansminister. Kommer du ihåg när han fick frågan om en viss ämbetschef som fått sparken? Han upprepade samma svar under en timmes lång presskonferens gång på gång. Samma svar. Inte liknande svar, utan *samma* svar. Tidningarna hade roligt åt det där i en vecka. Och Björn Borg. Fredrik Reinfeldt kan man ju tro är blå, men det är spelat. Han döljer sin röda sida genom att spela statsman. Lugn, upphöjd, opåverkad av allt som sker. Även Riksbankschefen Stefan Ingves är en typiskt blå person. Hur mycket kritik han är får för att han inte sänker räntan ännu mer resonerar han ändå bara lugnt fram och tillbaka.

KAPITEL 8

DEN FÖRARGLIGA BAKSIDAN AV MYNTET – ELLER INGEN ÄR VISST HELT PERFEKT

STYRKOR VS. SVAGHETER – DET SOM ÄR SÅ JOBBIGT ATT PRATA OM

Som titeln på den här boken möjligtvis antyder finns det individer omkring oss som vi under mindre gynnsamma omständigheter kanske, ehm, har vissa utmaningar att förstå oss på. Andra begriper vi oss över huvud taget inte på, oavsett hur situationen ser ut. Och de svåraste

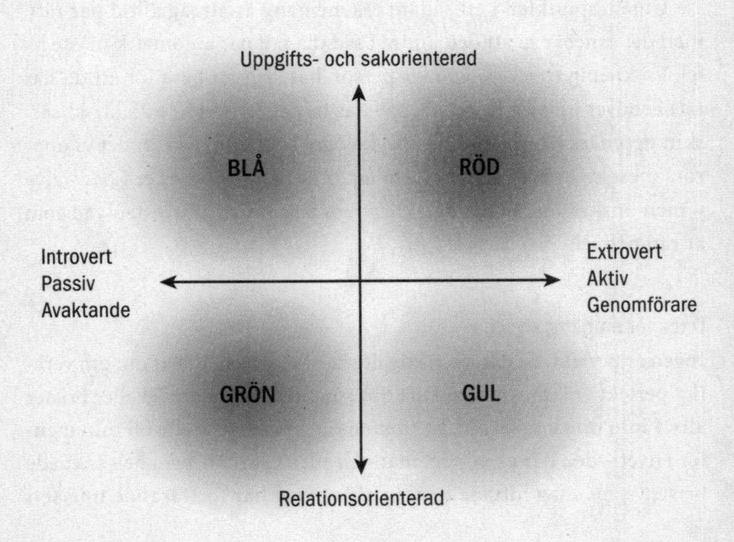

att möta är de som inte är som vi själva, eftersom de ju uppenbarligen beter sig på ett felaktigt sätt.

Skillnaderna börjar bli tydliga

Jag gissar att du kan se skillnaderna mellan de olika färgerna i grova drag. Skissen ovan visar ett exempel på hur de skiljer sig åt. Vissa är sakorienterade och andra är relationsorienterade. Medan ett par av dem är snabba att agera är två andra eftertänksamma. Och detta är inte sällan upphovet till vardagliga missförstånd i stort och smått. Jag återkommer till dessa saker på sidan 215, men redan nu vill jag passa på att nyansera bilden av de olika grundbeteenden som varje färg representerar.

Jag säger inte att du, som min ögonöppnare Sture i början av boken, skulle kalla folk för idioter, men i ärlighetens namn har vi alla då och då stått oförstående inför kommentarer vi mött, och beteenden som ligger diametralt ifrån de vi själva skulle välja.

Utgångspunkten i ett sådant resonemang är att jag alltid har rätt, men det innebär ju att den andre i sådana fall per automatik måste ha fel. En knepig fråga. Någon vis person har sagt att bara för att du har rätt behöver inte jag ha fel. Och vissas fel och brister är vi faktiskt särskilt uppmärksamma på. Barnpsykologer brukar hävda att det vi upprörs mest av i våra barns beteenden är de saker vi känner i oss själva – men önskar inte fanns där. Och vem bestämmer förresten vad som är rätt och fel?

Dags för en riktig klyscha

Ingen är perfekt. Se där, en riktig floskel. Men visst, det är ont om verkligt perfekta människor, sådana där som inte har några fel eller brister alls. I min ungdom letade jag efter en förebild som skulle bli min mentor i livet – den där personen, mannen eller kvinnan, som helt saknade brister – men jag hittade honom aldrig. Jag har fortfarande inte sett röken av honom. Och det är väl så det är. Vi får leva med våra brister och göra det bästa av situationen.

Å andra sidan – är det verkligen fel och brister vi talar om varje gång vi tycker att någon är en idiot? Eller handlar det bara om att vi helt enkelt inte begriper oss på vederbörande? En egenskap som kan vara bra att ha i vissa lägen, kan vara rent olämplig i andra. Jag vill påminna om att kommunikation oftast sker på mottagarens villkor. Det människor uppfattar av mig, det uppfattar de. Oavsett vad jag egentligen menade.

Ett bra sätt är att titta på vad motsatserna skulle säga om det ena eller det andra beteendet. Kan vi locka ur dem sanningen, då är vi något bra på spåren. Som alltid är det självinsikt det handlar om. Det som i vissa fall är en utmärkt egenskap kan, driven till sin spets, bli en belastning, oavsett vilken egenskap det är. Och här kan modellen ovan vara till hjälp.

Snabbgenomgång av grundbeteendena

De röda personerna är alltså snabba och tar gärna befälet när det behövs. De får saker och ting att hända. Men när de tar i för mycket blir de kontrollerande, bossiga och ibland hopplösa att ha att göra med. Och de trampar oavbrutet folk på tårna.

Gula personer kan vara underhållande, lättsamma och lyfta stämningen i vilket sällskap som helst. Men när de ges obegränsat utrymme kommer de att ta allt syre i rummet, de släpper inte in någon i samtalet och deras historier kommer mindre och mindre att påminna om verkligheten.

De vänliga gröna är lätta att umgås med eftersom de är så smidiga och behagliga. Tyvärr kan de bli alltför spolformade och otydliga. Någon som aldrig tar ställning blir till slut hopplös att hantera. Man vet inte var man har dem. Obeslutsamheten dödar omgivningens energi.

De analytiska blå är lugna, sansade och tänker efter före. Deras förmåga att hålla huvudet kallt är tveklöst en avundsvärd egenskap hos alla som inte klarar det. Men deras kritiska tänkande kan lätt övergå till misstänksamhet och ifrågasättande av omgivningen. Allt blir nattsvart.

Här följer ett avsnitt där man på andra språk än svenska skulle kunna tala om svagheterna med vissa beteenden. Detta är av naturliga skäl ett känsligt område och kan lätt missförstås. När jag coachar enskilda individer brukar det köra ihop sig någonstans här. Så när du läser vidare – var medveten om att mycket ligger i betraktarens öga. Vem har rätt och vem har fel? De beteenden jag talar om är saker som omgivningen uppfattar, även om intentionen från den som just gjort bort sig kanske var en helt annan.

Det enda jag helt säkert vet med anledning av de olika färgerna, är att olika färger hanterar frågan på olika vis. De röda och de gula tenderar att blåsa upp sina styrkor och anser inte att de har några svagheter. De har kraftfulla egon och en stor del av deras framgång kan förmodligen tillskrivas att de inte fastnar i fel och brister, utan istället spanar efter möjligheter och goda nyheter. Det säger sig självt att detta inte håller över tid.

Omvänt brukar gröna och blå personer istället överdriva sina svagheter, och i vissa fall rent av bortse från sina styrkor. Konsekvensen är uppenbar. När man ger positiv feedback till en grön eller blå person visar de sig ibland immuna mot den, och byter ämne till något som gått rejält fel. Detta är givetvis ytterst improduktivt.

Nåväl – ska vi sätta igång?

DETTA ÄR VAD ANDRA KAN UPPLEVA RÖDA PERSONER SOM

Om du frågar andra människor om röda personer kommer du kanske att få en annan bild än den röda ger av sig själv. Vilken överraskning! Mina egna privata studier visar att de röda är omgivna av fler idioter än vi andra. Många människor kommer att hålla med om det du hittills läst om röda personer, men jag har även fått andra kommentarer. Oftast uttrycker man detta när den röda inte är i rummet, eftersom man är rädd för hans hetlevrade temperament. Man har hört honom säga att han vill höra sanningar. *Säg vad du tycker*, har han ju tutat i oss under alla år. Men när vi väl gör det så finner vi oss plötsligt mitt i en hetsig diskussion om vad som är sant eller inte. Detta gör att det du nu kommer att läsa ofta är fullkomliga nyheter för många röda. Få av oss har nämligen orkat driva saken ända in i mål. Det tar för mycket energi.

Egentligen är det logiskt. För vissa kommer att säga att röda personer är just *stridslystna, arroganta* och *egoistiska*. De uppfattas även som *orubbliga, otåliga* och *befallande*. Inte nog med det, några skulle till och med säga att de är *självsvåldiga, kontrollerande* och *aggressiva*.

Jag ställer mig inte alls bakom det, men jag har till och med hört folk prata om rött beteende som omänskliga Hitlerprofiler. Plötsligt är bilden inte lika smickrande. Den födde ledaren visar sig från sin sämre sida.

Låt mig först säga detta: ingenting av det ovanstående oroar nödvändigtvis den röda personen eftersom han är mer sakorienterad än relationsorienterad. Dessutom har alla andra fel. Men låt oss ändå för sakens skull titta på vad omgivningen säger.

Måste allting ta så förbannat lång tid? Kan du snabba på lite?

Tja, vad ska man säga? En person beredd att kliva utanför vilket regelverk som helst för att ta sig framåt kan väl inte kallas mycket annat än otålig. När den vanliga tjänstevägen tar för lång tid kliver en röd person förbi ett par beslutsnivåer och letar raskt rätt på den som verkligen bestämmer.

Det första exemplet jag kommer på är trafiken i vår vackra huvudstad. Visserligen har många stockholmare lite mer bråttom än rikssnittet när de väl sitter bakom ratten – det lär finnas statistik på detta. Men när vi pratar rött beteende vill jag berätta om en kollega jag hade för ett antal år sedan. Björn och jag använde bilen som huvudsakligt fortskaffningsmedel, även innanför tullarna. Det tog helt enkelt för lång tid att åka kommunalt. Björn blir av med körkortet då och då och orsaken går definitivt att spåra i hans något liberala förhållningssätt till det här med hastighetsgränser.

Han bodde långt utanför stan, och resan på cirka tre mil in till city där vi hade vårt kontor avverkades en bra morgon på omkring fyrtio minuter. Detta var en bra morgon, det kunde likaväl ta en och en halv timme.

Björn kände mycket sällan för att anpassa sig till den övriga trafiken. Han menade att det inte fanns någon väsentlig anledning för honom att följa varenda trafikregel. Det där man kan läsa på skyltar här och där – sjuttio, nittio och så vidare – det var mest rekommendationer. Det gällde inte honom. De var ju till för dem som inte kan köra bil!

Vid ett tillfälle satt vi några kollegor över en kopp kaffe på kontoret och diskuterade den faktiskt ganska allvarliga trafiksituationen i kungliga huvudstaden. Det kändes som om Stockholm höll på att drabbas av någon slags trafikinfarkt. Björn förstod ingenting. Han kände inte av problemet på samma sätt som vi andra. Tvärtom tyckte han att trafiken flöt på hyfsat. När vi intervjuade honom lite närmare visade det sig att han oftast körde i kollektivkörfältet. Hela vägen. I säkert två mil. Det gick ju så mycket fortare. Björn förfäktade till och med tanken att det var okej, man kunde faktiskt abonnera på bussfilen. Det var nämligen vad han gjorde och det kostade honom ungefär tolvhundra kronor i månaden.

Polisen stoppade honom ungefär var fjärde vecka, men det var det värt. Tänk så mycket tid han sparade! Summan det kostade var alltså böterna han fick. Han ansåg att det var en bra deal.

Den här historien belyser ganska tydligt hur ett rött beteende fungerar. De vet lika väl som andra att det är fel att bryta mot reglerna, men eftersom det går fortare på det viset gör de det i alla fall. Röda personer är notoriska regelbrytare. Återigen vill jag påminna om deras intentioner – att få jobbet gjort.

Röda personer har inga problem med att ta en eller annan genväg, så länge det handlar om att få jobbet gjort. Och med en så pass generös hållning till regelverk och bestämmelser kommer man faktiskt fram snabbare. Jag skulle till och med säga att en röd person ofta är så snabb att om ett fel uppstår hinner han göra om jobbet en gång till. Samtidigt vet vi andra aldrig riktigt vad som kommer att hända.

Jag skriker inte! JAG ÄR INTE ARG! AAARRRGHHHH!

Eftersom det röda sättet att kommunicera är så rakt på sak och så direkt, uppfattar många dem som aggressiva. Egentligen är det logiskt, men samtidigt varierar denna uppfattning beroende på vem som blir utsatt för den rödas kraftfulla ståndpunkter. I Sverige är det inte lika accepterat att uppträda på ett konfrontativt sätt som till exempel i Tyskland eller Frankrike. Jag säger inte att det bråkas mer i dessa länder, men man har ett delvis annorlunda sätt att se på konflikter.

Tänk själv. En vanligt förekommande floskel som grasserar på många arbetsplatser är att vi ska ha högt i tak. Vad menas då egentligen med det? Det är lätt att tolka det som att vi ska vara ärliga mot varandra, att vi ska säga vad vi tycker, eller hur? Vi vill verkligen ha en öppen och rak dialog. Nå, detta är ju utmärkt, öppen kommunikation om det som är viktigt att kommunicera kring är nödvändigt för att uppnå effektivitet inom en organisation. Jag tror att du ser rimligheten i detta.

Så vilka är det som naturligt klarar av att verkligen leverera en rak kommunikation? Eller att ta emot samma sak utan att bli sura? Svar: ingen. I princip.

Utom röda personer förstås. För dem är detta en ickefråga. Varför pratar vi ens om att ha högt i tak? Det är väl klart att man säger vad man tycker? För många andra kan detta upplevas som påfrestande, att ständigt få sanningen upptryckt i ansiktet kan vara tungt om man har svårt att ta den.

Märk väl att jag inte värderar vad som är rätt eller fel – jag konstaterar bara att vi är olika.

Så varför uppfattar vi ibland det röda beteendet som hotande och stridslystet? Kan det vara att de inte ger sig i första taget? Att de gärna argumenterar och debatterar även små frågor om de är viktiga för den röda? Att de utan vidare kan höja rösten, spänna ögonen i folk, slå näven i bordet om det passar dem? Att de vissa gånger faktiskt uttrycker sig relativt plumpt?

Föreställ dig följande scenario:

Du sitter med ett arbete framför dig som du har ägnat ett antal dagar, kanske veckor, åt. Du är själv tveksam – har du lyckats med uppdraget? Blev det så bra som du önskade? Ska du våga visa upp detta för beställaren som det är, eller borde du be om lite feedback från någon som du vet ger ett ärligt svar?

Sagt och gjort. Här kommer nu en röd person förbisläntrande, och du tar chansen. Du är helt på det klara med att den här kollegan – äkta maken, kompisen, kusinen, grannen – kommer att vara ärlig. Du ber om en ärlig uppfattning. Du visar det du utfört med viss stolthet i rösten, du går igenom din process steg för steg. Utan att märka det blir den röda personen otålig, eftersom vederbörande redan har bestämt sig för svaret och dessutom börjat tröttna på att du pratar så länge.

Med en handrörelse som effektivt tystar dig, säger den röda personen: *Det ser inte bra ut. Jag gillar inte alls det där du har gjort här borta. Faktum är att det ser skitdåligt ut. Det förvånar mig att du inte kunnat bättre än så här. Jag tycker att du ska göra om alltihop från början till slut.*

Sen går han utan att tänka mer på saken. Kvar sitter du med en obestämd känsla av total undergång. Och det alldeles oavsett vilken färg du själv har.

Överdrivet? Kan detta inte hända i verkligheten? Om du nu tänker att så elaka människor finns inte har du aldrig träffat på en äkta röd person. Eller så har de röda du mött faktiskt lärt sig att vara oärliga.

Tänk efter. Vad är avsikten med att göra ner en person så fullständigt? Vad var den rödas intentioner? Det var att leverera exakt det du bad om. Du bad faktiskt om en ärlig uppfattning!

Säg precis vad du tycker, sa du. Det kan inte uteslutas att du la till: *Jag kommer inte att bli arg/ledsen/besviken/självmordsbenägen*. Var beredd, tänker en röd person, för här kommer det. Genom att be om en ärlig uppfattning har du skjutit dig själv i sank. Just *du* kommer säkert att resa dig, men alla andra? Hur blir det med dem?

Som konsult har jag otaliga gånger fått förklara för människor att när en röd person tar i från tårna i en fråga han finner viktig, en fråga där han inte tänker ge sig – ja, då kommer det att storma ganska friskt. Är du rädd för konflikter har du inget i den situationen att göra. Den röda har inga problem med konflikter. Röda personer skapar kanske inte medvetet konflikter. Men ett uppfriskande gräl då och då är ju aldrig fel, eller hur? Det är ju bara ett annat sätt att kommunicera.

Ett tips: Det värsta du kan göra när du väl hamnar i en konflikt med en röd person är att backa undan. En sådan taktik kan ge dig allvarliga problem. Mer om det senare.

Vad håller ni på med där borta? Jag ser nog vad ni (inte) gör!

Vad är egentligen kontrollbehov? Förenklat kan man säga att kontrollbehov är ett ***fenomen*** där en ***individ*** har behov av att ha kontroll och bestämma över en situation, där antingen grupper eller enskilda individer förekommer. De som har kontrollbehov mår oftast väldigt dåligt av att själva behöva anpassa sig till en grupp/situation och hittar gärna på olika strategier för att undvika detta. Ett vanligt beteende är att aldrig vara tyst i ett samtal och att avbryta andra personer till förmån för sina egna åsikter, för att på så vis behålla makten över samtalet.

Röda personer kan nog uppfattas som väldigt kontrollerande, och det handlar just om att kontrollera människorna i omgivningen, snarare än alla detaljer. (Detaljkoll är ingenting vi kan beskylla röda personer för). Men det kan vara viktigt för en röd att uppleva sig ha kontroll över vad människor gör, hur de tänker agera i vissa specifika frågor.

Vad vi pratar om här är en känsla av att faktiskt veta lite mer än andra. Och eftersom den röda upplever sig veta bäst måste andra bevakas så att de går i precis rätt riktning. Fördelen för en röd person är att denne får som han vill. Nackdelen är uppenbar: att andra människor känner sig kontrollerade. Vissa tycker att det är skönt att någon annan tar besluten och håller i pekpinnen: andra blir begränsade och vill bara därifrån.

För ganska många år sedan arbetade jag med ett företag där en mellanchef var ganska röd. (Hon var även lite blå – se avsnittet om det blå beteendet.) Effekten när hon delegerade uppgifter till sina medarbetare blev faktiskt lite lustig. Hon hade vanligtvis inga problem med att lämna ifrån sig saker, hon var duktig på att även delegera roliga uppgifter, något många chefer kan ha svårigheter med. Men eftersom hon var röd var hon väldigt snabb i tanke och handling. Det innebar konkret att hon avvaktade en viss tid efter att hon delegerat en viss uppgift – hade ingenting hänt då gick hon helt enkelt och utförde uppgiften själv. När sedan medarbetaren ifråga väl kom dit på sin lista över saker som skulle utföras upptäckte denna allt som oftast att jobbet redan var gjort. OBS: deadline hade inte infallit ännu.

Eftersom den här mellanchefen var röd-blå blev det förstås mycket bättre utfört, det där som medarbetaren inte lyckades komma till skott med. Rött blir snabbt, blått blir hög kvalitet på genomförandet. Dessvärre lät inte kritiken av medarbetarens saktfärdighet vänta på sig, eftersom den blå delen av denna chef var noga med detaljerna, och den röda delen mer än gärna gav kritik, upplevdes hon som ganska hård. Vilket tar oss vidare till nästa avsnitt.

Jag skulle visst bry mig om dig. Om du bara vore lite mer intressant.

Har du någon gång mött en person helt utan känslor? Nej, jag tänkte väl det. Återigen – röda personer är inte typiska relationsmänniskor. Inget fel i det, så länge den man kommunicerar med har samma fokus. Men talar en röd person med en utpräglad relationsmänniska, till exempel en gul eller grön person, kan han uppfattas som väldigt känslokall eller omänsklig.

Låt mig belysa det med ett självupplevt exempel.

En före detta kollega som jag själv alltid uppskattat oerhört mycket (lägg märke till att jag börjar med det positiva, allt för att inte någon felaktigt ska få för sig att jag ogillar personen i exemplet – mycket svenskt) och som jag har stor respekt för som yrkesman men även som god vän. Okej, det är den famöse Björn igen.

För några år sedan hade vi haft en tuff period i företaget. Hösten hade varit tung och slitsam: långa dagar, sena kvällar och inte sällan helgarbete. Vi hade slitit på oss själva, vi hade slitit på varandra, och vi hade slitit på våra respektive familjer. De flesta i firman var slutkörda. Vi hade verkligen gjort oss förtjänta av ett lugnt och stärkande jullov.

Vi befann oss på en japansk restaurang, vi hade tagit av oss skorna och satt på kuddar med var sitt glas saké i handen. På svenskt vis tittade vi i menyerna samtidigt som vi höll ett öga på vad alla andra tänkte beställa. De flesta av oss ville ju givetvis inte beställa något som ingen annan tog.

Utom Björn. Han ögnade snabbt igenom menyn, deklarerade vad han hade tänkt sig. Nu var han klar och tröttnade snabbt på oss andra som inte kunde bestämma oss. För att ha något att göra satte han igång att konversera. Vid den här tidpunkten hade min dotter just bytt skola, och Björn var nyfiken.

Hur var det med det där skolbytet? Hur går det för lilltjejen?

Glatt överraskad av omtanken om min dotter satte jag igång att berätta. Efter ca tjugo sekunder noterade jag att Björns blick började flacka. Han såg sig omkring i restaurangen med en min jag tolkade som: *varför berättar han det här för mig?*

Han tittade på mig med ett leende och sa: *Du känner mig. Du vet hur jag fungerar. Jag vill faktiskt inte prata mer om det där!* Och snabbt var han inne på något helt annat.

I vanliga fall kan man ju tänka sig att jag borde blivit lite stött, kanske till och med förolämpad. Hur kan någon vara så okänslig? Speciellt när den andre pratar om något han faktiskt själv bett att få höra?

Innebär detta att Björn är känslokall, att han struntar i andra människor? Verkligen inte. Vad det innebär är att han bryr sig lika mycket som någon annan, men när han förstått att det var bra med min dotter förlorade han helt enkelt intresset. I sedvanlig ordning meddelade han att kommunikationskanalen var stängd. Istället för att sitta där och nicka och humma och låtsas vara intresserad av en massa mer eller mindre meningsfulla detaljer sa han precis hur han kände.

Kom ihåg att vi talar om tolkningar här. Intentionen bakom ett visst beteende är en sak, hur vi som mottagare uppfattar det är något annat. Själv kunde jag bara skratta åt alltihop, eftersom jag känner Björn väldigt väl. Jag vet att han aldrig skulle drömma om att medvetet såra någon. Att han trampar folk på tårna då och då är inte hans avsikt – det bara blir så. Tvärtom är han en av de varmaste och mest generösa människor jag mött. Det är bara det att man måste känna honom för att förstå det.

Vad hade varit rätt svar på frågan om hur det gick med skolbytet, undrar du kanske?

Bra.

Det hade räckt.

Ensam är stark, och jag är starkast av er alla

Ordet egoistisk kommer från latinets *ego*, vilket betyder jaget. Mitt *jag* är alltså mitt *ego*. Språkligt har vi därmed valt att sätta något slags likhetstecken mellan personer med starka egon och att vara självisk. Givetvis finns det en massa människor i vår omvärld som är själviska och egoistiska. Det fullkomligt kryllar av dem där ute. Innan jag går vidare vill jag att du kommer ihåg att vi talar om upplevda beteenden och inte nödvändigtvis om faktiska egenskaper.

Om vi tittar på hur en röd person kommunicerar förstår vi varför många uppfattar honom som egoistisk.

- *Jag tycker att vi ska gå på det här förslaget.*
- *Jag vill ha det där uppdraget.*
- *Det här är vad jag anser om saken.*
- *Jag har en bra idé.*
- *Ska vi göra det på mitt sätt eller på fel sätt?*

Addera en skarp blick, ett distinkt kroppsspråk och du ser någon som tänker ta det han vill ha. Han kommer att kämpa för sina intressen. Han kommer att berätta för alla som vill höra att han kan det här. Det som kan störa, inte minst gröna personer, är att röda personer pratar i jagform. Deras medvetande är upptaget av jag-budskapet. (De delar detta i princip rakt av med de gula, som också har starka egon).

Men vi har lärt oss att ta hand om varandra, vi vet att ensam inte är stark, att vi behöver varandra för att överleva. Samarbete är modellen, och jag har själv predikat det i över två decennier. Därför tycker vi att det är egoistiskt när röda bara pratar utifrån sig själva. De skaffar sig egna fördelar innan de hjälper andra. De trampar gärna på andra om de ser en möjlighet för egen del. De gör det kanske inte medvetet, men effekten blir densamma.

Detta gör att röda personer ofta vinner diskussioner. De ser det som en naturlig del i ett samtal. De vet alltid bäst och de tänker tala om att alla andra har fel. Det passar deras ego att bete sig så. Konsekvensen är att de förlorar vänner, att folk kan tycka illa om dem, att de blir avskurna från information eftersom ingen vill ha dem med i gruppen. När de märker detta kan de mycket väl idiotförklara alla andra.

Jag var på en middag för ett par år sedan där vi satt sex personer runt bordet. En man, grön-blå, berättade under vissa våndor att han inte mådde så bra. Han kunde inte leva upp till det ansvar hans abetsgivare lagt på honom. Han var pressad av sitt betungande arbete och han hade svårt att sova på nätterna. Det stressade honom ytterligare, eftersom han visste att om han inte fick tillbaka sin nattsömn skulle det bli ännu svårare att prestera på arbetet. Hans hustru satt intill och försökte dölja sina blanka ögon. Situationen var verkligen inte bekväm för någon i rummet. Runt bordet kom idel uppmuntrande kommentarer, försiktiga frågor om hur han trodde han skulle kunna vända den besvärliga situationen. Vi uttryckte oss alla så stödjande vi kunde.

Den enda röda mannen runt bordet fick till slut nog och skällde mer eller mindre ut den pressade och stressade stackaren.

Analysen var solklar: *Jag tycker att du klagar för mycket. Du tjänar ju pengar. Jag har aldrig varit sjuk och jag tycker att folk i allmänhet känner efter för mycket och jag skulle aldrig hamna i det läget och jag tycker faktiskt att du borde skärpa till dig.*

Det var den middagen, det. Stämningen lyfte givetvis inte mer den kvällen.

Låt oss vara ärliga – det är röda personer som huvudsakligen är omgivna av idioter.

DETTA ÄR VAD ANDRA KAN UPPLEVA GULA PERSONER SOM

Roliga, underhållande och nästan gudomligt positiva. Absolut. Återigen – detta är egna tolkningar. Om du frågar andra människor om gula personer kommer du kanske att få en delvis annan bild. Många kommer att hålla med om det du läst hittills, men du kommer även att få andra kommentarer. Roligast av allt är att fråga blå personer.

De kommer att säga att gula personer är *själviska*, *ytliga* och *alltför självsäkra*. Någon kommer tycka att de *pratar för mycket* och att *de lyssnar för dåligt*. Lägg därtill att de kan vara *okoncentrerade* och *slarviga*. Plötsligt är bilden inte lika smickrande.

När den gula personen hör de här sakerna kan en av två saker hända. Antingen blir han djupt bedrövad och genuint sårad, eller så sätter han igång en våldsam argumentation. Det beror lite grann på. Det festliga är att det över tid trots allt inte plågar den gula så värst mycket. Dels är han ju en dålig lyssnare, och dels har han vad vissa psykologer skulle kalla ett selektivt minne. Han glömmer helt enkelt bort de jobbiga bitarna och med sin positiva grundsyn får han lätt för sig att han inte har några fel och brister.

Låt oss titta på vad de gula sliter med utan att alltid veta om det.

Hallå, allihop? Nu ska ni få höra vad JAG har varit med om! Det vill ni, va?

I inledningen av det här kapitlet påpekade jag att gula individer är mycket goda kommunikatörer. Det tänker jag upprepa nu:

Gula personer är mycket goda kommunikatörer. Med betoning på *mycket*. Ingen av de övriga färgerna är i närheten av det gula beteendets lätthet att finna orden, att uttrycka sig, att berätta en historia. Det kommer så lätt, så enkelt, så smidigt att man faktiskt blir imponerad. Det är allmänt känt att de flesta människor inte tycker om att prata inför andra människor. De får hjärtklappning och svettiga handflator och är livrädda för att göra bort sig. Detta känner de gula inte igen sig i. Att göra bort sig finns inte med i kalkylen, och skulle något så osannolikt inträffa kan man alltid skämta bort det med ännu en underhållande anekdot.

Det kan dock bli för mycket av det goda. Alldeles oavsett vad du är bra på finns det en gräns då det är dags att ge sig. Gula personer, särskilt de utan självinsikt, har ingen sådan gräns. Det skulle inte falla dem in att hejda sig, har de något att säga ska det fram. Att sedan ingen annan tycker att det är viktigt hör liksom inte hit.

En gul person gör som de flesta andra – han gör det han är bra på. Och han är bra på att prata. Det finns otaliga exempel på gula personer som tar allt tillgängligt syre i ett samtal. Addera sedan en rejäl dos dåligt lyssnande, så uppstår en intressant (läs: ensidig) kommunikation.

Många blir enormt provocerade av detta obegränsade ordflöde. Det uppfattas inte sällan som egocentrerat att aldrig kunna vara tyst. Uttrycken snackpåse, ordbajsare och välsmort munläder är sannolikt alla myntade med gula personer i åtanke.

Otaliga gånger har jag varit med om följande exempel. Runt ett styrelsebord sitter ett antal personer. Högsta hönset i rummet uttalar en uppfattning, det kan handla om vad som helst. När ordet därefter går laget runt förstärker alla gula i rummet uttalandet genom att upprepa exakt samma sak, möjligen med sina egna ord. (Till alla kvinnor vill jag säga att jag är medveten om att det är ett mer manligt beteende än kvinnligt.) Varför gör de på det viset? Tja, dels är det viktigt att signalera att man är överens, dels kan de ju alla säga det så mycket bättre.

Jag satt med en ledningsgrupp för att studera gruppdynamik för några år sedan. Vid det här tillfället hade jag precis fått en ny mobiltelefon med en skojig funktion: ett stoppur. Med hjälp av den kunde jag logga vilka som pratade i gruppen, och hur mycket.

Intressanta fakta staplades på varandra. I rummet satt en VD och hans sju närmaste medarbetare. Den riktigt gula av dem, försäljningschefen Peter, hade en punkt av nitton på agendan. Ta en ordentlig titt på relationstalet 1/19. Det motsvarar omkring 5,3 procent av agendan.

Mötet inleddes av VD, men ganska snart utkristalliserades ett tydligt mönster. Peter hade åsikter om varje punkt på dagordningen. Jag jobbade med mitt stoppur, och fascinerades av vad jag såg. Han pratade *69 procent av tiden*. Jo. Det är faktiskt sant. 31 procent gick till de övriga sju, inklusive VD:n själv.

Om du är gul har du kanske hastat vidare i texten, eftersom du eventuellt känner igen dig och tycker att detta var ett mycket dåligt exempel. Alla ni andra undrar nu hur detta är möjligt. Det *är* möjligt, eftersom gula utan problem levererar åsikter, synpunkter och goda råd alldeles oavsett om han vet någonting om ämnet eller inte. En gul person har ett generöst förhållningssätt till sin egen förmåga – när en tanke dyker upp i huvudet så öppnar han helt enkelt munnen.

Om röda säger man att tanke och handling är samma sak. Om gula skulle jag vilja lansera idén att tanke och prat hänger ihop. Det gula personer levererar är inte sällan helt obearbetat material som bara ramlar ut ur den stora luckan där fram. Visst kan det vara genomtänkt, men oftast är det inte det. Det som är ganska lurigt är att det nästan utan undantag *låter väldigt bra.* De gula kan det här med att lägga fram texten, så att det alltid låter fantastiskt. Är du ovan vid just den här personen kan du mycket väl ta allt som sägs för sanningar – ett allvarligt misstag.

Oftast är den gula både underhållande och inspirerande, och som tidigare sagts kan det inspirera andra till nya idéer. Men ska man komma in i ett samtal gäller det att vara observant på när den gula hämtar luft och snabbt sticka in èn kommentar. Eller helt enkelt avsluta mötet.

Jag vet att det ser rörigt ut, men det finns ett system i kaoset!

En gul person skulle knappast erkänna att han är slarvig. Men han har inget naturligt sätt att hålla reda på saker och ting. Att till exempel arbeta strukturerat är tråkigt. Då måste man foga in sig i en mall, innanför ramar. Är det något gula skyr är det att känna sig styrda av fasta system.

Lösningen är att ha det mesta i huvudet, vilket inte är möjligt. Det går inte att komma ihåg allting. Så den gula glömmer, och omgivningen tycker han är slarvig. Missar tider, dubbelkollar inte saker innan leverans eftersom när han mentalt är klar med uppgiften går han inte tillbaka. Han går framåt. Hoppar på nästa uppgift. Pysslar med annat.

Detaljer. För att leverera ett jobb till exempel, behöver man kanske vara noggrann med detaljerna. Gula tycker inte om att ha koll på detaljerna. Jag skulle till och med våga mig på att säga att de inte är intresserade. De målar med breda penseldrag.

Generellt sett är gula duktiga på att dra igång saker. De är ju påhittiga, och med sin kreativitet i bagaget startar de ofta upp projekt av olika slag. Men de är inte lika duktiga på att avsluta saker. Att avsluta någonting till hundra procent kräver en koncentration den gula sällan har. Han tröttnar och går vidare. Och vi andra tycker att han slarvar. Själv tycker han att det duger. Herregud, varför haka upp sig på småsaker? Det blev ju rätt så bra det här, trots allt! Att det hänger trådar från tröjan, eller att dokumentet är fullt med stavfel är inte lika viktigt som att hitta på nya saker.

Det här går igen på mängder av områden. Jag har ett par bekanta som är hopplösa med tider. De är alltid glada och pigga på att hitta på saker, men de är tidsoptimister. Det spelar liksom ingen roll vilken tid man föreslår, de kommer inte i tid. Klockan sju, halv åtta eller åtta. Det saknar betydelse. De är sena oavsett. Och när de pratar om det så prutar de ner den sena ankomsten från 45 minuter till en dryg kvart. Och efter ett tag tror de faktiskt på det själva. Det gör inget. Vi andra väntar så gärna, eftersom deras närvaro kommer att lyfta middagen.

Jag är verkligen bra på att ha många bollar i luften – helst alla samtidigt!

Vi behöver prata lite om den gulas oförmåga att hålla sig koncentrerad några längre stunder. Han är ständigt beredd på nya intryck. Och här har vi baksidan av den otroliga öppenhet de gula har för nya saker, idéer och intryck. Det finns ju så mycket nytt!

Och eftersom *nytt* är ett synonymt begrepp med *bra* så är det allt bäst att det händer saker hela tiden, annars förlorar vår gula vän snabbt sitt fokus. Han orkar inte lyssna på hela berättelsen, bakgrunden och framförallt inte alla detaljer och fakta som kanske mycket väl är av relevant betydelse. Det är inte intressant för honom, och han kommer att förlora sin koncentration.

Vad gör han då? Enkelt. Något annat. Han skickar upp en ny boll. Problemet med bollarna är att han kanske klarar av att hålla dem i luften en tid, men han kan inte få ner dem i rätt box vid rätt tillfälle. Istället lämnar han rummet och bollarna dimper ner som fallfrukt i skallen på någon annan.

I ett möte kan han mycket väl börja leka med sin mobil, sin dator eller småprata med personen intill. Lågt till en början, i tron att ingen märker någonting. Det stämmer förstås inte, alla andra blir faktiskt ganska irriterade. Men om ingen säger något så kommer det bara att fortsätta. Här är gula personer ganska lika små barn. De är bra på att testa gränser. De fortsätter ända tills någon blir förbannad och säger ifrån på skarpen. Och givetvis blir den gula sårad. Han skulle ju bara …

Att de snabbt blir uttråkade kan dock få betydligt större konsekvenser än ett lite störande uppträdande under möten. De är inte bra på vardagstriviala saker som administration och uppföljning. Som vanligt skulle de flesta gula personer förneka det jag just skrev. I deras egna ögon är de mästare även här. Men om vi tar det här med uppföljning så har vi ett allvarligt hot mot faktiskt genomförande av, låt säga ett projekt.

Nya projekt – toppen! Sätta samman en ny och dynamisk grupp full med intressanta människor – check! Dra igång alltihop och måla upp visioner och målbilder – skojar du? Redan hemma! Jobba som en galning till en början för att verkligen få upp farten? Jajamen. Men sen? Att följa upp vad som faktiskt händer eller inte händer i ett projekt är synnerligen plågsamt. Det är ju att vända blicken bakåt, det är trist och det kommer inte att bli av. Den gula kan inte behålla sin koncentration länge nog för att orka göra särskilt mycket uppföljning. Han intalar sig mycket hellre att man måste visa tillit till folk.

Ett kul exempel hände en gång när jag coachade säljare på en stor kommersiell TV-kanal. Jag satt med en kvinnlig säljare, en duktig tjej som gjorde stora affärer. Vi hade identifierat en del brister i hennes personlighetsprofil – efter att hon kämpat för att övertyga mig om att även dåliga saker faktiskt kan vara ganska bra – och skulle nu göra upp en plan för hur hon kunde gå vidare i sin personliga utveckling.

Det höll på att falla på första punkten: När skulle hon börja?

Hon kunde inte börja samma dag för klockan var över tre på eftermiddagen. Och dagen efter det var full av möten. Det fick bli nästa vecka. Men då var hon ju bortrest. Kanske veckan efter det, hon fick se.

Hon höll på att förlora matchen innan hon ens hade börjat.

Jag! Jag!!! JAG!!!

Gula personer är inte nödvändigtvis mer själviska än andra, men de framstår alla gånger så. Och varför? Mycket av det handlar om hur dialogen förs. För att de i huvudsak talar om sig själva hela tiden. Och när andra människor inte är tillräckligt intressanta och spännande avbryter den gula dem och leder in ämnet på något betydligt mer intressant – inte sällan sig själva.

Jag minns en säljare jag stötte på under en konferens med ett läkemedelsbolag i början av seklet. Gustav uppvisade alla de mindre lyckade sidorna av det gula beteendet, och problemet var att han var fullkomligt ovetande om det. Han pratade mycket sällan om något annat än sig själv och saker han hade gjort, och han betedde sig som om det var han som ledde konferensen och inte jag. Jag har mina metoder att hantera sådana där gossar. Men det är ganska spännande att studera dem ett tag, innan jag sedan justerar deras uppträdande med några väl valda ord mellan fyra ögon i den första pausen.

Några exempel: Varje gång jag ställde en fråga till gruppen så svarade Gustav. Snabbt och rappt, och som ett gott tecken på ett starkt engagemang. Om det inte hade varit för det att han ganska ofta faktiskt pratade strunt. Han sa helt enkelt sådant som poppade upp i skallen. Givetvis kunde han inte hålla inne med vad han tänkte, utan allting ramlade ut. När jag med handen visade att jag ville höra vad Gustavs kollegor hade att säga lutade han sig helt sonika in i mitt synfält och fortsatte prata.

När jag gick över till att rikta frågorna till specifika personer i rummet – att helt enkelt kalla dem vid namn – så svarade Gustav i alla fall. Ganska imponerande, eller? Han pratade en stund och sedan kunde han fråga Sven: *Visst var det så du tänkte svara, Sven?* Sven skakade oftast bara på huvudet. *Varför fråga mig?* Han var van. Och Gustav höll på så en hel förmiddag innan jag fick ordning på honom. Han fyllde i så snart det blev en lucka eller en sekunds tystnad.

Han släppte inte fram någon annan och allt han sa skulle tas för sanning. Han tog majoriteten av syret i rummet utan att ens fundera över vad de övriga nitton personerna kunde ha på hjärtat. Det lustiga var att alla i salen var medvetna om vad som pågick. Men ingen orkade bemöta Gustav. Man stirrade på mig med något desperat i blicken i hopp om att jag hade ett sätt att få tyst på honom.

Under lunchen uttryckte han vitt och brett, så att alla hörde det, att han tyckte att konferensen gick så väldigt bra. I själva verket avskydde huvudparten av gruppen blotta ljudet av hans röst. De stod knappt ut med honom.

Det där har jag aldrig hört – det hade jag kommit ihåg i sådana fall!

Är det någonting de gula är, så är det dåliga lyssnare. Riktigt usla till och med. Mången gul jag har mött har menat att de är mycket goda lyssnare – och förstås gett underhållande exempel på detta obestridliga faktum – men att det egentligen skulle vara minnet det är fel på. De menar helt enkelt att de mycket väl tar in allt, men någonstans på vägen till hjärnans lagringshyllor tappas det helt enkelt ... bort.

Nej, det handlar inte om minnet. Det handlar om att den gula ofta är ointresserad av andra säger, eftersom han skulle kunna säga det så mycket bättre. Han behåller inte sitt fokus, han börjar tänka på annat, börjar göra annat. Han vill inte lyssna – han vill prata.

De är också ganska barnsliga av sig på så vis att de helst gör saker som är roligt. Om en redovisning eller berättelse eller bara ett vanligt samtal är tråkigt så stänger de av öronen. Givetvis finns det bot – gå en kurs i underhållande retorik så kanske du kan behålla din gula väns, partners eller kollegas uppmärksamhet. Kan du lägga fram ditt budskap på ett lite roligare vis kommer han i alla fall att sitta kvar något längre. Retorik är ju inte konsten att prata, utan konsten att få andra att lyssna.

Om du har en god vän som du vid det här laget identifierat som gul så vet du precis vad jag pratar om. Mitt i en mening så öppnar han munnen och börjar prata om något helt annat. Dåligt minne? Nej, du var helt enkelt långtråkig. Men det är klart – addera dåligt minne till ekvationen och vi är riktigt illa ute.

Många verkligt framgångsrika människor i samhället är ofta bättre lyssnare än genomsnittet. De pratar inte lika gärna som de lyssnar. De vet redan vad de vet, och för att lära sig mer måste de helt enkelt hålla klaffen och höra vad andra säger. Det är ett sätt att ta in ny kunskap. Detta är någonting gula personer behöver förstå bättre om de inte ska uppfattas som fullkomligt hopplösa. Eller helt stanna i sin personliga utveckling. De måste till exempel lyssna på det budskap jag har lagt fram inom det här sista området. Om de vägrar ta det till sig bara för att det är ett jobbigt och kanske tråkigt budskap kommer de aldrig att lära sig någonting.

DETTA ÄR VAD ANDRA KAN UPPLEVA GRÖNA PERSONER SOM

Så vad tycker andra människor – med andra färger – om gröna personer? Bilden är kluven. Förutom att de ju anses väldigt trevliga, vänliga och omhändertagande, så finns det synpunkter. En person som av konflikträdsla säger ja men menar nej – hur hanterar man en sådan? Hur vet jag vad han egentligen tycker?

Inte minst röda och gula personer har problem med det jag kallar *det tysta motståndet*. Att tiga i stället för att tala ur skägget. Dock tenderar vissa gröna personer att säga sanningen – bakom ryggen på den det berör. Och därför kan den gröna personen av vissa ses som oärlig. Trots att intentionen bara är att undvika konflikter. Rent allmänt så förväntar sig gröna personer alltid det värsta och därför tenderar de att ligga lågt.

Sen har vi förändringsbenägenheten. Att förstå behovet av förändring, men ändå säga nej tack leder till att omgivningen ser den gröna som förändringsovillig, självbelåten, envis, oengagerad och likgiltig. Som vanligt pratar vi här om tolkningar från omvärlden. Och frågar vi röda personer om vad de anser om saken kommer det att regna tunga sanningar.

Tjurskallighet kommer aldrig att vara en dygd

Vad gör man med en person som aldrig ändrar uppfattning? Någonsin? Inte ens när fakta talar för att det är dags att ta en annan väg? När viljan att fortsätta på det inslagna spåret helt har tagit över?

Skillnaden mellan grönt och blått är att när den blå väntar på mer fakta i målet så väntar de gröna på att det helt enkelt ska blåsa över. De vill nämligen inte ändra sig. De har bestämt sig för en viss sak och tänker inte falla till föga. Varför? För att de inte brukar göra så här.

Tänk själv: kanske har det tagit dig hela livet att bilda dig en viss uppfattning om det farliga kolesterolet i maten, om rymdfärder eller om Britney Spears. Nu kommer en kille och säger att vi ska byta ut vår tidigare uppfattning mot hans.

Kommer inte att hända. Det den gröna väntar på kan vara att den rätta känslan ska infinna sig. Om den inte gör det, tja ... de är ofta ganska tålmodiga.

Låt mig berätta om en ung man, nämligen sonen i en familj jag känner väl sedan många år. Den här killen är hyfsat duktig i skolan, han har okej betyg. Han har många kompisar.

Till en början vill jag påpeka att när man talar om unga personer, i det här fallet en tonåring, ska man vara försiktig. Detta är inte en färdig personlighet eller karaktär. Unga personer har fortfarande saker att lära sig om livet i stort. Alla intryck är inte definitiva.

Så vad är problemet?

Den här unge mannen har sina egna idéer om vad som är rätt och fel. Och vilda hästar kan inte få honom att ändra sig. Det kan handla om någonting han hört av en kompis eller någonting han sett på teve eller någonting han snappat upp i skolan. När den här kunskapen eller idén, oavsett anledning, väl etablerat sig i hans medvetande går den inte att rubba.

Det spelar liksom ingen roll hur mycket hans föräldrar pekar på fakta, hur tuffa de är när de lägger fram bevisen – han har sin uppfattning klar. Det spelar inte ens någon roll om de visar på faran med det ena eller det andra, han tycker i alla fall inte att det spelar någon roll.

Tänk dig själv. Där visar du upp alla tillgängliga fakta, och killen säger att han förstår. Han håller med om att det låter logiskt. Andra skulle nog mycket väl kunna göra på det viset med gott resultat. Det är bara det att han ändå inte tänker ändra sin uppfattning. Vissa skulle kalla det tjurskalligt.

Vad beror det på? Bra fråga. Det kan hänga ihop med varifrån han fick den första uppgiften. Om en kompis säger att man kan tjäna lika mycket på sophämtning som om man vore nyutexaminerad läkare spelar det liksom ingen roll om det är sant eller inte. Om samma kompis menar att man inte alls kan åka dit för rattonykterhet om man kör moped efter att ha druckit tre starköl så blir detta en sanning, även om vi med fakta i handen vet att detta inte stämmer.

Får den här killen reda på att han kommer att få ett kanonjobb bara han pluggar matte lite hårdare blir det sant. Kommer uppgiften från bästa kompisen måste det helt enkelt vara sant. Om den gröna personen har stort eller mycket stort förtroende för en viss individ kommer den individens ord att bli lag. Det är därför lätt att utnyttja gröna personer, eftersom de kan vara lite naiva och godtrogna. Och tyvärr missbrukar somliga detta faktum.

Ibland är denna envishet en styrka, ingen tvekan om det. Men när omgivningen uppfattar det som ren tjurskallighet innebär det bara problem.

Varför anstränga sig? Det finns ändå ingenting som är värt att bry sig om

Eftersom det inte ser ut som om det finns något större engagemang – viss sävlighet kan uppfattas, likaså att de gröna tittar sig omkring och avvaktar vad alla andra ska göra – kan man lätt få intryck av att den gröna inte är nämnvärt intresserad. Och ofta är han inte det heller. Han är mer passiv än han är aktiv, och detta får genomslag i hans beteende. Det händer liksom inte särskilt mycket.

Och vad spelar det egentligen för roll? Stannar man hemma kan ju inte så mycket gå fel, eller hur? Det som den gröna missar är att många andra vill göra saker. Han utgår från att alla tänker som han, och han stannar kvar i soffan. Han är nöjd med att göra ingenting. Allt som rubbar denna uppfattning blir till ett hot. Resultatet? Ännu mer passivitet.

Jag hörde vid ett tillfälle en röd-gul chef beskriva sina medarbetare som oinspirerade och ointresserade av sitt arbete. Det plågade honom, för hur han än försökte locka och pocka kom de inte ur startblocken. Han hade presenterat en massa idéer – vissa mycket intressanta – men ingenting hände. Och så kan det vara med gröna personer. De känner igen en god idé lika snabbt som alla andra. Men när till exempel de röda kollegorna rusar i väg med stafettpinnen sitter den gröna och väntar. Ofta handlar det om att den rätta känslan måste infinna sig och så länge den uteblir, tja … de vill ju ändå inte göra något så de fick som de ville.

Den här chefen tog in medarbetarna en och en och förhörde sig om hur de såg på verksamheten. Han var orolig för den uppenbara bristen på synligt engagemang. Ett par av männen i nedre medelåldern sa rakt upp och ner att de inte kunde komma på någonting som var värt att engagera sig i. Chefen blev enormt frustrerad. Han försökte med allting, men reaktionen uteblev nästan helt.

Detta kan även hända i ett äktenskap. Det finns ju stereotyper av allting. Att vissa kvinnor skulle dras till den tysta, starka typen exempelvis. Inget fel i det. Men när hon efter giftermålet inser att det är allt han är – tyst och stark – blir hon kanske inte lika glad. Och när hon drar upp planer och han säger att han inte bryr sig blir hon förvirrad. Och drar upp ännu större planer. Och han greppar allt hårdare om armstödet i sin favoritfåtölj.

Detta är paradoxen. Ju större planer, desto mindre engagemang från den gröna. Han vill ha det lugnt och skönt.

Här är ett exempel: Jag har skrivit skönlitteratur i tjugo år och verkligen hoppats på att bli utgiven som författare. Alla i släkten har vetat om det. Inte så att jag har gjort någon enorm affär av det, men jag har inte heller dolt mina ambitioner. Jag har flera släktingar som är suveräna på att dölja sitt intresse och sitt engagemang. En grön person i min närhet är helt på det klara med att det har varit viktigt för mig att lyckas. Jag har upprepade gånger förklarat min dröm, berättat hur det skulle få mig att må om jag verkligen lyckades. Trots det har det i princip inte kommit några frågor om hur det går. Kanske en kommentar vart femte år om att jag inte borde ta det så allvarligt eftersom jag bara kommer att bli besviken. Och när jag sagt saker som: *I år ska det hända, nu jäklar får jag jobba hårt för att lyckas!* Då har responsen varit: *Usch då. Så mycket arbete.* Mycket arbete är den grönas störste fiende, eftersom det är just – arbete. De lever i en slags uppfattning om att allting ska vara enkelt.

Denna form av likgiltighet och bristande engagemang kan döda den mest inspirerade persons entusiasm. Själv fick jag förlita mig på andra för att hitta energin att kämpa vidare. Men det förstår inte den gröna personen. Han vill inte att folk ska vara engagerade eftersom det bara är jobbigt. Låt oss istället sitta här och göra ... ingenting.

Det dunkelt tänkta blir det dunkelt sagda

Gröna personer tar ogärna ställning i känsliga frågor. De har lika många åsikter och uppfattningar som alla andra, men de tycker inte om att basunera ut dem hur som helst. Anledningen är enkel – det kan bli bråk.

Konsekvensen kan bli ett ganska luddigt sätt att uttrycka sig. I stället för att säga att *det här går inte* kan det låta som om *det ser ut att finnas vissa utmaningar med att leverera.* Naturligtvis betyder de båda uttalandena samma sak. Vi kommer inte att hinna i tid. Men genom ett mindre direkt uttryckssätt tar man också mindre risker. Tar man tydlig ställning för något måste man ju stå för det. Och det är jobbigt.

Den gröna tar gärna det säkra före det osäkra. Genom att uttrycka sig otydligt tar han heller inget ansvar för saken i fråga. Han behöver liksom inte riskera sitt goda namn om han är osäker. Har han inte tagit ställning *för* någonting har han ju inte tagit ställning *mot* någonting. Du hör hur ologiskt det låter, eller hur? Men om du är grön vet du precis vad jag menar. En kvinna jag träffade sa en gång att hon tyckte som alla andra. Hade jag frågat dem ...?

Men uppfattas gröna som otydliga bara för att de vill rädda relationen? Nej, inte alls. Gröna personer är bara inte lika precisa som övriga färger. När en röd person säger att han fullständigt avskyr att lyssna på Laila Westersund säger den gröna att han kan påminna sig om en bättre sångerska. När en blå säger att han minskat i vikt 3,65 kilo sedan förra tisdagsförmiddagen – vid kaffetid – säger den gröna att han har gått ner några kilo på sistone.

Det hänger också ihop med att gröna inte är lika sakorienterade som röda och blå personer. Gröna pratar inte om fakta på samma sätt som dessa. De pratar hellre relationer och känslor, och då blir det svårare att vara precis. För hur mäter man en känsla?

Jag älskar dig exakt tolv procent mer än förra månaden. Nej. Knappast.

Jag vet att jag borde ändra på det där genast – jag ska bara fundera på saken ett (bra) tag

Här har vi den riktigt stora stötestenen. Vill du lansera förändringar i en grupp bestående av många gröna personer – lycka till. Handlar det om större förändringar bör du överväga om det alls är värt besväret. Är det dessutom bråttom kan du strängt taget glömma det hela. Så här ser det nämligen ut i huvudet på gröna personer:

- *Man vet vad man har men inte vad man får.*
- *Det var bättre förr.*
- *Så här har jag alltid gjort.*
- *Gräset är* inte *grönare på andra sidan.*

Känns det igen? Alla förändringar är förvisso inte av godo, men kom igen! Jag säger inte att det alltid är fel att uttala sig på ovanstående vis, men de gånger förändringar verkligen är nödvändiga kan det bli mycket farligt.

En klassisk klyscha – lite sliten numera, jag vet – är hur ofta man i familjen byter plats runt frukostbordet. Jag brukade tidigare ställa frågan i grupper jag mötte. Många log och sa att de satte sig där de brukade sitta eftersom det bara blev så. Och visst, jag gör likadant ibland. Men om någon påpekar att jag har fastnat i en seg o/vana gör jag någonting åt det. Den gröna däremot ändrar sig inte.

När man tittar på en grön persons reaktion på frågan förstår man att man står inför ett problem. Jag har sett vuxna människor bli vita i ansiktet och torka sig i pannan inför blotta tanken att sätta sig på andra sidan bordet. Jag har till och med jobbat med en man, Sune, som hade en så inrutad rutin i lunchmatsalen att om den inte kunde följas utvecklades hela den dagen till ett enda mörker. Sune hade en viss favoritplats under en tavla. Där satt han varje lunch, vecka ut, vecka in, månad ut och år in. Alltid samma stol.

Om han kom in i matsalen och fann platsen upptagen stannade han liksom till i steget. Fann han sig tillräckligt snabbt kunde han vända sig mot sin reservplats, en inte lika bra men dock acceptabel plats nära ett fönster. Om han tvingades äta sin soppa där blängde han hela måltiden igenom på den som knyckt "hans" plats. Givetvis sa han aldrig någonting. I stället surade han resten av dagen. Detta är en annan grön spetskompetens – att vända frustrationen inåt och må dåligt så att alla ser det. Skulle nu även Sunes reservplats ha varit upptagen gick han tillbaka ut i köket och så var den dagen förstörd.

Låt mig ge ett exempel till. Min mamma – saligen avsomnad och för alltid saknad; vi kommer aldrig att sluta älska dig lilla mamma – som inte kan ha varit mycket annat än grön – ställde alltid upp och passade barnbarnen när det behövdes, framförallt när de var mindre. Jag minns särskilt ett tillfälle när min hustru och jag skulle bort en fredagskväll. Jag hade bokat mamma veckor i förväg eftersom jag visste att hon behövde tid på sig att ställa in sig mentalt på det hela.

Samma dag som middagen skulle gå av stapeln hörde värdinnan av sig: hennes man var sjuk och allting var inställt. När jag ringde min mamma sa jag som det var. Vi skulle bli kvar hemma. Hon blev alldeles tyst. Jag förklarade att jag fortfarande ville att hon skulle komma över, eftersom barnen ju så gärna ville träffa sin farmor.

Mamma var mycket tveksam. *Hur blir det nu?* frågade hon. Jag sa att det blir precis som det var tänkt från början. Eftersom väskan är packad och gästrummet bäddat vore det väl ett perfekt tillfälle att umgås lite extra. Hon tvekade. Det blir ju helt annorlunda nu: *Ni är ju hemma.* Det kändes inte bra och hon behövde betänketid. Hon lovade att ringa tillbaka.

Vad var egentligen mammas problem? Egentligen innebar ju detta ingen förändring för henne. Hon skulle fortfarande sova borta mellan fredag och lördag. Hon kunde fortfarande träffa barnbarnen. Hon skulle däremot slippa ansvaret för dem, eftersom jag försökte sälja in att vi skulle ta hand om henne, i stället för att hon skulle ta hand om oss.

Det var ett helt nytt läge. Vi var ju kvar i huset. Och det var problemet. Jag och min fru skulle vara kvar. Kanske hade mamma bespetsat sig på ett visst program på TV. Kanske hade hon tänkt laga någon speciell mat till barnen. Kanske, inte vet jag. Hon sa ju inget om det, så vi kan inte veta säkert. Men förändringen var tillräckligt stor för att hon skulle behöva extra betänketid.

(Hon kom till slut. En kul bi-historia, mycket möjligt relaterad till vilken generation hon tillhörde, är att jag hämtade henne halv fem. Hon frågade varför jag kom så sent. Jag replikerade att jag lovat att vara där till klockan fem, och att jag nu följaktligen var en halvtimme tidig. Hennes svar? Hon hade varit klar sedan klockan fyra.)

Jag har aldrig varit så upprörd, men säg för Guds skull inget till någon

Detta är det andra stora dilemmat med det gröna beteendet. De tycker hjärtligt illa om att behöva bråka. Denna motvilja mot konflikter orsakar dessutom en hel del andra utmaningar, som envishet, otydlighet, förändringsovilja. Eftersom gröna personer är utpräglade relationsmänniskor blir ingenting viktigare än att bevara relationen intakt. Problemet är att metoden inte fungerar.

Man kan se på konflikter på två sätt. Antingen väljer man *harmonisynen*, det vill säga att man strävar efter harmoni. Allting går ut på att hålla sams. Att vara enig blir ett mål i sig. Det måste ju innebära att alla som skapar konflikter är besvärliga bråkmakare. Konflikter tyder på dåligt ledarskap, dålig kommunikation, osämja. Alltså kväver vi konflikten och låtsas som om den inte finns. För vem vill veta av en bråkmakare?

En kvinnlig coach jag mötte en gång använde en intressant metafor för detta beteende. Hon sa att det var som att sitta vid middagsbordet och titta på ett avhugget älghuvud. Du vet, med horn och flugor och allting. Alla ser att älghuvudet ligger där, men ingen säger någonting. Man skickar maten genom hornen utan att låtsas om någonting. Kanske undrar någon till slut om det ändå råkar ligga ett älghuvud på bordet. Alla förnekar det. Till slut säger någon i sällskapet att vi måste göra någonting åt det här! Den personen blir orosstiftaren, eftersom vi nu måste hantera detta obehagliga avhuggna älghuvud. Kunde hon inte bara ha hållit tyst?

Numera vet beteendevetenskapen bättre. Strävan efter att alla ska vara överens om allting hela tiden är en utopi som inte ens är värd att försöka uppnå. Till slut kommer ju någon att lyfta på locket som så effektivt och hermetiskt stängt inne all osämja under lång tid – och vad händer då? Titta vad som ligger här? Det stinker lång väg. *Harmonisyn* leder ofelbart till konflikt i slutändan.

Motsatsen är *konfliktsyn*. Det innebär i korthet att vi accepterar att det finns konflikter – att det till och med är naturligt. Det finns inga människor som jämt är överens om allting.

Vitsen med *konfliktsynen* är att man hanterar varje liten avvikande fråga så fort man får syn på den. Det är detta röda personer, men även vissa gula, gör naturligt. När de ser något som inte fungerar, säger de att det här inte fungerar. Det betyder även att problemen kan lösas på ett tidigt stadium. Men man hanterar frågan innan den börjar stinka rutten älg.

Konfliktsyn skapar oftast harmoni.

Men den gröna vill inte höra på det örat. Han kommer att göra allt i sin makt för att behålla den där trolska känslan av att alla är sams. Det är ju trevligare när alla är överens, eller hur? Skulle inte världen se så mycket bättre ut om det inte fanns några konflikter?

Ta en situation vi alla varit med om någon gång. Vi sitter i ett möte på arbetsplatsen. Det är kanske tio personer närvarande i rummet. Lägg till eller dra ifrån så att du känner igen situationen. Någon – chefen eller vem som helst – har just avslutat sin dragning och undrar nu vad alla tycker. Förväntansfullt ser han sig omkring och väntar på feedback.

Finns det röda eller gula i rummet kommer dessa att tala om vad de anser om förslaget som just lanserats. De röda hissar eller dissar. De gula pratar om sina egna reflektioner på förslaget. Någon blå har säkerligen en del frågor.

Vad gör de gröna? Absolut ingenting. De sjunker ner i stolen och låter sig absorberas av den. De säger ingenting annat än på en direkt fråga. De ser sig ängsligt omkring och hoppas att någon talar om vilken ofattbart korkad idé det hela faktiskt är. Gruppen är för stor för att torgföra avvikande åsikter i. Att säga någonting verkligt dramatiskt eller negativt vore att få allas ögon på sig, och det kommer inte att hända. Om de säger vad de egentligen tycker så kommer en hetsig debatt att utbryta, och eftersom en grön person inte önskar delta i hetsiga debatter – han vill inte ens vara i samma rum – håller han helt enkelt tyst.

Hur kommer talaren att reagera? Han kommer att tro att alla håller med, eller hur? Vad han inte vet är att hälften av personerna i rummet tycker att det var det dummaste de någonsin hört. När sanningen kryper fram – för det gör den ju förr eller senare – gissa vad som händer då? Precis – konflikt.

För du kan vara säker på vad som kommer att sägas vid kaffeapparaten och i rökrutan: sanningen. För det gröna personer gör när de måste lätta på trycket är att prata bakom ryggen på dig. I små grupper om två eller tre personer ventilerar de gärna sitt missnöje. Och de är duktiga på det. Så länge de tror att de går fria från din blick kommer de att baktala dig på sätt du aldrig skulle förvänta dig av en grön person …

DETTA ÄR VAD ANDRA KAN UPPLEVA BLÅ PERSONE

Det händer att även de perfektionistiska blå individerna får k
kan handla om att de är *undvikande, defensiva, perfektionistiska,*
verade, kräsna, petiga, tvekande, konservativa, osjälvständiga, ifrågasä
tande, misstänksamma, långsamma, distanserade och *kyliga*. Puh! Listan på dessa paragrafryttares brister tenderar ofta att bli ganska lång.

Men huvudsakligen har de svårt att komma igång, eftersom de vill förbereda sig mycket grundligt. Allting innehåller risker, och de kan vara nästan besatta av detaljer. Sätt aldrig ihop alltför många blå personer i samma grupp. De kommer att planera sig in i nästa århundrade utan att någonsin få spaden i jorden.

Dessutom upplevs många blå personer som väldigt kritiska och nästan misstänksamma. De missar ingenting, och de har en tendens att leverera sina observationer på ett ibland ganska okänsligt vis. Man är överens om att det de producerar är av hög kvalitet, men deras hårklyvande, kritiska sätt att se på det mesta sänker omgivningens humör till farligt låga nivåer. Detta är personer som anser sig vara realister. När de – i alla andras ögon – i själva verket är pessimister.

Låtsas att du har dina gula glasögon på dig ett litet tag. Låt oss se vad det skulle innebära.

Rätt ska vara exakt rätt annars blir det helt fel

Låt oss vara ärliga från första början. Det här med faktakoll och detaljfokus kan faktiskt gå till överdrift. Det finns gränser för när det inte är rimligt att leta längre. Kommer du ihåg VD:n som ville köpa ledarskapsträning? Han kom aldrig ur startgroparna.

Eftersom de blå vill ha just den här kollen kan det leda till problem i omgivningen. Alla andra, som kanske är nöjda med *good enough*, orkar helt enkelt inte med att höra alla dessa frågor och allt detta outtröttliga petande i detaljer. En blå person vet dock att *good enough* aldrig är *good enough*.

l att jobba hemma, pyssla med inredningen ch då. För ett par år sedan bytte vi kök, och av familjen gjorde jag ganska mycket själv. ar faktiskt ganska nöjd när det var klart. För att jag fick till det bra.

Hans, kom förbi. Han är mycket skärpt och vi känner varandra väl sedan många år. Han var helt på det klara med att jag ansträngt mig ordentligt och att jag var väldigt nöjd med mig själv. När han kom in i mitt kök tittade han sig lugnt omkring och sa: *Nytt kök? Snyggt. Den där luckan hänger visst snett.*

Okej, det kanske inte var så roligt att höra. Men för Hans var det högsta formen av logik. Han observerade ett fel och hans sinne för perfektion gjorde att han inte kunde bortse från det. Dessutom är han inte någon utpräglad relationsmänniska, så han kunde inte heller låta bli att berätta det. Han riktade ingen direkt kritik mot mig, bara mot något jag gjort. Nämligen att hänga en lucka snett.

Det här med petigheten kan ta sig lite olika uttryck, det kan vara en person som inte står ut med att pappershögar ligger snett på skrivbordet, som skriver om ett e-mail femton gånger för att få det riktigt perfekt, eller någon som sitter med ett enkelt Excelark eller en Powerpoint-presentation i timmar för att fila till det sista.

De blir aldrig klara med någonting. Det finns alltid mer att göra.

En gång höll jag en utbildning i beteendevetenskap för en grupp människor som alla arbetade i samma rum. Gruppen bestod av ett tjugotal personer. Första eftermiddagen lämnade jag ut den skriftliga dokumentationen på analysen som varje enskild individ hade gjort. Alla läste med stigande fascination om sig själva, och de flesta verkade mycket nöjda.

Utom en dam. Hon var ytterligt harmsen över sin analys. Den var nämligen helt felaktig. Efter att ha stämt av med henne att det var okej att diskutera saken inför hela gruppen, undrade jag vad det var hon var missnöjd med.

Det var för mycket som inte stämde med hur hon egentligen är, meddelade hon. Till exempel framgick det av analysen att hon skulle vara pedant. Det var hon inte alls. Jag noterade att det smålogs en aning i rummet. Tydligen visste hennes arbetskamrater någonting hon inte visste.

Jag frågade henne vad hon trodde det berodde på – att analysen kallade henne för pedant. Hon hade ingen aning. Det hela var ett fullständigt mysterium. Det var strängt taget ett värdelöst verktyg.

Eftersom jag insåg att kvinnan var blå, var jag försiktig med att påstå för mycket. Hon skulle ändå inte ta mig på orden. Jag var ju bara någon slags konsult som hade arbetat med verktyget i futtiga tjugo år. Vad visste jag egentligen?

I stället bad jag om ett exempel på att hon inte var pedant. Inga problem, hon hade massor. Till exempel hade hon tre barn som hade tre bästisar var. När hon kom hem på kvällarna var det så mycket skor innanför dörren att hon fick gå med höga knän för att överhuvudtaget ta sig fram. Hon fick börja med att skaka mattor och sortera skor. Hon anförtrodde mig att hon brukade ställa fyrtiofemmorna längst in, de gick hem sist, så det verkade mest logiskt. De minsta skorna ställde hon närmast dörren i prydliga rader.

Därefter gick hon ut i köket. Vad fick hon syn på där? Smulor överallt. Alla dessa ungdomar hade ätit smörgåsar och köket var en krigszon. Det tog henne tjugo minuter att sanera alltihop, plocka undan, dammsuga, torka bord och bänkar. Först därefter kunde hon ta av sig kappan och slappna av en aning.

Pedant? Hon? Aldrig i livet.

Hennes arbetskamrater låg ner på bänkarna och skrattade så de skrek. Kvinnan såg sig omkring och kunde inte förstå vad uppståndelsen handlade om. Att något av detta skulle vara ens avlägset pedantiskt begrep hon inte. Hon hade det ju så stökigt hemma.

Det lustiga med historien var att jag mötte den här kvinnan något år senare i ett helt annat sammanhang. Hon gav mig en stor kram och sa att analysen på hennes beteende var etthundra procent korrekt. Häpet undrade jag hur hon kommit fram till det.

Det visade sig att hon haft den i väskan ett tag, gjort en del observationer som visat sig korrekta, och sedan bockat av dem en efter en. Till slut hade hon bockat av alltihop. Hon gillade analysen. Ett fantastiskt verktyg på det hela taget.

Jag känner faktiskt inte dig så håll dig på avstånd

Du har gjort det. Jag har gjort det. Vi har alla gjort det. Gått fram till en person som verkar vara en trevlig prick och börjat prata om ditt och datt i tron att det ska bli en trevlig stund. Efter att ha konverserat ett tag inser du att det bara är du som pratar. Om du dessutom har gula drag i din personlighet kanske du märker att det uppstår egendomliga pauser i dialogen. Om det nu ens är en dialog. Kanske du märker att den andre skruvar besvärat på sig och signalerar att han inte vill delta i det här samtalet.

Vad är det som händer? Vi pratar ju bara om matchen i går, eller om vad familjen gjorde i somras, eller vart ni tänker åka nästa semester. Har vi ett problem, eller?

Ja, vi har faktiskt det. För den här personen talar inte så gärna med främlingar. Ett ögonblick, kanske du tänker nu. Vi har faktiskt jobbat ihop i tre månader, och det borde vara okej vid det här laget att fråga vad hans hund heter. Men den här killen har en ganska stor privat zon omkring sig, både fysiskt och psykologiskt. Han behöver känna en person riktigt ordentligt för att öppna sig. Inte som den röda som kastar ur sig vad han nu har lust att kasta ur sig, inte som den gula som avslöjar sina mörkaste hemligheter eftersom han utgår från att alla är intresserade, eller som den gröna som kan vara personlig i mindre sällskap och under ordnade former.

Den blå personen har inte något behov av kallprat. Han ger lätt intrycket att han inte bryr sig om andra människor, eftersom han inte odlar några relationer. Visst, han bryr sig, men behovet är på en annan nivå än för alla andra. Han trivs bra i sitt eget sällskap och med den närmaste familjen.

Konsekvensen är tydlig för omgivningen: de finner honom kylig och distanserad. Den där zonen är ganska tydlig, och kan vara väldigt sval för särskilt gula och gröna personer. Och detta gör att dessa kallar den blå kompisen för tråkmåns. Blå personer kan lätt få oss att känna oss illa till mods. Varför är han så kall och avvisande? Bryr han sig inte om mig överhuvudtaget?

Lika bra att ta det säkra före det osäkra. Helst tre gånger.

En god vän till familjen kunde inte lämna huset utan att titta efter om nycklarna verkligen låg i väskan, trots att det var det sista hon gjorde innan hon begav sig mot ytterdörren.

När jag arbetade på ett bankkontor under åttiotalet kunde det komma fram människor till kassan som stått trettio minuter i kö med ett enda ärende: att kolla om saldot bankomaten gett verkligen var korrekt. Mycken väntan. Samma dator. Samma saldo. Men man kan aldrig veta. Bäst att kolla. Och dubbelkolla. Hade det gått att trippelkolla hade de gjort det.

Varifrån kommer detta kontrollbehov? Av vilken anledning kan inte blå personer lita på vad andra säger? På uppgifter de hör? Svar: det kan de naturligtvis. Men om de *dessutom* själva kollar måste ju alla risker verkligen vara eliminerade, eller hur? Saken är nog dock ändå den att de faktiskt inte litar på andra. Detta måste kollas upp. Och noteras, dokumenteras ordentligt.

Kom ihåg att vi återigen talar om beteenden som omgivningen uppfattar. En blå person undersöker allting en extra gång eftersom det *går* att undersöka allting en extra gång. Är allting uttömt är det ju bara att ta beslut.

Jag har en god vän som använder Excel flitigt. Men inte som vi andra. Den här killen har en speciell metod. Han gör en formel och lägger in alla data. Innan han skickar viktiga filer till höga chefer kontrollräknar han allting med sin miniräknare.

Varför gör han så?! Förklara detta för en röd person och han kommer att idiotförklara personen för evig tid. Säg det till en gul och han kommer att skratta ihjäl sig. Men alla blå förstår genast vad det handlar om. Det finns en teoretisk möjlighet att det blir fel i Excel. Även om han har lagt in formeln själv skulle någonting kunna gå snett. Bäst att vara på den säkra sidan.

Hur uppfattar omgivningen det här? Vänligen fortsätt till nästa rubrik.

Det enda man kan lita på är sig själv och sina egna ögon

Killen som ifrågasätter Excel har givetvis problem att förklara sig. Ganska många i hans omgivning har synpunkter på hans sätt att ständigt dubbel- och trippelkolla allt han själv gör och allt alla andra gör. De blir helt enkelt förbannade när han genom sina handlingar tydligt visar att han inte litar på dem.

Det lilla problemet är att allting tar fruktansvärt lång tid. Det går att hantera genom att arbeta fler timmar. Då är det värre med de relationer som kan bli lidande. Hur kul är det att gå till en person och berätta om ett eventuellt genombrott och det första den här personen gör är att plocka ner allting i beståndsdelar och ifrågasätta precis varje moment?

Letar man tillräckligt länge kommer ju vem som helst att hitta fel.

Inte heller räcker det med att ha rätt. Man måste bevisa sig för den blå personen. Om han anser att du är en auktoritet inom ett visst område kommer han att lyssna bättre på dig. Vägen dit kan dock vara knivig.

Jag har hållit många utbildningar och föreläsningar i ämnet, och är det några som ställer komplicerade frågor är det ingenjörer, tekniska säljare och ekonomicontrollers. Kanske en och annan skattejurist. De har inte sällan blått i sig, och de är inte imponerade av mig. Bara för att jag har försörjt mig på detta i tjugo år betyder det inte att jag vet vad jag pratar om. (Kom ihåg kvinnan som blev anklagad för att vara pedant.)

Det enda man kan göra är att acceptera att beviskraven kommer att vara högre bland de här personerna. Fakta kvarstår ju – om jag är tillräckligt väl förberedd kan jag bevisa att det jag säger är sant. Tids nog kommer de att lita på mig.

KAPITEL 9

ATT LÄRA SIG NYA SAKER

HUR DU TAR TILL DIG DET HÄR SÄTTET ATT KÄNNA IGEN OLIKHETERNA I HUR MÄNNISKOR FUNGERAR

Att ta in ny kunskap är inte alltid det lättaste. Det är kanske enkelt, men det är inte lätt. Det finns så mycket att göra, så mycket att läsa, så mycket att lära sig. Var ska man börja? Det personliga intresset avgör nästan alltid. Det jag är nyfiken på och intresserad av är naturligtvis enklare att ägna extra tid åt, inget underligt där.

För mig var uppvaknandet till Stures värderingar om människor – tesen om alla idioterna i början av boken – det som satte fart på min vilja att lära mig. Men det har tagit mig många år att skaffa den här kunskapen. Jag har läst böcker, gått utbildningar, certifierat mig gång på gång inom olika ämnen. Dessutom har jag hållit tusentals utbildningsdagar i ämnet. Så här i medelåldern börjar jag tycka att jag har hyfsad koll på hur människor fungerar. Men antagligen har jag bara skrapat på ytan.

Om det hade funnits oändligt med tid skulle inget problem finnas

Och det har tagit tid. Kanske har jag inte den naturliga instinkten som många andra har. Jag vet faktiskt inte. Men jag vet en del om pedagogik och om hur man lär sig nya saker. Och för mig är det svårt att komma på ett ämne viktigare än just människor. Vilket jobb du än har, vart livet än tar dig – så kommer du att möta andra människor.

Du kan till exempel vara:

- Anställd med arbetskamrater
- Säljare med kunder
- Projektledare som utan egentlig linjeauktoritet ändå leder människor
- Chef med anställda medarbetare
- Mellanchef med människor både uppåt och neråt i organisationen
- Egen företagare som skaffar dina egna uppdrag
- Förälder med tonåringar i hushållet
- Make med fru
- Maka med äkta man
- Lagledare för fotbollslaget
- Ordförande i den lokala hem och skola-föreningen.

Användningsområdena för den kunskap jag pratar om har ingen begränsning. Att förstå sig på människor kommer alltid att vara en avgörande faktor för att smidigt uppnå sina mål i livet, oavsett vilka de är.

Ta en titt på modellen på nästa sida. Detta är ingen ny modell, men den säger mycket om hur teoretisk kunskap omvandlas till verklig kompetens. Att läsa en bok är en sak. Jag är glad att du läser den här. Det är ett utmärkt sätt att starta din egen inlärning. Men det är vad du gör av den teoretiska kunskapen boken innehåller som kan skapa ett resultat för dig.

Hur går det till i dag?

Det är bland annat därför jag årligen håller mängder av seminarier och föreläsningar i det här ämnet. Det är för att ta åhörarna till åtminstone 50 procent på skalan. Men inte heller det är tillräckligt. För att uppnå detta krävs att de jag möter aktivt deltar. Det åstadkommer jag genom

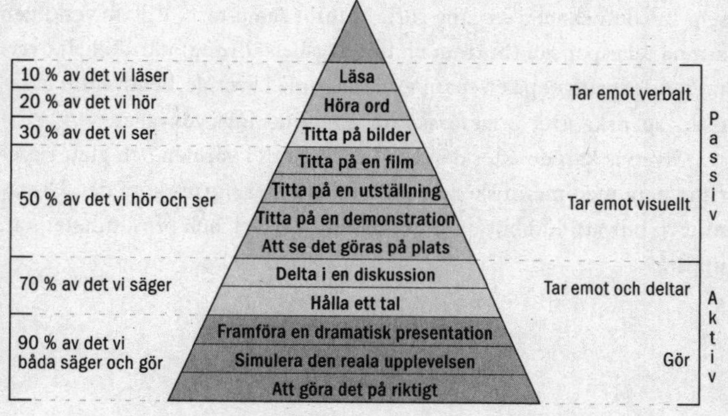

(Utvecklad och reviderad av Bruce Hyland utifrån material från Edgar Dale.
Edgar Dale, Audio-Visual Methods in Teaching (3rd Edition), Holt, Rinehart, and Winston (1969).)

avancerade utbildningsprogram uppbyggda kring en väl genomtänkt pedagogik. Men för att nå ännu längre krävs mer.

Min mission är tydlig – jag vill att fler förstår det här. Så många konflikter skulle kunna undvikas. Jag har inget emot konflikter i sak, de stör mig oftast inte eftersom jag vet hur jag ska hantera dem. Men när människor river ner och förstör mer än de bygger upp anser jag att man borde kunna hitta andra vägar framåt. Livet består av så mycket mer än att lära sig av sina misstag. En del av dem skulle man kunna undvika.

ETT SPRÅK SOM VILKET SPRÅK SOM HELST

Det jag pratar om, sättet att använda färger eller DISA-språket ® *IPU – Institutet för Personlig Utveckling* – som är det officiella namnet, fungerar som vilket språk som helst när det handlar om inlärning. Om du någon gång studerat spanska eller tyska i skolan så vet du vad jag pratar om. Att plugga inför proven är en sak. Att verkligen klara av att tala till exempel spanska är en annan sak. Det räcker inte med att fräscha upp kunskapen en gång varje år inför semestern. Vill du verkligen kunna tala spanska (bortom en middagsbeställning) när du helt överraskande springer på en spanjor här hemma i Sverige, behöver du praktisera spanska. Det är en färskvara. Det finns inga genvägar.

Givetvis kan du efter den här boken gå ut i världen och glatt experimentera med människor du möter. Jag råder dig att göra det. Utmaningen blir att du i början kommer att gissa fel, och pinsamheter kan uppstå.

KAPITEL 10

KROPPSSPRÅK – ELLER VARFÖR DET FAKTISKT SPELAR ROLL HUR VI SER UT

HUR SER DU EGENTLIGEN UT?

Introduktion

En faktor är hur kroppsspråket kan se ut hos de olika färgerna. Bland annat får du visa upp ett visst kroppsspråk för dina medspelare, en ganska nyttig upplevelse. Detta kroppsspråk ska sedan analyseras. Men frågan uppstår: Kan man egentligen spela någon man inte är? Vetenskapen är inte helt överens.

Låt oss titta närmare på kroppsspråket.

Kroppsspråk avser alla former av icke-verbal ***kommunikation***, medveten såväl som omedveten. Skillnader i kroppsspråk varierar både mellan individer och mellan olika grupper av människor. Vårt kroppsspråk fungerar även som social och kulturell markör även om det finns gemensamma biologiska grunder.

Vårt språk innehåller omkring 100 000 ord, varav 5 000 ord är sådana som vanligt folk använder regelbundet. Och av dessa använder vi kanske 1 000 ord i vårt vardagsprat. Som en jämförelse innehåller kroppsspråket enligt vissa forskare bortåt 700 000 signaler. Ja, siffrorna kan diskuteras, absolut, men det är inte poängen. Den är i stället att det finns oerhört många fler signaler än vi kanske är medvetna om.

Jag ska inte gå in på alla signaler, men utifrån de olika profilerna är det ändå intressant att se vilka skillnader som finns. Kom ihåg bara att sinnesstämning, situation och om vi känner oss trygga eller otrygga kan ha avgörande påverkan på vårt kroppsspråk.

Hållningen

Har man en avslappnad, naturlig men inte slapp hållning så får andra människor ofta intryck av att man har ett bra självförtroende. Har man däremot en hopsjunken hållning kan det tolkas som uppgivenhet och besvikelse. Har man en rakryggad, lite stel kroppshållning kan människor tro att detta är en signal för dominans, alltså att man vill få respekt av sin omgivning. Det kan också handla om någon som är utbildad på någon militärakademi.

Blicken

Vi använder vår blick till många olika saker. En flackande blick tyder i allmänhet på att personen i fråga helst av allt skulle vilja vara någon annanstans. Andra möter din blick stadigt utan att ens blinka. Det skapar helt andra intryck. Det sägs att lögnare inte riktigt möter ens blick, och att de tittar upp mot ena hörnet, beroende på om de är höger- eller vänsterhänta. Men eftersom detta är känt även bland lögnare så har de värsta av dem lärt sig att stirra dig stint i ögonen när de ljuger. Så ingenting är ju helt givet. (Att den som helt omotiverat tar sig i nacken, förmodligen ljuger är faktiskt en mer träffsäker analys). Om något är hemskt eller obehagligt sätter många händerna för ansiktet. Och när man behöver tänka blundar man oftast en stund.

Huvudet och ansiktet

När man talar med människor brukar man antingen nicka eller skaka på huvudet beroende på om man håller med eller inte. Lyssnar vi extra noga på en diskussion kan vi lägga huvudet på sned. Något som signalerar att en människa är nedstämd är oftast att personen i fråga hänger med huvudet eller rynkar pannan. Blir vi förvånade över något höjer vi ofta på ögonbrynen, medan vi rynkar på näsan åt sådana saker vi inte är förtjusta i. Bara i ansiktet döljer sig 24 olika muskler, och dessa kan kombineras på ett otal sätt.

Händerna

Ja, här har vi en riktig klassiker. Hur hårt ska man egentligen nypa tag i den man hälsar på? Ett vanligt handslag kan avslöja massor om en person. De där slappa och kraftlösa handslagen tyder inte sällan på en undergiven personlighet, så har du inte en sådan kan det vara en god idé att ta i lite hårdare. Skulle handslaget däremot vara fast signalerar det förmodligen att personen är bestämd. Den som nyper alldeles för hårt tillhör sannolikt den förra kategorin men vill gärna tillhöra den senare. Knutna nävar är sällan goda nyheter, utan betyder ofta aggressivitet. Vissa nervösa personer plockar med kläderna, tar bort hårstrån eller trådar. Detta tyder ofta på att man vill koncentrera sig på andra saker. Händerna bakom ryggen uttrycker ofta makt och säkerhet.

Och kommer du ihåg det jag nyss sa om lögner? Ett effektivt sätt att avslöja en lögnare är om han placerar handflatan över bröstet – helst höger hand rakt över hjärtat – och indignerat suckar över att han blivit anklagad för att ljuga. *Skulle jag ljuga? Hur kan du säga så om mig?* Gesten avser att stärka hans ärliga avsikter, men den gör genast omgivningen mer på sin vakt, eftersom den är så onödig och överdriven. Här finns definitivt en hund eller två begraven.

Revir

Att alla människor har ett eget personligt revir är väldigt viktigt då alla måste ha ett område som är ens eget. Reviret kan bland annat vara det avstånd man har till andra människor då man till exempel talar med någon. Den personliga zonen är rent allmänt 0,5–1 meter och den sociala zonen är 1–4 meter. När man talar om den personliga zonen så menar man när till exempel två människor som känner varandra kommunicerar. Den sociala zonen innebär kommunikationen med främmande människor. Men detta beror väldigt mycket på vilken kultur vi talar om. Uppe hos oss i Norden är den personliga zonen definitivt större än den är hos någon från till exempel Medelhavsområdet.

VAD GÖR VI SÅLEDES ÅT ALLT DETTA?

Hur skiljer sig då detta mellan de olika beteendena? Det står helt klart att vissa "kända" fakta om kroppsspråket inte stämmer på alla. Att den som tittar snett upp till vänster ljuger kan nog vara sant ibland – om han inte är vänsterhänt. Då tittar han till höger. Ett exempel på skillnader är osäkerhet. En grön person som är osäker lutar sig bakåt. En röd person som är osäker lutar sig framåt, eftersom han löser osäkerheten genom att försöka dominera samtalet. På följande sidor har jag listat ytterligare exempel på skillnader. Observera gärna i verkligheten och se om du kan hitta något av följande beteenden. Men kom ihåg att kroppsspråket är väldigt individuellt. Visst finns det generella uttryck som gäller i hela världen och bland alla människor – ansiktet är ett sådant typiskt område, förakt ser till exempel likadant ut i alla delar av världen – men det finns så många skillnader att man helt enkelt får studera sina medmänniskor för att vässa sin förmåga. De följande, korta avsnitten är tänkta att fungera som en enkel vägledning.

RÖTT BETEENDE

Några enkla grunder att hålla i minnet är att röda personer:

- håller distansen till andra
- har kraftfulla handslag
- gärna lutar sig framåt
- använder en direkt ögonkontakt
- använder kontrollerande gester.

Som jag tidigare nämnt har röda personer ofta ett tydligt och distinkt kroppsspråk. Man kan som regel känna igen en röd person redan på avstånd.

När man passerar genom stora folkmängder ser man människor krylla omkring, stå stilla, samtala med andra eller bara titta på vad nu all uppståndelse handlar om. Säg att du tittar ut över ett torg som kryllar av människor. Tittar du riktigt noga kommer du att se en person som i rask takt är på väg över torget utan större hänsyn till att andra står i vägen. Med blicken fäst på en punkt en bit framför sig forcerar den röda personen torget utan problem. Han väjer inte undan, utan får andra att flytta på sig. Stegen är sannolikt bestämda och kraftfulla. Han förväntar sig att vi andra ska hålla oss undan.

När du träffar en röd person för första gången håller denne vanligtvis en viss distans. Det kommer inte att vara några hjärtliga handslag, men det kommer att vara kraftfulla sådana. Räkna med att den röda – man eller kvinna – kommer att nypa till lite extra för att visa vem som bestämmer. (Viss forskning kallar detta beteende för alfahanne, men det förekommer även hos kvinnor. Den röda har ett behov av att markera att han är någon att räkna med.)

Glöm alltför översvallande leenden. Ansiktet kan vara rent bistert, speciellt om det handlar om ett affärsmöte. Men även i sociala sammanhang råder en viss distans. Den röda kommer inte att kasta sig kring din hals (så länge han är nykter, under inverkan av alkohol kan vad som helst hända).

När det hettar till – vilket det som vanligt snabbt gör när röda personer är inblandade – kommer denne att luta sig fram över bordet och distinkt argumentera för sin sak. Ögonkontakten kommer att vara mycket direkt, och han viker inte undan med blicken. När det kommer till maktspråk är röda personer aktiverade redan från start. Ställ in dig på det.

Ställ även in dig på att gesterna kommer att vara relativt begränsade, men de gester som förekommer kan vara typiskt kontrollerande.

En röd person pekar mer än gärna på folk. Det där med att det är fult att peka på folk är inget som oroar honom nämnvärt, antingen används ett distinkt finger, eller så pekas det med hela handen. Det är även vanligt att röda personer pekar på dig genom att hålla handen mot dig med handflatan neråt. Om du vill testa så kan du be någon peka på dig på det viset, och fundera över hur det känns.

Du kan också tydligt se att röda personer – vilket de förstås inte är ensamma om – mer än gärna avbryter dig. De drar efter andan gång efter annan för att hitta luckor i samtalet. Tar det för lång tid kommer de att kasta sig in i samtalet med hög röst och helt enkelt ta över.

Röst

Vad kan sägas om rösten? Oftast är den stark. Vi kommer att höra dessa individer väl, eftersom de inte drar sig för att höja rösten så mycket som det krävs för att göra sig hörda. Naturligtvis kan även röda personer vara nervösa och oroade över saker och ting, men det hörs oftast inte. Rösten darrar inte speciellt mycket.

Och det är en av de rödas hemligheter. Oavsett hur det står till bakom fasaden kommer den röda att låta övertygande. Inget stammande, inget tvekande. Pang på bara. Lyssnar vi inte tar de om det en gång till. Fast högre. Till slut ska det nog gå fram.

Hastighet i tal och handling

Som jag nämnt tidigare har den röda alltid bråttom. Fort är lika med bra. Det gäller normalt sett även tal och handlingar. Allting utförs i ett rasande tempo. Eftersom hastighet är den faktor många röda mäter framgång i kommer det att bli åka av. Och ett par tvära kast när kursen måste justeras.

GULT BETEENDE

Några enkla grunder att hålla i minnet är att gula personer:

- gärna tar i andra människor
- är avslappnade och skämtsamma
- visar vänlig ögonkontakt
- använder uttrycksfulla gester
- ofta kommer nära.

Den gula personens kroppsspråk är ofta väldigt öppet och inbjudande. Leenden förekommer ständigt, även när det egentligen inte finns så mycket att le åt. Gula skämtar ofta, och kan vara väldigt avslappnade. En gul person kan mycket väl halvligga i en soffa hemma hos en granne han egentligen inte känner särskilt väl. Men det är typiskt den gula. När han känner sig trygg i en given situation syns det. Han är som en öppen bok.

Likheten med det röda beteendet ligger huvudsakligen i tempot. Gula personer rör sig snabbt, och ganska distinkt. De utstrålar ofta ganska stark självsäkerhet.

Det här med den privata zonen är en relativ sak. Där vissa inte gärna vill ha folk för nära inpå sig, kommer den gula gärna väldigt tätt inpå. Gula personer kan kramas lite spontant till höger och vänster. Man eller kvinna spelar ingen större roll. Det beror på hur känslan och humöret är just för dagen.

Inte sällan backar andra undan inför detta, vilket uppfattas som väldigt trist av den gula. Men det behöver inte alltid gå över i kramande. Det kan även vara beröring av enklare slag. En hand på en arm, en klapp på ett ben – utan att det behöver betyda någonting alls annat än att den gula personen vill förstärka det han just sagt. För det den gula uppfattar som ett naturligt och spontant sätt, kan av andra uppfattas som en invit. Och det kan förstås sluta väldigt illa …

Annars skämtas det ju ganska mycket, leenden är naturligtvis legio. Ögonkontakt är inga problem, den är tät, glad och vänlig.

Röst

Rösten hos en gul person vittnar om ett starkt engagemang från början till slut. Gula personer är väldigt engagerade. (Och om de inte har lust med en viss aktivitet kommer de att utebli.) Du hör det på långt håll: skratt, skoj, intensitet. Entusiasm. Glädje. Energi.

Generellt sett visar gula personer upp en tydlig inlevelse. De är antingen hundra procent med eller inte alls. Och det hörs på rösten, den går upp och ner, den växlar tempo, kraft och intensitet. Gula personer har ofta en väldig melodi i sitt sätt att prata.

Oavsett vilken känsla som gripit den gula för ögonblicket kommer det att märkas i rösten.

Hastighet i tal och handling

Tempo. Inte riktigt samma form av action som hos en röd, men avgjort högt tempo. Har du träffat någon som ibland har så bråttom med vad han ska säga, att han liksom snubblar på orden? Bara hälften kommer egentligen ut som det ska. Man kan ana vad som sägs, men ibland blir det faktiskt obegripligt. Det är gula personer vars munnar helt enkelt inte hinner med allt de har att säga. Munnen hinner inte med hjärnan.

GRÖNT BETEENDE

Några enkla grunder att hålla i minnet är att gröna personer:

- är avslappnade och kommer nära
- agerar metodiskt
- gärna lutar sig bakåt
- använder mycket vänlig ögonkontakt
- föredrar små gester.

En grön person är ofta – men inte alltid – dämpad i sina kroppsrörelser. Under full harmoni har de ett avslappnat kroppsspråk som utstrålar lugn och tillförsikt. Inga hetsiga rörelser, inga tvära kast med huvud eller händer. Lugnt och fint.

Gesterna är oftast små och väl avpassade för mindre sällskap. De gröna trivs ju inte så bra i större sammanhang, då blir de mer låsta och kommer att se svårtillgängliga ut. Gröna har oftast ett kroppsspråk som avslöjar dem. De försöker dölja sina verkliga känslor, men det lyckas inte alltid. Är de ur balans eller känner sig trängda kommer det att synas.

Sitter man ner runt ett bord kan du räkna med att de gröna gärna kommer att luta sig bakåt. Det är något av en paradox, eftersom de egentligen inte har problem med att komma nära människor. Precis som gula rör de gärna vid andra. Det är helt okej, så länge de känner den de rör vid. Akta dig däremot för att själv röra vid en grön person som inte signalerat att han känner dig tillräckligt väl. Det är lätt att kliva över gränsen. Den privata zonen fredas gärna.

När en röd person rör sig genom ett rum kan man oftast se det. Eftersom den gröna är den rödas motsats i så mycket kan jag säga att en grön gör diskretionen till en verklig hederssak. De försöker inte sällan göra sig osynliga.

Skälet? De vill inte stå i centrum.

Ansiktet hos en grön person är nästan alltid vänligt. Om inte är det ganska neutralt. Räkna inte med några överdrivna leenden eller översvallande hälsningar. Lite avvaktande är det allt. Men det blir en väldig skillnad om den gröna känner dig. Tycker han att ni är goda vänner kan det bli väldigt intimt, om du förstår vad jag menar. Anser han att ni precis har träffats, ja då är det avvaktande.

Låt den gröna komma till dig. Tvinga dig inte på honom. Tids nog, när han litar på dig, kommer han att slappna av och kännas mer naturlig.

Röst

Rösten hos en grön person kommer aldrig att vara stark, det är inte sannolikt att han kommer att överrösta gruppen. Du kommer att få anstränga dig en aning. Även när en grön person talar inför en större grupp (de kan det också, om de inte har något val) kommer de att tala som om ni var tre personer som satt ner runt ett bord. Ibland tycks inte den gröna se alla de övriga hundra i rummet. Volymen är generellt sett låg, och det kan bli svårt att höra vad han säger.

Men rösten kommer alltid att var mjuk och utstråla värme. Hastigheten kommer att vara lägre och variationen inte alls som när till exempel en gul talar.

Hastighet i tal och handling

En grön person har i allmänhet ett lägre tempo i det den gör än vad röda och gula har, men kanske inte fullt så långsamt som de blå. Hastighet har inget värde i sig. Riskerar ett alltför högt uppskruvat tempo att rasera samarbetet på avdelningen kommer den gröna att dra ner farten. Det spelar mindre roll vilken deadline man har. Det viktigaste kommer alltid att vara hur människorna mår.

BLÅTT BETEENDE

Några enkla grunder att hålla i minnet är att blå personer:

- helst håller andra på avstånd
- antingen står eller sitter
- ofta har ett låst kroppsspråk
- använder direkt ögonkontakt
- talar utan gester.

Ett enkelt sätt att beskriva den blå personens kroppsspråk är att säga att det inte finns något.

Okej, det kanske var lite förenklat. Det jag menar är att det finns ganska lite att tolka hos en blå person. Varken ansiktet eller kroppen avslöjar speciellt mycket. När jag pratar om kroppsspråk med säljare brukar de säga att vissa är omöjliga att tolka. När jag frågar om det är personer som sitter nästan helt stilla utan att röra ens en muskel i ansiktet brukar de nicka och tycka att det är märkligt.

Jag antar att de talar om blå personer. Men en person som inte visar mycket rörelse eller temperament avslöjar ju också någonting. I det här fallet är det avsaknaden av ett distinkt kroppsspråk som berättar det vi behöver veta.

Många blå personer kan leverera mycket dramatiska besked utan att röra en min. Jag har själv fått höra av en blå chef att avdelningen kommer att läggas ner och att vi nu skulle göra upp en avvecklingsplan för trehundra anställda. Inte en muskel i ansiktet rörde sig i onödan.

Jag tror att det är det här som ger många idén om att blå personer skulle vara i avsaknad av känslor, men så är det givetvis inte. Låt mig återigen påminna om att den blå personen är introvert, det vill säga det mesta av sinnesrörelsen sker under ytan.

Det fungerar även åt andra hållet. En gång för många år sedan såg jag en dam skrapa fram fem miljoner i TV4. Bakom kameran hördes hennes man skrika av glädje medan damen själv, visserligen med ett svalt leende, satt blick still. Programledaren log och gestikulerade och ett tag kunde man faktiskt undra vem som egentligen hade vunnit. Men damen själv sa inte mer än *Tack, det var trevligt.* Hon rörde sig knappt alls. Jag tror inte att hon redan var miljonär. Jag tror hon var blå. Det är helt enkelt så det fungerar. Under ytan utgår jag från att hon var relativt nöjd med utfallet. Någon dag ska jag ringa kanalen och fråga om den inspelningen finns kvar, för den är så målande.

Ser man blå personer tala inför större grupper blir detta väldigt tydligt. Precis som den gröna har de inget behov av att stå i centrum. Skillnaden är dock att medan den gröna personen vill sjunka genom golvet står den blå personen där. Helt orörlig och med stelt ansikte försöker han piska upp massorna.

En annan ledtråd är att blå personer har en relativt stor privat zon runt omkring sig. De känner sig ofta mer bekväma med att hålla andra på ett visst avstånd. Det beror givetvis på hur väl de känner den andre, men zonen är avsevärt större än den är hos till exempel den gula.

Om andra människor kommer för nära kan kroppsspråket bli lite låst. Både armar och ben korsas för att markera avståndstagande.

Blå personer rör sig, som jag nämnde tidigare, mindre än de andra. Står de, så står de stilla. Det är inte så mycket gungande och vandrande. De kan mycket väl stå på samma fläck under en hel timmes föreläsning. Sitter de ner så sitter de ganska likadant hela tiden. Stillhet är ett ord som väl talar om vad det är vi ser.

Detta gör ju också att det inte gestikuleras särskilt mycket. Föreställ dig en gul person: en riktigt utåtriktad och positiv figur - och tänk nu tvärtom. Skala av alla rörelser som inte behövs (de flesta, enligt den blå personen) och du börjar se bilden framför dig. Stenansikte, har någon beskrivit det som.

Det blå personer dock gör, som vissa andra kan ha problem med, är att de normalt sett tittar andra rakt i ögonen. De har inga problem med ögonkontakt.

Röst

Den blå personens röst är, om inte direkt svag, så i alla fall behärskad och dämpad. De gör inte mycket väsen av sig. Intrycket brukar vara kontrollerat. Vanligt är att det låter eftertänksamt, som om varje ord vägs på guldvåg innan det tillåts se dagens ljus.

Generellt är det liten eller ingen variation i den blå personens röst. Han låter ungefär likadant hela tiden. Oavsett om det handlar om att läsa tv-tablån eller att hålla tacktal till nationen när riksdagsvalet vunnits. Utan större rytm eller melodi pratas det på enligt manus.

Musiker brukar ha svårt för det här. De tycker det flyter för dåligt.

Hastighet i tal och handling

Långsamt. I alla fall om vi jämför med alla andra. Tar vi en röd, eller varför inte en gul person, pratas det ofta med ljudets hastighet. Här har den blå ett helt annat tempo. Det får ta den tid det tar. Hastighet är ointressant.

Jag mötte för inte så lång tid sedan en mycket blå ung man som sa att allt han gör tar ganska lång tid. Han gjorde ingen affär av det, konstaterade bara att det var så det var.

KAPITEL 11

ETT VERKLIGT EXEMPEL

FIRMAFESTEN – ELLER HUR MAN GÖR FÖR ATT VERKLIGEN MISSFÖRSTÅ VARANDRA

För många år sedan arbetade jag inom banksektorn. Det var ett intressant jobb på många sätt, även om tillvaron där ute på bankkontoren kunde vara ganska fyrkantig ibland. Jag lärde mig dock mycket genom att träffa många olika typer av människor, och jag har många historier om lustiga kundmöten från den tiden. De mest intressanta insikterna fick jag dock bakom kulisserna.

En av de mer uppseendeväckande upplevelserna var på ett bankkontor jag jobbade på under nittiotalet. Där arbetade en rad riktiga stereotyper. Vissa var verkligen tydliga i sina personlighetsprofiler. Vi hade otroligt distinkta blå personer och lika tydliga gröna och gula. Och, givetvis, en röd chef.

En vår hade vi jobbat ganska hårt under lång tid, mycket sjukdomar och ett hårt tryck från kunderna. Folk var trötta, irriterade och lättretliga. Vi behövde verkligen lite goda nyheter. Den som först tröttnade på allt hårt arbete var en av de gula rådgivarna. En dag kom hon in i fikarummet och sa att det fick vara nog med sura miner. Vi behövde något kul, och hon visste precis vad.

Det var dags att hitta ett mål, någonting att se fram emot. En firmafest skulle rädda alltihop! Med entusiasm berättade hon att hon hade sett ut en jättefin konferensanläggning tre–fyra mil utanför stan dit vi alla kunde åka en helg och vila upp oss. De hade ett urfint spa, gym, häftiga hotellrum och en verkligt cool restaurang som var det allra senaste. Dessutom kände hon ägaren via en bekants bekant och kunde antagligen få ett kanonpris på alltihop. Nu ville hon veta vad vi tyckte om idén.

Först tittade vi andra på henne utan att veta om det var på riktigt, eftersom vi misstänkte att hon förmodligen inte alls kände ägaren. Med ett brett leende fortsatte hon att prata och ge oss en massa intressanta förslag på aktiviteter: vi kunde leka lekar, spela spel, bada bubbelbad och givetvis ha en riktig fest på kvällen.

En energigivande diskussion tog fart, och vi var flera stycken som tyckte idén lät kul. Den röda bankdirektören tittade sig omkring och uppfattade att hans medarbetare verkade positiva. Han var tack och lov lyhörd för att vi var trötta och utarbetade och ville ge oss något tillbaka för vårt engagemang. Han tog beslutet där och då. Efter fem minuters diskussion slog han fast att det skulle bli fest och han lovade att betala.

Han tittade på den gula kvinnan och frågade om hon kunde ta på sig jobbet att organisera det hela. Ringa nödvändiga samtal och boka allting. Hon kastade sig genast ut i en lång harang, som inte var något annat än en enda lång dimridå för att dölja det faktum att hon tyckte att hon hade gjort sitt jobb genom att komma med idén. Den röda chefen tystade henne med en hand i luften. En grupp gröna kollegor satt bakom honom i ett hörn av soffan, samma hörn där de alltid satt. Alla satt på samma stolar, så chefen behövde inte ens vända sig om för att kunna kalla dem vid namn. Han frågade var och en av dem om de kunde tänka sig att hjälpa till. Alla tackade ja utan att egentligen veta vad det var han bad om. Den röda chefen nickade kort, och lämnade rummet. Han var klar. I och med att han reste sig upp släppte han frågan helt.

Jubel utbröt, och alla med rött och gult i sina beteendeprofiler pratade vitt och brett i munnen på varandra. Den gula rådgivaren var ytterst entusiastisk och fortsatte att sälja in idén trots att beslutet redan var taget. Hon blev mer och mer vild i sina förslag på hur vi kunde sy ihop festen. Jag minns att hon var inne på maskerad och hade hunnit ända fram till togaparty innan någon lyckades få tyst på henne.

En person satt dock alldeles tyst i ett hörn. Vår blå kreditansvarige var mycket bekymrad. När allting lugnat ner sig lite sa han med hög röst: *Men hur ska vi ta oss dit?*

Det enda han hade hört av alltihop var att konferensanläggningen låg tre–fyra mil utanför stan, och nu staplades problemen på varandra. En betydande logistikutmaning förelåg. Skulle vi ta bilar dit? Eller taxi? Eller hade banken tänkt sig att chartra en buss? Hur skulle det här egentligen gå till? Oändliga bekymmer radade upp sig. Han korsade armarna framför sig och bet ihop tänderna.

Den gula kvinnan fick ett utbrott och skällde ut honom på stående fot. Hur kunde han vara så negativ? Här kom hon med världens bästa idé, och han förstörde genast alltihop med en massa jobbiga frågor. Hur vore det om han tog och kom med ett eget förslag för en gångs skull? Hur tyckte han själv att vi skulle ta oss dit? Han hade inget svar, pekade bara på att det fanns många alternativ. Han kunde inte ta några beslut eller tycka någonting. Han visste bara att det hela just nu var särskilt otydligt. Hela festen vilade på en mycket lös grund.

Som räddarna i nöden löste den gröna gruppen det hela genom att säga att de gärna tog bil och hämtade upp alla. Fem bilar borde räcka och de lovade att fixa det hela. Beskedet lugnade ner diskussionen en aning, och den gula kvinnan kunde känna sig som en vinnare igen. Hennes fest hade just räddats.

Alla såg fram emot partyt, och en av de detaljer jag minns var att just den gula rådgivaren aldrig dök upp, eftersom hon hade råkat dubbelboka sig. Det var visst ett bröllop samma helg. Eller om en släkting fyllde femtio. Faktum är, att det kan ha varit både och.

VAD SOM KAN HÄNDA UNDER EN FIRMAFEST OM MAN INTE SER UPP ORDENTLIGT

När festen väl ägde rum hände spännande saker. Det jag tänker berätta nu är ingenting jag vetenskapligt kan förklara, men jag har sett liknande beteendemönster många gånger efter det. Jag tror att det med viss forskning skulle gå att hitta vissa intressanta belägg för min teori.

Vi vet att alkohol kan påverka människor. Vi vet också att olika människor påverkas på olika sätt. Så långt inga konstigheter. Om vi för ett ögonblick bortser från att mängden alkohol naturligtvis spelar in, och bara antar att vi pratar om lite lagom påverkan och att ingen kommer att ta bilen dagen efter, så ser vi intressanta mönster.

Vi hade flera gula personer på bankkontoret. Faktum är att alla fyra privatsäljarna var väldigt gula. De var ju gladlynta, positiva underhållare redan från början. De behövde ingen alkohol för att våga "knäppa upp" och bjuda på sig själva. I själva verket kunde man lätt få intrycket att de alltid var lite i gasen, eftersom de hade den där spralliga energin. Och de såg nog hela livet som en enda lång fest som ska vara rolig och skoj mest hela tiden.

Men det intressanta är att de med alkohol i kroppen kan tappa en del av det där. Jag observerade under nämnda firmafest att tre av de fyra gula säljarna tystnade allteftersom festen pågick. När stämningen skruvades upp, och därmed intaget av vissa drycker, drog de sig undan, och jag minns att en av killarna satte sig på trappan utanför med ett vinglas i handen. Jag frågade honom vad som stod på. Han var nu väldigt låg och fundersam. Vad var meningen med alltihop? Varför ansträngde man sig? Han fick ju inget tack av någon egentligen. Kanske var det lika bra att säga upp sig. Min uppsluppne kollega hade förvandlats till en grubblande pessimist.

Lustigt nog hittade jag inne i festlokalen den blå kreditansvarige dansande på bordet samtidigt som han drog roliga historier. Jag har varken förr eller senare hört så grova fräckisar. När jag frågade hans kollegor vad han tagit, ryckte de på axlarna och sa att han alltid blev sådan när han väl kom igång. Hade jag träffat honom för första gången den kvällen hade jag kunnat få för mig att det var han som var den gula på kontoret.

Det var som om den gula och den blå helt bytte beteende med varandra. En slutsats skulle kunna vara att en riktigt bra fest lämpligen består av nyktra gula personer och lätt påverkade blå diton. Men som sagt, detta är inte vetenskapligt belagt.

Verkligt intressant blev det dock när jag hittade den i vanliga fall ganska barske och röda bankdirektören. Han hade ett glas whisky i handen, och stod och pratade med den gröna gruppen administratörer. Han förklarade, en aning otydligt ska erkännas, att han egentligen inte alls var så hemsk och att han gillade dem jättemycket allihop. När han förlorade humöret på kontoret skulle de inte ta det personligt, han menade inget illa och de behövde inte vara rädda för honom.

Hans öppning resulterade i att de sex gröna personerna, två män och fyra kvinnor, likaledes påverkade av alkohol, tog bladet från munnen och talade om sitt hjärtas mening. De var upprörda över hans beteende och de förklarade att han var den sämsta chefen de någonsin hade haft. De hade minsann jobbat på kontoret minst tjugo år vardera, och när han var borta skulle de vara kvar och vad tyckte han om det? De trängde mer eller mindre in honom i ett hörn och skällde ut honom efter noter. Den röda chefen flydde fältet och lämnade festen först av alla.

Även den röda och de gröna hade på något märkligt vis bytt beteenden med varandra. Jag minns att jag lämnade festen med en egendomlig insikt – alkohol förändrar människor, men exakt hur de förändras är ännu mer intressant.

Väl tillbaka på kontoret på måndagen var dock allting tillbaka till det vanliga. De gula drog sina nyaste vitsar och den blå killen sa inte ett knäpp. Chefen stirrade bistert på alla andra och de gröna strök efter väggarna när han visade sig. Ordningen var återställd.

Återigen – jag kan inte bevisa detta, så du får helt enkelt genomföra dina egna studier. Utmana dina kompisar en sen fredagskväll till exempel, så kommer du att förstå precis vad jag menar. ☺ Ta det lugnt med alkoholen, bara.

Låt oss nu ta en titt på hur vi blir tvungna att anpassa oss till varandra för att komma någon vart.

KAPITEL 12

ANPASSNINGEN

HUR DU HANTERAR IDIOTERNA – DE SOM INTE ÄR SOM DU

En man sa en gång (visserligen med ett ironiskt leende på läpparna, men ändå) att definitionen av intelligens är att om du håller med mig så är du intelligent. Om du däremot inte håller med mig så är du klart och tydligt en idiot.

Jag utgår från att just du är intelligent nog att tolka budskapet på rätt sätt. Allvarligt talat – visst har vi alla undrat över varför vissa människor inte fattar bättre. Som jag inledde boken slogs jag som ung ofta av att till synes mycket intelligenta människor samtidigt kunde vara sådana kompletta idioter. De såg inte det jag såg. Vissa kallar det att de saknade den *rätta intellektuella spänsten*, men det vara bara de som var för fina för att ta ord som idiot i sin mun.

Så folk är tydligen olika. Och nu då?

Vad ska vi göra åt att människor är så pass olika? Att de reagerar och fungerar på helt skilda sätt? Och kan man vara alla sorters personligheter på en och samma gång? Frågan är intressant. Och om det vore möjligt att uppträda som en hundraprocentig kameleont – vore det en god idé att försöka? Det naturliga för oss människor är att vara som vi är, det vill säga visa upp vårt grundbeteende. Men av en mängd olika skäl kan vi känna att vi behöver anpassa oss till omgivningen. Det talas mycket och ofta om att vi ska vara flexibla och anpassningsbara för att på så sätt klara av en rad olika situationer och kunna bemöta många olika typer av människor. Begreppet har till och med fått ett namn, nämligen EQ eller social kompetens. För att klara av denna ständiga anpassning är det viktigt att vi är medvetna om att anpassningen kräver ansträngning och tar mycket energi.

Vårt naturliga tillstånd är att visa upp vårt grundbeteende. Det ”onaturliga” beteendet är att ständigt anpassa sig och vara ”rätt” och då krävs både förmåga, träning och energi. Om vi är osäkra på vad som är ”rätt”, om vi är otränade eller saknar tillräckligt mycket energi för att klara av den roll som vi för tillfället tror är den rätta, blir vi rädda, tveksamma och ofta stressade. Och därmed förlorar vi ytterligare energi med påföljden att vårt grundbeteende blir alltmer synligt. Kanske till omgivningens stora förvåning, som är van att se oss bete oss på ett visst sätt.

I en perfekt värld

I den bästa av världar kan alla vara sig själva och allting fungerar redan från början. Alla är sams hela tiden och konflikter existerar inte överhuvudtaget. Platsen lär finnas och den kallas för Utopia. Så enkelt är det alltså inte. Som jag sa i början av den här boken – om du tror att du kan ändra på alla andra kommer du att bli väldigt besviken. Det skulle förvåna mig om du ens kan ändra på någon.

Hurdan du än är – röd, gul, grön eller blå eller en kombination av flera färger – kommer du alltid att vara i minoritet. De flesta andra kommer att vara på ett annat sätt än du. Hur komplett du än är kan du inte vara alla sorter samtidigt. Alltså är du tvungen att anpassa dig till andra du möter. Kommunikation handlar ofta om att anpassa sig till andra.

Men vänta lite nu, kanske du tänker. Det där är faktiskt inte sant. Jag kan mycket väl vara mig själv. Faktum är att jag aldrig anpassat mig till någon någonsin, och det har gått alldeles utmärkt. Det har faktiskt tagit mig ända hit i livet.

Absolut.

Naturligtvis kan alla utgå från sig själva. Det är inget problem. Men räkna inte med att nå fram till alla andra människor med vad du nu har för budskap. Kan du leva med att majoriteten av alla du möter inte köper det du säger, ja, då har du inget problem.

Du gör det redan även om du inte tänker på det

Dessutom anpassar du dig redan idag även om du inte tänker på det. Vi anpassar oss alla till varandra hela tiden. Det är en del av det sociala spelet, den synliga och osynliga kommunikation som ständigt pågår. Jag erbjuder dig här ett system som *oftast* fungerar. Du behöver inte chansa, eller gissa. Du kan göra rätt anpassning redan från början. Observera: *oftast*. För inga system är vattentäta.

Vissa människor jag möter tycker inte alls om det där med att anpassa sig. De menar att det är oärligt och manipulativt. Men återigen – du kan alltid avstå.

Ett exempel ur verkligheten

Jag ska berätta en verklig historia om en man jag mötte under en utbildningskonferens för många år sedan. En sympatisk och mycket omtyckt egen företagare som nått stora framgångar inom sitt område. Den här mannen – låt oss kalla honom Adriano – var ytterst gul, en riktig visionär med högtflygande planer som då och då sattes i verket.

Adriano hade aldrig funderat eller reflekterat kring hur han själv var eller hur han uppfattades av andra. Det hade aldrig funnits någon anledning. Någon hade övertalat honom att komma till den här konferensen, och han visste inte riktigt vad han hade att förvänta sig.

Ämnet för dagen var det du läser om just nu: en heldags workshop där vi arbetade med att förstå olika beteendeprofiler. Efter lunchavbrottet såg jag på Adriano att någonting bekymrade honom. Hans ansikte var allvarligt, och hans kroppsspråk hade blivit väldigt låst. Medan jag gick vidare och fördjupade mig i de olika profilerna sjönk han allt djupare ner i sin stol, och det var uppenbart för mig att han tänkte på annat.

Jag frågade vad som tryckte honom.

En explosion inträffade. Han utbrast: *Det här är fel! Jag är så upprörd!*

Hur kunde jag kategorisera människor på det där viset? Stoppa in folk i ett teoretiskt rutsystem? Det visade sig att han inte alls gillade det här med att anpassa sig till alla möjliga andra människor. Det var inte det att han tyckte att alla måste anpassa sig till honom. Nej, vad som bekymrade honom var att han såg det som ett sätt att manipulera honom, att manipulera människor, och han tyckte inte om det. Tyckte inte om det alls, faktiskt.

Både jag och andra i gruppen undrade vad som var det egentliga problemet. Adriano menade att man inte kunde kategorisera människor på det här viset. Att det var fel att bara använda en massa modeller. Att det var fullkomligt livsfarligt att inte gå på ren känsla.

Någon upplyste honom om att han om någon borde lyssna, eftersom han var den som drog till sig alla konflikter. Debatten var snart i full gång och efter en halvtimme var jag tvungen att kräva timeout.

Jag kan förstå Adrianos oro, och jag respekterar att han tog upp saken. Det som bekymrade honom var att det inte skulle fungera: om alla anpassade sig till varandra var ju ingen längre sig själv. Och i hans uppfattningsvärld vore det den största av alla lögner – att inte vara sig själv.

Det ligger något i det han sa. Samtidigt kan man ju alltid välja. Ju mer du lär dig om andra människor, desto lättare har du att ta vissa beslut. Spela med, eller gå din egen väg? Beslutet kommer alltid att vara ditt.

Adriano var dessutom djupt harmsen över att jag som specialist på området kunde beskriva honom ganska ingående och ge exempel på hur jag trodde att han fungerade. När han fick analysverktyget som används för att beskriva en enskild individ i sin hand tystnade han fullständigt.

Historien fick ett lyckligt slut efter att vi suttit ner tillsammans och diskuterat saken. Det jag lärde mig var att vara försiktig med hur jag själv använder kunskapen.

Hur ofta följer vi ett mönster utan att veta om det fungerar?

Inga system är vattentäta. Det finns alltid undantag. Minns vad jag sa i bokens inledning. Detta är bara en pusselbit kring en människa. Det är förvisso en stor och viktig pusselbit, men det är långt ifrån hela pusslet.

Jag har delat upp avsnittet om anpassningen i två delar. Den ena delen tar upp vad du behöver göra för att verkligen *möta* den andra – när du verkligen vill nå fram och göra vederbörande på gott humör, och få honom att känna att du förstår honom. Den andra delen tar upp hur du gör för att faktiskt *få med dig* personer. Vad respektive profil *vill* är ju inte nödvändigtvis samma sak som det *bästa* att göra för att komma någon vart.

Här kan du göra stor nytta – om du väljer att göra det.

DIN ANPASSNING TILL RÖTT BETEENDE

Vad den röda förväntar sig av dig

Gör det jag bad om så fort som möjligt – helst ännu fortare

Talar du med röda personer om saken kommer de att hålla med om att de flesta människor är för långsamma. De talar för sakta, de har problem med att komma till kärnan av budskapet och de arbetar för söligt och ineffektivt. Saker och ting tar i den rödas värld helt enkelt alldeles för lång tid.

Kom ihåg vad jag har berättat om det röda beteendets otålighet, om deras ständiga strävan efter (snabba) resultat. Så när andra personer vrider och vänder på saker och ting från morgon till kväll blir den röda som tokig.

Tanke och handling är ett. Fort ska det gå. Är det något röda personer ogillar så är det långbänkar. Det gör dem vansinniga.

Slutsats: Vill du anpassa dig till den rödas tempo – snabba på! Öka farten! Tala och agera fortare. Titta ofta på klockan, för det gör den röda personen. Kan du klara av mötet på halva tiden – gör det! Har du en röd person i bilen kommer han inte att må direkt dåligt av att du ligger något över hastighetsgränsen. (Kör du *för* sakta kan det hända att han kräver att få ta över ratten.)

Ville du något? Prata ur skägget!

Röda är ju själva mycket rakt på sak, och de trivs med andra människor som också har förmågan att snabbt tala om vad de vill. Vet du med dig att du går i cirklar innan du kommer till pudelns kärna, ja, då har du svårt att nå fram till en röd person. Han kommer att tröttna om du slösar ord i onödan. Och han vet när han har med en snackare att göra.

Ganska vanligt är att ge en bakgrund till ett problem innan man kommer till själva problemet. Kanske till och med en bakgrund till lösningen av sagda problem.

Strunta i det. Det kommer inte att fungera.

Slutsats: Vill du ha den rödas fulla uppmärksamhet – sila snacket. Det är fullkomligt avgörande att du är tydlig. Bestäm dig för det absolut väsentligaste i ditt budskap och börja där. Låt säga att du ska presentera det senaste bokslutet. Berätta vad som står på sista raden först av allt – det är ändå det den röda personen sitter och väntar på. Sedan kommer ni ju ändå in på detaljerna.

Använd inte ett enda ord i onödan. Men se till att du har på fötterna vad gäller bakgrunden. Det *kan* komma frågor. Känner den röda personen att du är osäker kommer du att bli hårt pressad på faktabitarna.

Även skrivet material bör vara kortfattat och framförallt väldisponerat. Inga långa doktorsavhandlingar författade av någon som älskar att höra sin egen röst. Och det går faktiskt att skriva offerter på baksidan av en servett. Jag har själv gjort det.

Jag struntar fullständigt i vad du gjorde på semestern

Röda personer lever i nuet. Allt som sker, det sker här och nu. Det betyder också att de har en unik förmåga att verkligen fokusera på det som står på agendan just för tillfället. Det innebär även att du behöver hålla dig till ämnet när du talar med en röd person. Han har inga problem med kreativitet eller att nya idéer kommer upp, sådant uppskattas alltid så länge det tar er framåt. Men när den röda personen tycker att du har lämnat agendan alldeles och börjar prata oväsentligheter är konflikten inte långt borta.

Det mest effektiva för en röd person är att ta reda på vad uppgiften är och därefter utföra den. Enkelt – eller hur?

Slutsats: Håll dig till ämnet! Det lättaste sättet är att du förbereder ditt case ytterst noga innan du går in i ett möte med en röd person. När du känner att en annan tanke dyker upp mitt i en intressant diskussion – skriv ner den och fråga i slutet av mötet om det är okej att ta upp just den. Boka annars ett nytt möte.

Om en person med mycket rött i sig frågar vad klockan är, besvara frågan med en tidsangivelse. Säg inte att det är gott om tid. Det avgör han själv. Beskriv inte hur klockan är konstruerad. Och igen – glöm inte tempot. För en röd kommer hastighet att vara liktydigt med effektivitet.

Nu snackar vi biz-niz – glöm aldrig det

Att vara affärsmässig i affärslivet låter ju inte som någon större konst, eller vad tycker du? Men tänk efter. Om du är säljare har du sannolikt gått ett antal säljutbildningar där du har lärt dig att man måste bygga en relation med kunden. Lära känna honom. Vinna över honom på din sida.

Det är ett bra råd. Gör det. Bygg relationer så mycket du anser nödvändigt. Gör det bara inte med röda personer. Om du till exempel inleder ett möte med en röd person du aldrig tidigare träffat kan det knappast bli värre än om du frågar var han bor, var han tillbringade sin semester eller vad han tyckte om matchen igår. Inget kunde vara honom mer likgiltigt. Han är inte här för att konversera eller bygga relationer. Han är här för att göra affärer. Riktigt röda individer blir rent av provocerade och tar till aggressivitet när de märker att någon försöker göra sig vän med dem.

Den röda är inte här för att bli din kompis. Han är här av en enda anledning – att göra affärer. Det kan inte uteslutas att han kastar ut dig

– bildligt talat – om han uppfattar dina försök att vara personlig som inställsamhet eller fjäsk. Detta är inget han själv skulle drömma om att ägna sig åt, och det borde inte du heller göra.

Och smickra inte den röda om du inte känner honom väl. För Guds skull, lämna komplimangerna hemma.

Slutsats: Röda personer är paradoxalt nog de lättaste att sälja till. Du vill göra bra affärer, det enda du behöver göra är att kliva in till honom, presentera ditt förslag och därefter be om affären. Skit i fotbollen igår. Strunta i att du såg honom på Konsum förra veckan. Han såg ändå inte dig.

När den röda väl litar på dig och har bestämt sig för att du är en tillräckligt vettig person som han kan ha användning av, ja, då kan han mycket väl börja diskutera bilar, båtar eller regeringens senaste utspel. Haka på. Men bara då. Och bli inte förvånad om mötet tar slut mitt i en mening. När han är nöjd med socialiserandet avslutar han det på ett ögonblick. Det har inget med dig att göra. Han är bara less på samtalet.

Du vet inte riktigt? Vad ska jag då med dig till?

Det kanske låter som en motsägelse, men den röda personen vill att också du ska vara bestämd. Han kräver visserligen ofta att få fatta alla viktiga beslut själv, men han ogillar starkt att ha med veliga människor att göra. Velighet inger helt enkelt inte förtroende. Kommentarer av typen *det är inte lätt att svara på, det beror på* eller *jag vet inte riktigt vad jag ska säga* retar bara upp röda personer.

Har du en uppfattning – fram med den. Den röda bedömer dig och dömer dig efter hur driven du är. Givetvis ska du lyssna på honom, men du måste ha en uppfattning. Annars är du svag, och det är inte en egenskap som kommer att stärka dina aktier.

Tänk på att vi alla tycker om människor vi kan känna igen oss i. En röd person kommer inte att möta andra röda varje dag, så när han väl gör det blir han positivt överraskad. En like! Underbart! Jag har mött röda personer som riktigt gnuggat händerna inför en hetsig debatt.

Slutsats: Leverera din uppfattning utan att blinka. Det kan hända att du till slut får ge dig, men sälj dig aldrig billigt. Den röda kan bullra och skramla och stampa i golvet, höja rösten och hytta med näven. En inte alldeles ovanlig reaktion är att man backar inför detta beteende. Det är ju inte vidare trevligt att bli utskälld, eller hur?

Nå, det sämsta du kan göra är att backa undan och låta honom köra över dig. Om en röd person tillåts köra över dig förlorar du en oerhört viktig sak i hans ögon – respekt. Respekterar han dig inte kommer han att äta dig levande. Och köra över dig gång på gång på gång tills du blivit fullständigt och komplett marginaliserad. Du kommer inte att vara någon att räkna med i framtiden. Ett rundningsmärke.

Det bästa du kan göra är att placera dig i stormens epicentrum och tala om att han faktiskt har fel. När den röda personen väl upptäcker att du inte ger dig kommer han att vända på ett ögonblick. Om du vet vad du pratar om, vill säga.

Latmaskar undanbedes – vila kan man göra när man är död

Om du har en röd chef kommer han att arbeta hårt, kanske hårdare än någon annan du mött. Han kommer att ha många järn i elden samtidigt, och han kommer att ha fullständig kontroll över allt som sker.

Att allting inte blir rätt första gången kan den röda leva med. Men att det arbetas hårt kommer att vara ett tydligt önskemål – för att inte säga krav. Du bör vara flitig och ligga i, du får gärna lägga på övertid om du har den möjligheten. Jag uppmanar dig inte att bli arbetsnarkoman – livet innehåller annat än arbete – men i den röda chefens perspektiv kommer detta att vara en förstklassig egenskap. Han kommer att skatta dig högt om han känner ditt engagemang i form av hårt arbete.

Slutsats: Visa att du jobbar hårt. Du behöver inte ständigt och jämt springa in till den rödas kontor och upplysa honom om att du minsann var kvar till halv tolv igår kväll – det är inte säkert att han blir imponerad. Han skulle snarare ifrågasätta om det verkligen var nödvändigt att hålla på så länge med en vanlig struntuppgift. Men du bör löpande avrapportera vad du gjort och presentera – kortfattat – *resultatet* av dina ansträngningar.

Ta gärna egna initiativ. Kom gärna med förslag som den röda inte bett om. Bered dig som vanligt på en fight, men han kommer att gilla att du är driven.

Notera gärna formuleringen i meningen ovan. Det står inte gilla *dig* för att du är driven. Det står gilla att du är *driven*. Den röda chefen kan mycket väl gilla dig, sådant förekommer absolut, men förvänta dig inte en massa gullande och angenämt beröm.

DITT EGENTLIGA UPPTRÄDANDE – VAD DU OCKSÅ BEHÖVER GÖRA NÄR DU TRÄFFAR RÖDA PERSONER

Det är ju inte så enkelt att du bara ska anpassa dig till hur den röda vill att du ska uppträda – det vore att lägga sig platt. Det finns ett antal andra saker du måste ha koll på för att åstadkomma något slags resultat. Eftersom de har sina fel och brister men ofta blundar för dessa, kan du hjälpa till att uppnå ett bättre resultat – bara du vet hur. Här följer några punkter att ha koll på.

Detaljer ... snaaark ...

En röd person ogillar i huvudsak att fördjupa sig i detaljer. Det är trist och det tar tid. Alltså har den röda en tendens att slarva med småsakerna. Det finns många saker att anklaga en röd för, men att vara noggrann är normalt inte en av dem. Eftersom målet alltid kommer att vara viktigare än vägen dit kommer den röda att mer eller mindre göra vad som helst för att nå önskat resultat. Att bortse från analysen, att stanna upp i de små sakerna, är inget den röda gör naturligt.

Slutsats: Om du verkligen vill hjälpa den röda att utföra ett i slutändan bättre arbete så kan du försöka visa på värdet av att ha koll på detaljerna. Förklara att resultatet blir bättre och vinsten större om han bara tar hänsyn till ett par små men viktiga delar i vad det nu är som ska utföras.

Var beredd på stånk och stön och en allmän ovilja att lyda ditt råd. Men är du bra på att argumentera kommer rådet att åtföljas. Den röda är som bekant duktig på att pressa sig själv, bara det kommer att leda någon vart.

Fort och inte sällan gräsligt fel

Som jag skrivit flera gånger tidigare är det i den rödas värld oftast väldigt bråttom. Du kan ju själv räkna ut vilka risker detta innebär. Gasen i botten kan verka som en god idé, men bara när allt annat, och framförallt alla andra, hänger med på tåget. Normalt sett rusar röda personer ifrån alla andra. Samtidigt kan han förargas över att andra inte orkar med.

Den röda behöver någon som får honom att stanna upp och inse att alla andra inte greppat läget lika snabbt som han. Han kommer aldrig att kunna utföra alla moment i ett arbete helt på egen hand – även om han tror det och förmodligen kommer att försöka – så han är tvungen att ha sitt team med sig.

Du har säkert hört uttrycket *fort och fel.*

Slutsats: Ge exempel på tillfällen där man faktiskt har förlorat tid på att ha för bråttom. Visa på vilka risker det innebär att skynda för mycket. Förklara att andra inte hinner med, och var gärna tydlig med att det vore bra om alla visste vad projektet går ut på. Ge dig inte. Slå fast att inte ens han klarar allting själv. Tvinga den röda att invänta andra.

Försök efteråt att ta upp saken och visa klart och tydligt på vilken vinst den röda personen faktiskt uppnått genom att ta det lite lugnare.

Låt oss testa lite oprövade saker och se hur det går

Eller ska vi verkligen göra det? Röda individer oroar sig inte för risker. Många av dem letar aktivt upp riskfyllda situationer bara för spänningens skull. Förresten: Det vi andra uppfattar som riskfyllt beteende är för många röda inte ens en risk.

Röda behöver däremot någon som kan balansera fördelar mot nackdelar. Nackdelarna är ju tråkiga, så en röd individ kan mycket väl helt enkelt strunta i dessa. Eftersom svaret på vilka risker man tar ofta ligger i detaljerna, blir det ungefär som i exemplet ovan.

Slutsats: Hjälp den röda personen att kalkylera riskerna genom att hela tiden titta på fakta. Sakfrågor och fakta är något han förstår. Eftersom röda personer helst av allt inte tittar bakåt – gammalt och tröttsamt – utan mest tittar i nutid och framåt, kan det vara på plats med lite vanligt, hederligt erfarenhetsutbyte.

Ge exempel på situationer som historiskt visat sig vara farliga. Det kan handla om affärsrisker, att åka slalom utan hjälm eller att kalla chefen för idiot. Bevisa med fakta och kräv att personen tänker efter en extra gång innan han beslutar sig för att ta ett nytt jobb utan att kolla villkoren först.

I vanlig ordning: har du rätt – ge dig för Guds skull inte.

Jag är inte här för att bli din kompis. Inte någon annans heller för den delen.

Som du förstått vid det här laget är ju röda inte direkt fokuserade på relationer. Som du också vet gäller detta inte alla människor. Den rödas sätt att odla relationer kan se ut på lite olika vis, men vanligt förekommande kritik kan röra sig om att det ofta sker på dennes villkor, även inom privatlivet.

Ett vanligt problem är omgivningens upplevelse av att ha blivit överkörd. Det är sällan den rödas verkliga avsikt, det är bara sådant som händer. Man kan inte göra en omelett utan att knäcka ägg och så vidare.

Vad röda personer kan missa är att andra vänder sig från dem eftersom de helst undviker konflikter. Det innebär också att röda personer kan bli utestängda från viktig information. Att de inte blir inbjudna till fredagsölen kanske de inte lider av, men att känna sig utanför vad gäller viktiga beslut är värre. Det kan i värsta fall leda till att den röda börjar misstänka människor i sin omgivning för att medvetet undanhålla viktig information. Maktkampen är bara ögonblick borta.

Slutsats: Den röda behöver förstå att vägen till full insyn är att anpassa sig till andra. Han har kanske överhuvudtaget inte tänkt den tanken, har mest fokuserat på sig och sitt. Men genom att inse att ingen klarar sig helt ensam kan vederbörande förmås att stanna upp och faktiskt bry sig om andra människor.

När en röd person förstår att många tycker det är viktigt att få berätta om sitt barns första tand, hur stugan de hyrde under semestern var beskaffad och vilken båt de drömmer om, ja, då kan han aktivt lyssna och tillföra saker till diskussionen. Och när en röd person väl fattat galoppen står dörren öppen. Du kommer kanske till och med att få veta någonting om honom.

Vad är ni för veklingar? Lite får ni för helsike tåla!

De blir helt enkelt förbannade, tydligare kan det inte sägas. Deras temperament är sådant att det smäller lite då och då, vilket skapar mycken magvärk i omgivningen. Själva märker de inte att det händer, att skrika lite är bara ett annat sätt att kommunicera.

Ingen tycker om en buffel, men inte alla säger det. När den röda trampar folk på tårna får du vackert upplysa honom om att det inte funkar. Han kommer att sätta upp ett oskyldigt ansikte och låtsas som om han inte förstår vad du pratar om. Och i hemlighet tycker han att det är lite tufft att det finns folk som är rädda för honom.

Slutsats: Du ska bemöta beteendet omedelbart. Tillåt inga som helst övertramp, utan tala klart och tydligt om att du inte accepterar plumpa kommentarer, elakheter och opåkallade raseriutbrott. Kräv ett vuxet uppträdande och när han tappar humöret lämnar du rummet. Det är viktigt att du aldrig låter honom få sin vilja igenom bara genom att skälla och stå i.

Men minns att detta är en metod – att bullra och gorma – som har fungerat för den röda i massor av år. Han kunde antagligen gräla sig till fördelar redan som liten. Familjen fick sannolikt känna på hans explosiva temperament vid mycket tidiga år. Och du kan räkna med att de la sig platta för att slippa larmet. Mycket få personer har konfronterat honom med det här, och det gör att kravet på lugnare samtal mycket väl kan leda till ännu högljuddare protester. Och det en röd person avskyr mer än något annat är att höra att han ska sänka rösten.

DIN ANPASSNING TILL GULT BETEENDE

Vad den gula förväntar sig av dig

Visst har vi det trevligt tillsammans?

Gula personer är i grund och botten inte konflikträdda. Går något emot dem kan det tända till rejält. Men de föredrar en trevlig och gemytlig stämning. När alla är goda vänner och solen skiner trivs den gula personen som bekant bäst.

Han kan dock vara väldigt känslig för om människor är på gott humör eller inte. Om en grupp personer är på dåligt humör och aggressionerna står som spön i backen trivs han inte alls.

Slutsats: En gul person fungerar som bäst när han är på gott humör. Då fungerar kreativiteten som den ska och all positiv energi flödar. Därför bör du anstränga dig för att skapa en varm och vänlig miljö runt honom.

Le mycket, våga skoja och skratta. Lyssna på hans tokiga upptåg, skratta med åt alla naiviteter, underblås helt enkelt det lättsamma och lite glättiga.

Om du gör det kommer han att både tycka bättre om dig och lyssna mer på dig. Och det kan aldrig vara fel. En gul person på dåligt humör är nämligen inte särskilt rolig att tas med.

Den lilla detaljen har jag bett någon annan fixa – jag minns bara inte vem

Att behålla en gul persons intresse är i ärlighetens namn inte det enklaste. Det finns mycket som tråkar ut den gula medarbetaren, kunden, kompisen eller grannen. Ett vattentätt tips för att verkligen få vederbörande att somna snabbt och effektivt är att dra fram en massa detaljer.

Gör inte det. En gul person klarar helt enkelt inte av detaljer. Det blir bara trist. Inte bara kommer han att glömma bort vad du pratar om, han anser helt enkelt inte att han behöver dessa detaljer. Hans styrka ligger inte i de små sakerna utan i de breda penseldragen. Be gärna en gul person dra upp en vision för de kommande tio åren, men be honom inte förklara hur man tar sig dit.

Slutsats: Vill du behålla den gulas öra, skala bort så mycket av småplottret du bara kan. Börja alltid med de stora frågorna. Det är helt okej att du vet hur man sätter ihop den nya stereon, men trötta inte ut din gula vän med det. Det ligger inte för honom. Han vill veta hur man spelar den senaste hitlistan på den.

Det är precis som med de röda, om inte värre. Gula har dåligt tålamod med saker som inte fungerar. Hjälp dem. Men kom ihåg att de inte bryr sig om *hur* saker och ting fungerar. De vill *att* sakerna ska fungera. Ta inte fram instruktionsboken. Den kommer inte att bli läst.

Magkänslan är allt jag behöver – funkar varje gång

Om jag fick en femma för varje gång en gul person har förklarat ett fullkomligt galet beslut med att det *kändes* rätt skulle jag kunna gå på lyxkrog. Och det finns en studie som visar att vissa människor fattar bättre beslut om de bara går på magkänsla. Gula personer älskar att citera just den studien, så berätta inte om den, vad du än gör.

Det måste *kännas* rätt. Smaka på den. En gul person kan gärna bortse från verkliga fakta så länge det känns rätt. Missförstå inte det här: En gul person förstår mycket väl att vissa tittar på fakta och att detta är viktigt. Han är inte dum. Det är bara det att han inte är intresserad. Han vill känna sig fram.

Vill du ha ett beslut av en gul person, lägg Excel åt sidan så mycket du vågar, luta dig framåt och säg med ett brett leende: *Hur känns det här för dig?*

Han fattar precis. Och du kommer att få ett svar.

Slutsats: Acceptera att den gula känner sig fram. Han har ganska stor trygghetszon och är inte överdrivet rädd för risker. Anpassa dig till det. Du når fram genom att visa att även du törs känna efter. Hur fel du än upplever det, så är detta vägen till den gulas hjärta. Han kommer att känna igen sig i dig. Ni blir de bästa av vänner. Solen kommer att skina på er.

Är bilen en prototyp? Är detta koncept aldrig testat tidigare?! Har ingen gjort det förut? Spännande!

Om en röd person fokuserar på snabbhet, fokuserar en gul gärna på nyheter. Nytt är synonymt med bra, det vet alla gula. Och varför inte? Utan kreativitet och nya påhitt skulle ju all utveckling stanna av, eller hur?

Lagom spännande inslag i vardagen vill nog alla ha. Skillnaden är möjligen vad vi definierar som spännande. För den gula är det nya det spännande. Gula personer är så kallade *early adopters*, det vill säga oftast först ut med att testa nya saker. Kolla vem som bär det senaste modet, vem som är först med en ny och gärna udda bilmodell. Vem har den senaste iPhonen och vem vet vilken krog som kommer att bli innestället no. 1 inom ett par månader?

Hur kan de ha koll på allt detta? Säg det. Antagligen ägnar de viss arbetstid åt att hålla sig ajour med intressanta saker. Men de är också tidiga i att implementera nya arbetsmetoder och nya koncept att sälja. Det är ju helt enkelt kul.

Slutsats: Tillåt den gula att ägna sig åt det senaste. Han kommer att vara på väldigt gott humör då. Om du vill sälja till en gul person, använda dig av uttryck som *prototyp, helt nyutvecklat, aldrig använts tidigare*. Din potentiella kund kommer att gå igång ordentligt.

Har ingen annan gjort så här? Detta måste provas!

De kommer att tycka om dig för att du är så spännande och så intressant och framförallt så nytänkande. Utrusta dig med mycket energi, för det kan vara krävande att ständigt hålla sig uppdaterad. Vilken bra kontakt du blir då! De gula kommer att älska dig. Var dock beredd på att snabbt bli utbytt som rådgivare om de hittar någon annan som kanske känner till ännu lite nyare saker.

Du verkar intressant. Vill du inte veta vem jag är?

Det har väl framgått vid det här laget – gula personer gillar andra människor. De kommer att fungera som allra bäst om de får omge sig med riktigt många människor. Givetvis tycker inte ens gula om precis alla människor de möter, men de kommer definitivt att ge de flesta en ordentlig chans.

Det du behöver göra är att visa att du är lika öppen som den gula personen. Är du alltför sluten och hemlig kommer han att känna sig ovälkommen. Varför svarar du inte på tilltal? Varför log du inte åt den lustiga historien om hans hund? Varför vet han ingenting om dig som person? Vilka är dina drömmar? Dålig kontakt kan skapa en stark känsla av osäkerhet, och er relation kommer inte att utvecklas i positiv riktning. Är du röd eller blå behöver du ta dig en rejäl funderare på hur du får till det här. Om du vill, förstås.

Slutsats: Bjud på dig själv. Visa att du är tillgänglig, le mycket, se till att ha ett öppet kroppsspråk. När den gula personen undrar var du är uppvuxen, svara inte bara Sundsvall. Berätta även att du bodde i Stenstaden, att du brukade springa i träningsspåret på Södra Berget, att du varit full på Hotell Knaust en gång, att du känner killen i korvkiosken och tjejen på HM.

Det kan tyckas lite onödigt, men du bör absolut visa intresse för den gula som person. Visserligen blir det svårt att inte få reda på någonting om honom, eftersom vederbörande frivilligt kommer att berätta en hel massa. Men visa aktivt att du är nyfiken.

Och kom ihåg att gula är *mycket* mottagliga för smicker.

DITT EGENTLIGA UPPTRÄDANDE – VAD DU OCKSÅ BEHÖVER GÖRA NÄR DU TRÄFFAR GULA PERSONER

Så för att hålla de gula på gott humör behöver du stryka dem medhårs. Problemet blir ganska uppenbart efter ett tag. De kommer inte att få tillräcklig mycket gjort. Jag har själv tittat på när en grupp gula personer försöker lösa problem. De pratar i mun på varandra och har väldigt trevligt, och när man frågar hur det går säger de att det går *kanon*! Men inget blir nedskrivet. För att verkligen komma någon vart med dem behövs det lite mer än att bara skapa bra stämning. Men när du väl har anpassat dig till deras frekvens – är detta vad du också behöver göra:

Skillnaden mellan att se ut som om man lyssnar och att verkligen göra det

Det är bara att säga som det är – gula personer är utan tvekan de sämsta lyssnarna. Detta kommer de vanligtvis aldrig att erkänna, eftersom man hör på själva uttrycket – dååålig lyssnare – att det är någonting negativt. Och många gula personer uppfattar verkligen sig själva som goda lyssnare. Varifrån de fått detta är inte lätt att veta, för det är helt enkelt inte sant. Det existerar givetvis gula individer som lyssnar – när det passar dem. Eller när de har fått ut vad de vill av ett samtal. Men i normalfallet – glöm det.

De vill inte lyssna. De vill prata. De flesta gula tycker helt enkelt att de kan uttrycka allting så mycket bättre. Problemet är att de missar vad alla andra säger.

Slutsats: När du har med gula personer att göra är du tvungen att göra vissa saker. Det spelar ingen roll om du pratar med din partner om sommarsemestern eller med en kollega om det pågående projektet, du behöver en plan. Du behöver ha förberett dig noga. Du måste veta vilket budskap du har och du måste faktiskt ha förberett vilka accepter du behöver ha. Du måste förmå den gula, glada personen att svara mycket konkret på dina frågor och höra dem säga att ja, jag kommer klockan fyra som jag har lovat, eller självklart kommer jag att meddela kunden precis vad vi nu har kommit överens om.

Men – stort *men* – du blir lika fullt tvungen att följa upp allt-ihop om det är viktigt, eftersom den gula inte skriver ner någonting av det här. Om du inte lyckas förmå honom att skriva in det i sin kalender förstås. Det vore ju det bästa. Men i alla andra samman-hang får du räkna med att det du berättat helt enkelt går ut genom andra örat.

Inga problem – det där går snabbt!

De är tidsoptimister, så är det bara. Visst kan jobbet gå snabbt, men sällan så snabbt som den gula tror. Det här hänger ihop med att han helt enkelt inte kan planera eller skapa en struktur i sitt liv. Jag har själv jobbat med personer som fått för sig att de ska hinna med åtta möten om dagen, som tror att det bara tar två dagar att renovera ett helt kök, och att det går att korsa Stockholms innerstad på trettio minuter – en måndag morgon i april.

Det här är typiska utslag av den gulas optimism. Problemet är uppenbart. Det går inte att hinna med allt den gula vill, framför allt som han inte ens från början verkligen tagit reda på hur lång tid en viss uppgift kommer att ta. Och även om han skulle fråga andra hur länge det tar, så lyssnar han inte på vad de säger och framför allt säger de fel saker. Dessutom vet han nog trots allt bäst själv.

Ett annat problem är också att han inte kommer igång när han ska. Känner du någon som tagit ledigt för att måla om sovrummet, och klockan tre på eftermiddagen fortfarande inte har öppnat burken? *Jag ska bara göra det här först.* Ibland undrar jag om Alfons Åberg faktiskt är gul. Det finns inget illasinnat i detta, det handlar bara om en total oförmåga att se realistiskt på något så exakt som tid. Och känslan av att det finns så oändligt med varan är äkta.

Jag minns själv en middag nyligen med ett par gula vänner. Krogen tillämpade 90-minuterssittningar, vilket innebär att om man kommer

25 minuter för sent blir det varken förrätt eller dessert. Det hinns inte med. Min sambo och jag anlände en kvart för tidigt – vi har en del blå stänk i våra profiler. Vi tog bordet direkt, och satte oss att vänta. Tiden gick. Fyrtio minuter senare, tjugofem minuter för sent, anlände de övriga, glatt skojande om att de glömt bort tiden. Vi hann precis beställa varmrätt, äta den och betala stående innan nästa gäst ville ha sitt bord. Det egendomliga är att när vi pratar om händelsen efteråt så är minnesbilden att de bara var några enstaka minuter sena. De har helt enkelt förträngt att de missade 30 procent av middagen.

Slutsats: Stäm av alla tider ordentligt med gula personer. Synkronisera era klockor. Förklara mycket tydligt att planet kommer att lyfta 20.00 och att han blir kvar på marken om han inte dyker upp. Säg som det är: står han inte med bilen på uppfarten två timmar innan planet lyfter så kommer du att falla död ner i en hjärtinfarkt. Berätta att du kommer att bli djupt upprörd på den gula personen. Att självaste vänskapen kan skadas av detta eviga strulande.

Om middagen startar 19.00, bjud in alla till dess, men dina gula vänner till 18.30. Dessa kommer ändå sist av alla. Med sig har de mycket välformulerade ursäkter. Ställ in dig på färgstarka berättelser. Var även beredd på att gula personer kraftfullt kommer att förneka att de är tidsoptimister. De kommer att hävda att de visst har koll på tiden. Det var bara det att det hände en sak på vägen.

Här måste en handgranat ha detonerat

De rörigaste skrivborden jag någonsin sett har alla tillhört gula personer. Dataskärmar med så många post-it-lappar på att man knappt ser skärmen. De rotigaste garagen och de mest överlastade vindarna likaså. Men detta är bara det rent synliga. Be att få titta i en gul kvinnas kalender. Eller handväska. Garderoben? Bli inte rädd nu. Du kommer att upptäcka en massa underligheter, och har du dessutom blått i dig kommer du att få en hel del förklaringar till varför det ibland händer lite vad som helst. Och det är ändå bara det rent fysiska.

Möten flyttas, glöms bort, saker försvinner, hela bilar tappas bort på parkeringsplatser. Nycklar är spårlöst borta. Dessutom har många gula ingen som helst förmåga att planera sin vardag. De kan åka till mataffären fem gånger i rad och köpa lite i taget eftersom de inte skriver ner vad de ska ha. Det kan antingen bero på att de inte vet vad de vill ha förrän de kommer dit eller på att de inte tycker nitton saker var så mycket att komma ihåg. (Kom gärna ihåg att gula personer har en mycket generös syn på sin egen förmåga. De berättar gärna för den som vill lyssna att de har världens bästa minne, att de aldrig glömmer någonting.)

Slutsats: Vill du verkligen hjälpa en gul person vidare, se till att han får lite ordning på sina saker. Hjälp till att skapa ett enkelt schema. Om ni ska åka och handla: skriv själv ner saker och ting. Din partner eller kompis kommer nämligen att glömma bort hälften.

Skapa en struktur åt honom. Det du måste komma ihåg är att de som mest av alla behöver struktur i form av scheman och checklistor är de gula. Paradoxalt nog hatar de just detta. De vill inte låta sig ”skohornas” ner i ett system de själva inte valt. Var diplomatisk. Trycker du på för hårt kan du mycket väl få kraftfulla reaktioner.

Måste allting vara så förbannat inrutat? Lever vi i en fascistsstat, eller vad?

Det viktigaste är att se snygg ut. Hela tiden.

Jag, jag, jag. Och gula personer har liksom de röda starka egon, ingen tvekan om den saken. De tycker om uppmärksamhet, de ställer sig snabbare än någon annan i centrum av alla händelser. Får de vara med i händelsernas mitt njuter de mest av alla. Allt solsken får gärna riktas på din gula kompis, och han pratar högre och snabbare än alla andra för att riktigt trumma in att han är där.

Allt ljus på mig. Se på mig, hör på mig, gilla mig. Baksidan är uppenbar. Ingen annan får något utrymme. Många samtal slutar med att den gula individen högt och ljudligt berättar om sin upplevelse, eller om sin åsikt. Vad man än pratar om – krig, svält, bantning, bilar, chefer, trädgårdar – så kommer en gul person att dra fram en historia där han själv är huvudperson. Har han ingen så hittar han bara på en.

Och deras tankar inleds ofta med ordet jag. *Jag* vill, *jag* tycker, *jag* kan, *jag* vet, *jag* ska ... Det är helt naturligt. De tycker om andra människor, men det finns en sak de tycker ännu mer om: sig själva.

Slutsats: Gula personer behöver förstå att det finns andra än de själva i ett rum eller i ett projekt. De kan inte tillåtas ta upp allt syre. De behöver höra – av någon med mod och uthållighet – att de måste släppa in andra i ett samtal eller vad det nu är.

Detta går inte att förklara mitt i ett samtal inför andra. Det kommer inte att falla i god jord. En gul person kan bli mycket kränkt av sådan kritik. Han kommer att känna saker som att *alla andra bara tänker på sig, det är bara jag som tänker på mig.* Den här typen av feedback måste levereras diskret, och på ett positivt sätt. Lite beroende på hur gul den person du tänker på just nu är, så behöver du antagligen en plan.

Och var beredd på en sak: ni kan mycket väl bli ovänner på kuppen. Du tar definitivt en risk här. Att höra att man är egotrippad och självcentrerad är ytterst osmickrande. Gula fattar det, de är inte dumma. Men de tycker bara att det är fel analys. Så du får jobba en hel del här. Eller byta kompisar.

Mycket snack och lite verkstad

Lika bra att gå rakt på sak här för att undvika missförstånd. Gula personer pratar vissa gånger mer än de jobbar. De har en förkärlek för att prata om allt de behöver göra snarare än att faktiskt utföra själva uppgiften. Jag har nämnt det flera gånger i den här boken, och du som känner en verkligt gul person vet vad jag pratar om.

Okej, det finns många människor som har svårt att komma igång, framför allt med tråkiga arbetsuppgifter. Men de gula har *verkligen* svårt att komma ur startgroparna med obekväma saker. Det kan handla om att ringa en missnöjd kund, att spika klart altanen, att åka till Apoteket. Är det trist och oinspirerande blir det inte av. Ursäkterna för att inte agera blir många och fantasifulla.

Eftersom den gulas tidsperspektiv oftast är i framtiden, pratas det mer om den än det ägnas energi åt att ta sig dit. Sällan har det dragits upp så mycket galna planer och skapats så många vansinniga målbilder som av gula personer. Eftersom de tänker högt tror omgivningen att det kommer att hända saker. Wow, vad häftigt det låter!

Slutsats: Det du måste göra för att hjälpa din gula kompis är att se till att han får ner spaden i jorden och börjar gräva. Pusha honom, men pusha försiktigt. Behandla honom lite grann som du hade behandlat ett barn. Var snäll, men tydlig. Märker han att du försöker styra och ställa med honom kan det bli besvärligt. Gula avskyr nämligen att känna sig styrda. De är tveklöst de som behöver mest hjälp att komma igång, men de tycker inte om det. De är fria själar och lyder ingen annan.

Alltså behöver du vara diplomatisk. Mjukt och försiktigt förklarar du värdet av att faktiskt utföra själva jobbet nu när ni vet vad som behöver göras. Ägna en stund åt att förklara hur den gula personens redan höga popularitet faktiskt kan stärkas ytterligare om han nu råkar bli klar. Alla kommer att älska honom och han blir mer omtyckt än någonsin.

Låter det enkelt? Det *är* enkelt. Det enda du behöver göra är att övervinna ditt motstånd mot att så uppenbart blåsa upp någons ego. Men det kommer att fungera.

Jag ser att dina läppar rör sig, men jag hör inte ett ord av vad du säger

Detta skulle mycket väl kunna vara en underrubrik till dålig lyssnare, eftersom dessa saker hänger ihop. Låt oss vara ärliga här. Alla begår vi misstag. Och även om det inte handlar om rena misstag finns det knappast något eller någon som inte kan förbättras ytterligare.

Det här är uppenbart för alla och envar, även för en gul. Gula personer kan under högst konkreta diskussioner hålla med om att andra personer verkligen behöver ta sig i kragen, skärpa till sig och tänka om. De kan till och med erkänna att det inte finns några kompletta och felfria människor. Så långt inga problem. Problemen uppstår när vi antyder att just den här gula personen också kan behöva förbättra sig. Då uppstår nämligen en konflikt, särskilt om kritiken framförs offentligt.

Gula personer har svårt för kritik. De tycker inte om det eftersom det inte ser snyggt ut. Tänka sig att det finns folk som inte gillar allt de gör och allt de säger! Jag har själv suttit ner med gula personer och gett dem personliga återkopplingar på deras profiler. Allting går fint tills vi kommer till sidan med rubriken *Områden som kan utvecklas*, det vill säga svagheterna.

Blir vi inte ovänner direkt svalnar i alla fall temperaturen i rummet betydligt. Försvarsmurar monteras upp fortare än man hinner säga dålig självinsikt. Den gula individen vet innerst inne om att han har svagheter, han tänker bara inte prata om dem.

Slutsats: Vill du nå fram till en gul person med negativ feedback måste du vara uthållig, mycket uthållig. Du måste etablera en vänlig atmosfär i rummet, och du måste hitta precis rätt nivå på budskapet så att det landar där det ska.

Du kan alltid drämma till så hårt du kan, för att verkligen ruska om vederbörande, köra lite hårt med honom, ge honom vad han tål. Jag rekommenderar inte det. Återkom hellre gång efter gång efter gång.

Tydlighet. Se till att vara ytterst väl förberedd med alla tänkbara fakta för att styrka dina påståenden. Den gula har en gåva som går utanpå allt annat: han är en skicklig manipulatör. Märker han att du verkligen menar allvar i din kritik och att du faktiskt kommer att följa upp saken, kommer han att lägga i högsta växeln för att lura dig av banan. Han är duktig på dimridåer. Se till att du inte går vilse i dimman.

Se även till att du verkligen får svar på dina frågor. Se till att han förstått budskapet. Se till att han skriver ner vad du sagt. Be honom återberätta din feedback.

Men – ni måste lägga upp en handlingsplan. Förresten, låt det bli nästa möte. Just nu har du nog kommit så långt du kan med en gul person. Risken är att energin tar slut helt om du fortsätter.

En sak till. Detta händer inte vid positiv feedback. Då kommer den gula att hoppa på tåget fortare än du kan föreställa dig.

DIN ANPASSNING TILL GRÖNT BETEENDE

Vad den gröna förväntar sig av dig

Det måste kännas bra, annars känns det faktiskt ... dåligt ...

Trygghet kommer alltid att vara viktigt. En grön person oroar sig gärna för allt som kan hända. Han gillar inte otrygghet och löser det genom att dra täcket över huvudet. Syns det inte så finns det inte. Han vill inte vara med om det blir för osäkert. Han strävar efter stabilitet och vill inte veta av några vilda chansningar.

Men, tänker du kanske nu – världen är en farlig plats att leva på. Det finns en oändlig mängd faror där ute. Precis allt kan gå åt skogen. Min relation kan spricka, jag kan bli sjuk, min man eller fru kan lämna mig, mina barn kan tycka att jag är en idiot. Jag kan bli av med jobbet, min chef kan börja hålla med mina barn, jag kan hamna i bråk med en massa människor. På väg till jobbet kan jag råka ut för en bilkrock och man kan faktiskt dö av ett aldrig så litet fiskben i halsen.

Och det är allt detta som gör livet så otryggt. Precis vad som helst kan hända. Många gröna människor, som jag i min roll som coach har mött genom åren, har sagt att alla dessa potentiella faror mer eller mindre paralyserar dem. De hittar inte ut ur sin egen tankekarusell av risker och styggelser. De blir handlingsförlamade. Eftersom de dessutom inte har något behov av att hitta på en massa saker är det ju då enklast att stanna hemma. I hemmets trygga härd.

Det var inte de gröna personerna som emigrerade till Amerika för över hundra år sedan. De skulle aldrig ha satt sig i båten, för vem vet hur resan skulle bli? Och om man nu överlevde själva seglatsen till andra sidan jorden, vem kunde egentligen säga att det fanns något att leva på? De där historierna om att somliga svenskar uppnått framgång och rikedom kunde ju vara bluff från början till slut. Och om man nu fick ett jobb och om man nu hittade någonstans att bo – vem visste om det var bra grejer? Tänk om man fick det ännu eländigare än man hade det hemma i Sverige? Man vet faktiskt vad man har, men man har ingen som helst aning om vad man får.

Min privata teori, svår att bevisa så här i efterhand, är att det var röda och många gula som lämnade Sverige. Kvar blev möjligen en större andel av gröna och blå personer än vad som annars hade varit fallet.

Slutsats: Acceptera att den här personen inte tänker som du. Acceptera att han drivs lika mycket av rädsla som av något annat – kanske mer till och med. Visa att du är beredd att lyssna in vad han oroar sig över. Säg inte saker som: Det finns ingenting att vara rädd för. Det fungerar inte, eftersom själva rädslan är på riktigt. Och det är dessutom inte sant. Det finns massor av saker att vara rädd för. Vi har alla saker vi oroar oss för, den gröna har bara fler.

Hjälp i stället din gröna vän att möta sin rädsla för det okända. Förmå honom att trotsa det som känns fel och ändå gå framåt. Precis som vi lärde oss att simma som barn, trots att vattnet såg både kallt och otäckt ut, kan du stötta genom små, försiktiga knuffar framåt.

När din vän säger att *gräset inte är grönare på andra sidan,* får du helt enkelt dra ett djupt andetag och jobba vidare.

Ingenting hände överhuvudtaget. Två gånger.

Du kommer säkert ihåg att jag nämnt den grönas passivitet. Ingenting är för stort för att ignoreras. Att vara proaktiv och driven, att leva en aktiv livsstil är alla saker som rubbar lugnet. Och det kommer inte att uppskattas. Han blir inte glad om du ständigt uppfinner nya saker att göra.

Gröna personer mår bäst om de slipper vara aktiva. De kommer hem en fredag kväll, helt utmattade av att ha ägnat veckan åt att försöka åstadkomma så lite som möjligt, att de nu behöver vila upp sig. Jag har mött gröna personer vars insatser för att komma undan arbete tar mer kraft än att faktiskt utföra det.

Konsekvensen blir uppenbar för omgivningen. De tycker inte om helger med fulltecknade scheman. Att besöka svärmor, ordna med en picknick, följa sonen till fotbollsträningen, städa garaget, bjuda hem grannen på middag – allt blir en belastning för dem, och det slutar inte sällan med att ingenting av det där blir genomfört. Den gröna glider helt in under radarn och försvinner. Han behöver verkligen lugn och ro för att kunna göra det han är bäst på. Lugn och ro får honom att må bra.

Slutsats: Vi andra får på ett plan respektera detta. Vi måste sätta oss in i hur stressigt det kan vara för dessa personer att ständigt tvingas aktivera sig, att ständigt vara på språng. I det samhälle vi hamnat i under 2010-talet är det här ingenting som premieras. Det betyder att den rent gröna personen ofta känner sig lite fel ute. Han hör om alla andras helger, deras aktiviteter, hur de farit runt och gjort det ena mer komplicerade projektet än det andra. Det enda han känner är stress.

Lösningen är att vi tillåter den gröna sina perioder av lugn och ro och inaktivitet. Det råkar vara så han funkar. Det innebär ju inte att de kan sitta på rumpan livet igenom, men de behöver i rimlig mängd tillåtas att göra – ingenting.

Vart är vi egentligen på väg? Jag hänger inte med ...

Stabilitet och förutsägbarhet är värdefulla ingredienser för den gröna. Och när du tänker efter så är det ganska logiskt – det är skönt att veta vad som kommer att hända. Alla har vi nog ett visst mått av kontrollberoende. Vi vill helt enkelt veta. För gröna personer är detta beroende mycket starkt. När röda frågar *vad*, undrar gula *vem*. När blå frågar *varför*, vill de gröna veta *hur*.

Han behöver helt enkelt få reda på hur planen ser ut. Vilka mått och steg ska tas. När ska allting ske? Vad kan han egentligen förvänta sig?

Ta bara hur det funkar hemma. Vem byter aldrig plats vid frukostbordet? Jag vet att många av oss är vanedjur, men om du snor den grönas sedan länge inmutade stol rubbar du hela hans tillvaro, och han kommer inte att få ner maten.

Men behovet av förutsägbarhet går längre än så. Det handlar om allting som ens påminner om en förändring. I det samhälle vi befinner oss i just nu är det enda bestående alla förändringar. Ingenting går helt att förutsäga, allting vrider sig runt sin egen axel och uppträder i nya former. Och allt detta är ytterst stressande för gröna personer.

Slutsats: Eftersom den gröna inte kommer att hitta på särskilt mycket på egen hand, blir det du och jag som får stå för planeringen. Men det kanske är okej. Här kan vi underlätta genom att förklara varje mått och steg vi kommer att ta. Vi kan berätta vad som ska hända, helt enkelt. I stället för att säga att jag har bjudit in gäster till helgen, kanske jag förklarar att vi ska ha Lena och Lasse över på middag, att vi kommer att bjuda på en trerätters middag bestående av förrätt, varmrätt och dessert, att jag kommer att fixa varmrätten medan min gröna partner förväntas fixa efterrätten, som ska se ut enligt följande: Jag förklarar vem som ska handla vad. Vem som ska köpa vinet, vem som ska köpa nya blommor och så vidare. Jag kanske till och med förklarar vilken dag min gröna partner ska utföra sin del. Och vem vet, kanske skriver jag upp den exakta adressen till blombutiken på listan med exakta instruktioner över vad som ska införskaffas.

Låter det överdrivet? Inte alls. Kom ihåg att gröna personer inte är världsmästare på att ta egna initiativ. Tänk på din familj som ett företag – alla gör inte samma saker eftersom vi är bra på olika saker. Om du är bättre på att ta initiativ – gör det. Men se till att din gröna partner är med på tåget. Risken finns annars att han smiter ut genom bakdörren.

DITT EGENTLIGA UPPTRÄDANDE – VAD DU OCKSÅ BEHÖVER GÖRA NÄR DU TRÄFFAR GRÖNA PERSONER

Okej, nu vet du hur dina gröna vänner vill att du hanterar dem. Resultatet kommer att bli en lugn och fin relation, och ni kommer att vara goda vänner under många år. Fint, va? Men det går inte att stanna där, eftersom du, om du inte är helgrön själv förstås, kommer att vilja hitta på lite saker då och då. Och du behöver känna till några lämpliga strategier för att få lite fart på din stabilitetstörstande vän.

Måste det bli bråk om allting? Usch. Jag går och lägger mig.

Jag har sagt det tidigare, men vi behöver använda mer bläck till den här frågan. De tycker inte om friktion av något slag. De backar om en diskussion hettar till, eller om du visar en rynkad panna vid fel tillfälle. Allting skulle kunna vara en potentiell konflikt, och det är ett mycket dåligt tillstånd för alla gröna. De låser sig och faller in i tystnad och passivitet.

Vid ett tillfälle för många år sedan höll jag en säljkonferens där jag skulle träna säljare i personlig effektivitet. En av dem lekte med sin mobil hela tiden, och när jag – lugnt och fint – bad honom fixa sina sms under pausen stelnade han till och slutade helt att prata. Han svarade inte på frågor och han deltog inte i några diskussioner. Han lyfte inte pennan en enda gång till under vad som var kvar av dagen. Han blängde på mig och när jag frågade vad som inte var bra ryckte han bara på axlarna.

Han gav mig den kanske sämsta utvärdering jag någonsin har fått. Trots de övriga fem dagarna var den här dagen helt avgörande för honom och han sågade mig totalt. Han hade aldrig mött en så ohövlig och inkompetent konsult. Han ansåg att jag hade kört en kniv rakt i ryggen på honom. Detta är givetvis en fullkomligt orimlig reaktion, särskilt med tanke på att vi hade lovat varandra att inte leka med mobilerna under själva arbetspassen. Men det spelade ingen roll – den här killen tyckte ändå att jag hade utsatt honom för ett fullkomligt överfall och han straffade mig på det enda sätt han kunde – genom total passivitet. Jag ringde upp honom efteråt och konfronterade honom med det hela. Han erkände att det var ett barnsligt beteende och bad – är jag nästan säker på – om ursäkt.

Slutsats: När du har synpunkter på en grön person, se till att du är noggrann med hur du levererar dem. Vill du till exempel ge kritik, se till att ni är ensamma. Försäkra dig om att den du pratar med förstår att du fortfarande tycker om honom, men att du tror att han och gruppen (teamet, laget, familjen, föreningen) kommer att fungera bättre om han ändrar på vissa saker. Fråga inte vad han kan göra, utan be honom att göra vissa specifika saker. Det kan hända att han själv vet, men i vanlig ordning tänker han inte leda samtalet – det får du göra om det nu är så himla viktigt.

Det var faktiskt bättre förr. Mycket bättre.

En av mina favoritövningar när vi pratar om förändringar är att be alla i gruppen som är rädda för förändringar att ställa sig upp. Det förekommer att någon faktiskt ställer sig upp, men det vanligaste är att ingen rör sig.

Varför? För att vi vet att vi måste förändra oss, vi måste hänga med i vår nutid. Det går ju inte att erkänna att man inte gillar förändringar. Men acceptansen av detta faktum ligger endast på det intellektuella planet. Alltså sitter vi lugnt kvar för att illustrera att här finns minsann inga förändringsmotståndare. Dessutom är det ju ingen annan som ställer sig upp.

Min nästa fråga blir då vilka som tror att någon *annan* i gruppen är rädd för förändringar. Sedan ber jag dem som tror det att ställa sig upp. Plötsligt står hela gruppen upp och tittar sig roat omkring. Så vilka är det egentligen som inte tycker om förändringar? Svar: de andra. Och eftersom det är alla andra behöver jag inte göra någonting över huvud taget.

Problemet är omfattande. Majoriteten av befolkningen har grönt som sin mest dominerande egenskap. Det är den huvudsakliga orsaken till att vi inte tar emot förändringar med öppna armar. Allt nytt är av ondo och det bör kraftfullt motarbetas.

Den värsta förändringen av dem alla är den snabba förändringen. Ju snabbare, desto värre. Så ju fortare hjulen rullar i samhället, desto svettigare är det för alla förändringsmotståndare. Vi ser det hela tiden i nya rapporter. Gula och röda personer uppfinner ständiga förändringar, de gröna och de blå som är i majoritet försöker hänga på. Och stressen bara ökar.

Slutsats: Vill du få gröna personer att acceptera en förändring är du tvungen att utrusta dig med en god portion tålamod. Du måste bryta ner processen i småbitar och avsätta ett antal veckor på att övertyga, sälja in och förankra bakgrunden. Du måste beskriva processen i detalj och du måste inse att ingen kommer att ta några anteckningar, vilket innebär att du måste dra det gång, på gång, på gång tills budskapet sitter.

Gruppen måste få chans att känna sig fram till den enda möjliga lösningen. När känslan väl infinner sig är du hemma. Men vägen dit är lång och snårig. Du behöver veta exakt vart du är på väg, och du behöver ständigt påminna dig om varför du gör dig mödan. Är du röd kommer du i princip dagligen att gripas av lust att helt enkelt bara köra över gruppen, men jag behöver knappast förklara att du lika gärna kunde lägga ner företaget i sådana fall. Det skulle spara tid och mycken smärta för alla inblandade.

Någon måste ta rodret om vi inte ska sjunka till botten

Låt oss vara ärliga – isolerat från allt annat är inte det gröna beteendet någon utpräglad ledaregenskap. Inte minst i perspektivet att ledarskap många gånger handlar om det som förra avsnittet tog upp – att förändra. Det betyder som tur är inte att det inte finns bra gröna chefer – det finns många av dem där ute – men de växer inte på träd. De kliver ju inte alls fram på samma sätt som de röda och de gula.

Och det är bekvämt att slippa ta ansvar. Jag tror att vi alla har ett visst mått av lättja inom oss. Det är befriande att slippa tänka, att slippa bestämma och bara åka med. Givetvis kan det variera beroende på omständigheter, men gröna personer har utvecklat detta till en konstform. De vill inte ha något ansvar eftersom det a) kan leda till konflikter om någon inte håller med om beslutet eller b) det kan uppstå en massa extra arbete och det kan aldrig vara bra. Alltså duckar man så länge det är möjligt.

Ansvar är betungande, och det krävs en inre styrka likaväl som ett yttre driv för att ikläda sig ansvaret. Men det är samtidigt ett mått på mognad, och det börjar med att ta ansvar för sig själv och sitt eget liv. Gröna personer (och förvisso en del andra färger emellanåt) har en tendens att skylla på allt annat än sig själva. En kvinna som fanns i utkanten av min bekantskapskrets för ett antal år sedan hade till och med en speciell lista på saker hon kunde skylla på om det inte gick som hon ville. Hon skyllde på regeringen, på oppositionen, på skatterna, på sin arbetsgivare, på konjunkturen, på sin utbildning, på sina föräldrar, sin man och på sina barn. Ibland var det vädrets fel. Hon skyllde på allt utom sig själv.

Vad vann hon på det? Oklart. Hon slapp ta ansvar själv. Eftersom det alltid var någon annan faktor som var ansvarig för ditt och datt behövde hon aldrig ta tag i sina problem och verkligen förändra någonting. Jag minns att jag bad henne förklara hur det kom sig att hon själv inte stod på listan, men jag misstänker att hon inte förstod frågan.

Med den monumentala passivitet en grön person kan visa upp hamnar vi strax i problem. Om ingen ror eller håller i rodret hjälper inga böner i världen. Och den gröna blir sittande, väntande på hjälp. (Vanligtvis kommer det oftast någon och hjälper till, vilket gör att de trots allt överlever.)

Slutsats: Ska du komma någon vart med en större grupp gröna personer behöver du inse att du måste ta befälet, greppa rodret och i vissa fall helt enkelt sätta dig i sadeln själv. Att be en grupp gröna personer lösa uppgiften fungerar inte, eftersom de inte kommer igång om du inte sätter dem på spåret.

Jamen-herregud-de-är-väl-vuxna-synsättet fungerar inte. Visst, de är vuxna, men de är barn när det kommer till så basala saker som att fatta beslut. Och mycket grundar sig på att de en gång i tiden fattat ett beslut om att inte fatta några beslut. Så någon får sätta ner foten och ange riktningen.

Gör det och gör det nu. Men samtidigt … gör det försiktigt …

DIN ANPASSNING TILL BLÅTT BETEENDE

Vad den blå förväntar sig av dig

Lika bra att tänka igenom allting riktigt grundligt ända från början

Den blå kommer att förbereda sig minutiöst. Ska ni träffas på en viss plats en viss tid kan du lita på att han är där. Den blå kommer att ha gått igenom allt material, han kommer att ha analyserat allting ner till minsta lilla detalj, och han kommer att vara beredd att diskutera precis vad som helst inom ramen för uppdraget. Han har en alternativplan och en reservplan även för den.

Han har tänkt på allt. Det bör du också göra.

Att vara blå är lite som att göra militärtjänsten. Inga ursäkter accepteras. Får du punktering bör du vara förberedd på det. Är det punktering på reservdäcket måste du ha en plan även där. Han kommer att ha kritiska frågor om du bara kastar ur dig någonting i stil med att *det bara är så*. Nästa gång ni träffas är hans förtroende för dig naggat i kanten.

Slutsats: Se till att du kan visa att du är påläst och väl förberedd. När till exempel en blå kund eller beslutsfattare undrar över det ena eller andra – hala fram just den mappen ur väskan. Observera att du inte ska göra någon stor affär av att du visste svaret. Han har inte förväntat sig mindre.

Och – inte minst viktigt – har du inte svaret: säg som det är. Att du inte vet. Dra inte till med någonting bara för att komma ur situationen. När den blå avslöjar nödlögnen – och det kommer han att göra – faller du i onåd. Det är inte optimalt att tvingas återkomma dagen efter, men det är definitivt att föredra framför att dra en vals.

En bilsäljare jag känner brukar säga att när han träffar blå kunder så vet han redan från början att kunden är mer påläst på en viss bilmodell än han själv är, eftersom han som säljare kanske har femtio modeller att hålla reda på. Blå kunder ställer inte frågor för att få veta saker, de frågar för att få bekräftat sådant de redan kollat upp. Så säljaren försöker inte ens låtsas längre. Vet han inte svaret så erkänner han det och tar sedan reda på det. Det är enda sättet att vinna den blå kundens förtroende.

Vi är inte här för att umgås och ha det mysigt

Om vi talar om en arbetsrelation är det givet. Håll dig till jobbet. Se till att vara fokuserad på vilken uppgift som ska lösas. Den blå personen är inte alls intresserad av dina personliga preferenser, eller vad du tycker om hans val av bil, hus, sport eller någonting som inte är relaterat till arbetet. Han är där för att arbeta. Punkt.

Jag minns en gång när jag tyckte mig ha lärt känna en personalchef i ett stort bolag som jag hade träffat säkert fem eller sex gånger. Vi hade passerat stadiet att skaka hand varje gång, och han visste numera hur jag ville ha mitt kaffe. Men så vid sjunde besöket fick jag för mig att fråga vad han hade gjort under semestern. Jag vet inte vad som flög i mig. Hans blick blev först tom för att därefter oroligt börja flacka omkring. Jag satte upp händerna och sa något nonsens för att skyla över mitt misstag. Jag berättade inte vad jag hade gjort på min semester heller. Omkring fyra besök senare informerade han mig försiktigt att han planerade att åka till Thailand över nyår med familjen. Det var öppningen.

Slutsats: Håll dig till uppgiften. Se till att arbeta med checklistor där sakfrågor finns noterade. Saker du kan bocka av tillsammans med den blå. Är du gul, lägg en del av spontaniteten åt sidan. Förresten, lägg bort så mycket spontanitet du kan. Tvinga dig att göra en sak i taget. Påminn dig om att den blå sällan eller aldrig kommer att fråga hur du har det eller visa intresse för dina personliga problem. Fråga inte heller hur han själv har det på det personliga planet. Det hörs redan på ordet:

Personligt. Det är privat. *Stay off.* Tids nog öppnar han sig om han vill. Det handlar inte om att han inte tycker om dig, han vill bara jobba först. Acceptera det så kommer det att gå bra.

Inga visioner nödvändiga. Håll dig på marken, tack så mycket.

Dina blå vänner seglar inte uppe i det blå. De står nere på jorden och använder sitt kritiska sinne till att bedöma om saker och ting är realistiska eller inte. När du kanske tycker att de är tråkiga, misstänksamma eller rent ut sagt pessimistiska så anser de att de bara är realister. De vill veta hur verkligheten ser ut, inte hur den skulle kunna se ut om man är en drömmare eller en visionär.

Jag minns en gång när jag arbetade inom bankvärlden. Vi skulle ha en kickoff och jag hade tänkt inspirera min grupp till stordåd ingen har sett maken till. När jag till slut hade blåst upp visionen tillräckligt mycket utbrast jag att vi skulle stå där uppe på berget och se ner på den marknad vi lagt under oss. Vi, alla vi, på toppen av berget! Wow! Medan både gula och röda och i viss mån gröna medarbetare log och var taggade, sa de blå bara en sak: *Vi kan inte se oss där uppe. Hur kom vi upp dit?*

När planen ser galen ut i den blå personens ögon vinner den inget förtroende hos honom. Det går inte att spela på känslor eller försöka sälja in alltför vilda idéer. Du behöver ha realistiska perspektiv med i bilden, annars får du inga accepter.

Slutsats: Tänk igenom vad det är du vill ha sagt, vad du vill övertyga den blå personen om. Lägg visionerna åt sidan. Det kan till och med finnas en poäng med att fundera över vilket språk du använder. Hoppa över de där inspirationstalen som de gula och de röda köper. Håll dig till fakta, och var tydlig.

Har du en idé som inte testats tidigare, försök att sätta rimliga målbilder. Säg inte att ni kommer att dominera marknaden inom tre månader, eller att grabbarna kommer att vinna knatteserien trots att de har förlorat alla matcher hittills. Du blir bara tagen för en stolle. Om du redan nu har gissat att du har gult i din profil bör du tänka dig för riktigt ordentligt. Du arbetar redan i uppförsbacke vad gäller den blå personen. Och var försiktig med de alltför yviga gesterna.

Detaljer – fakta är det enda som räknas

Detaljer är viktiga, för att inte säga mycket viktiga. Om du verkligen vill nå fram till den blå personen måste du se till att vara mycket noggrann. Slarv, det vill säga att inte ha koll på detaljerna, kommer inte att ses med blida ögon.

Mer än en säljare har åkt ut från ett säljbesök för att de har slarvat med detaljfrågor. Och kom ihåg att det inte handlar om huruvida detaljerna är avgörande för ett visst beslut. Det har kanske ingen egentlig betydelse när ditt företag grundades. Men den blå beslutsfattaren vill helt enkelt veta.

Han vill dessutom veta exakt. Om du får frågan hur mycket en viss produkt kostar, svara inte *runt 70 kronor.* Svara hellre *69,50*. Det är ett exakt svar. Den blå är mer intresserad av ett exakt pris än ett lågt pris. Han kan mycket väl förhandla, men han vill veta den exakta kostnaden direkt.

Slutsats: Med risk för att verka tjatig – förbered dig väl. När du tycker att du förberett dig riktigt ordentligt – gå igenom upplägget ännu en gång. Se till att du har svar på absolut allting. Acceptera att den här personen kanske vill ha mer data för att känna sig trygg. Ge honom detaljerna för att komma vidare. Han kommer alltid att undra om det går att komma djupare. Men på detta sätt håller du honom lugn och förhoppningsvis nöjd.

Kvalitet framför allt

Kvalitet är vad som driver den blå personen. Allting annat kommer efter det. Det får inte bli fel. Väldigt mycket av allt annat fokus kommer av en djupt rotad önskan om att allting ska vara perfekt. Den blå personen mår dåligt om han inte får utföra arbetet på ett högkvalitativt vis. Det har ingenting att göra med vilken kvalitet som verkligen behövs. Det handlar bara om hans uppfattning om att det ska vara på ett visst sätt.

Detta tar givetvis en enorm tid. Men fördelen är uppenbar – gör man rätt från början slipper man ju göra om jobbet. Vilket faktiskt är ett bra sätt att spara tid. Men eftersom den blå personen inte tänker i termer av timmar, dagar eller ens veckor – utan snarare i månader och år – ser han inte det här problemet. Han vill ha kvalitet, och kvalitet tar tid. Det är inte konstigare än så.

Slutsats: Du bör inte slarva, eftersom det vittnar om dålig kvalitet. Du bör akta dig för att uttrycka dig i negativa ordalag om att den blå personen lägger stor del av tiden på just kvaliteten. Uttryck dig gärna med ord som *noggrann kontroll, ordentligt genomgånget, vikten av kvalitet*. Låt den blå förstå att du också är lika inriktad på att det ni gör ska bli bra.

Detta innebär att du ska förbereda dig mycket noggrant inför varje möte med en blå person. Han dömer dig efter hur hög kvalitet du levererar. Inte efter hur rolig du är, inte efter vem du känner, inte efter att du bjuder på fina luncher. Inget av det betyder någonting om du är slarvig. När du är klar med en uppgift – dubbelkolla den. Om det är möjligt – trippelkolla. Be någon annan titta på den. Nu först är det läge att blanda in din blå kollega.

DITT EGENTLIGA UPPTRÄDANDE – VAD DU OCKSÅ BEHÖVER GÖRA NÄR DU TRÄFFAR BLÅ PERSONER

Att bara gå på den blå personens initiativ vore som att köra bil med handbromsen ordentligt åtdragen. Han: bekantingen, vännen eller partnern gillar att ha bromsen åtdragen, helt enkelt. Din uppgift kan mycket väl vara att släppa på den igen. Det första du gör är inte att trycka hårdare på gasen. I stället kommer du att leta efter rätt spak att dra i, för nu måste du släppa på handbromsen. Här är några idéer på temat.

Hur man hanterar och bygger relationer på ett smidigt sätt – och framförallt varför

Han har känslor som alla andra, och han uppskattar människor. Det ser bara lite annorlunda ut. Eftersom det aldrig handlar om några större känslostormar kommer intrycket han ger att vara svalt. Inget minspel att tala om, inga gester, inga känsloyttringar alls. Intresse för andra människor visas inte, utan det handlar endast om att prata om ämnet för dagen.

Sitter vi på en revisionsbyrå, eller om vi försöker lösa ett viktigt problem på firman, så är detta ett bra förhållningssätt. Men varje gång andra människor, särskilt gula eller gröna, är inblandade så blir den blå personens avståndstagande till andra väldigt jobbigt. Han inser helt enkelt inte att andra inte fungerar likadant. Folk vill känna att de kan knyta an till den här personen. De vill inte känna sig som robotar.

Slutsats: Förklara för honom att andra människor har känslor. Peka ut exempel där han påtalat alla fel och brister i grannens nya hus helt i onödan. Förklara att man inte behöver uttrycka sig kritiskt hela tiden. Tala om att människor kan ta väldigt illa upp av att få sitt hem, sin bil, sin man och sina barn ifrågasatta. Var tydlig med att ursäkten *jag sa bara som det var* inte duger. Han sa inte som det var. Han sa vad just han tyckte eller ansåg om en viss sak.

Fråga efter värdet med att fälla kritiska kommentarer hela tiden. Det här är ingen enkel uppgift, eftersom han kommer att tycka att du har fel. Han har all rätt att kritisera och påpeka fel och brister. Ser han ett fel kan han inte bara ignorera det. Din uppgift kan mycket väl bli att förklara att han gör sig helt omöjlig.

Gräver sig ända ner till grundvattnet – och lite till

Har du lyssnat på en blå person när han redogör för en intressant händelse han varit med om? Låt säga att han fick punktering på motorvägen. Han kommer att börja med att klockan, av märket Sony, ringde en minut tidigare eftersom det var torsdag och han då gurglar sig lite extra med Listerine – den gröna sorten eftersom ett smaktest i Råd & Rön nummer 21 tydligt visat att den är att föredra. Frukosten bestod av två sjuminuters ägg samt kaffe. Gevalia har en ny rostning han inte riktigt uppskattar. Det verkar som om minst nio procent av bönorna är skadade, vilket fått honom att fundera på hur det egentligen påverkar kvaliteten på kaffet. Därefter hämtade han tidningen, Dagens Nyheter hade ett erbjudande som gav 18 procents rabatt i tre månader. Han samtalade med grannen vid brevlådan – som verkar läsa Svenska Dagbladet – om bästa sättet att ta hand om gräsmattan i september – det finns en intressant hemsida som tar upp olika typer av höstgödsel, mycket fascinerande …

Innan han är ute på själva motorvägen har hela lunchen gått. Och du undrar vad du egentligen har förslösat din ungdom på. Saken är den att när den mycket introverta blå personen väl börjar prata så kommer han inte att sluta. Nu ska det redogöras för allting. Och besvärande nog verkar han minnas … allt.

Slutsats: Här är du tvungen att gripa in, det säger sig självt. Det är lite med den blå som med den gula – de behöver styras mot ett visst mål i exempelvis ett samtal. Vad är målet? Vad är poängen? Vad vill han egentligen ha sagt? Du kan dock vara mer rakt på sak. Din blå kompis är inte alls lika känslig som den gula. Han klarar av att höra att han har blivit väl långrandig. Han kan mycket väl bli deprimerad över din oförmåga att värdera alla dessa fascinerande småsaker, men det är mer för att du inte verkar ha ditt förstånd intakt, inte så mycket för att han tycker att ni hamnat på kant med varandra.

Förklara gärna att det finns gränser för hur mycket detaljer som behövs i ett projekt. Vi behöver inte veta med fyra decimalers säkerhet hur många procent hyran kommer att stiga nästa år. Det räcker med jämna procent för att kunna göra prognosen. Det är en balansgång, eftersom sanningen ofta ligger i detaljerna. Men vet du att ni helt i onödan håller på att gräva er ner till grundvattnet – dra i handbromsen.

Rom byggdes inte på en dag – det måste få ta sin tid

Brådska är för slarvers. Skynda på, kan vi säga till blå individer. De lyssnar inte alls på det örat. Hastighet är inget självändamål. Det är till och med så att många blå under stress sänker tempot ytterligare, eftersom man nu verkligen inte har tid att begå misstag. Bäst att vara verkligt noggrann för att undvika tidsödande korrigeringar.

Trots detta är det ibland bråttom, inte minst i det uppskruvade samhälle vi nu lever i, bråttom till jobbet, bråttom på jobbet, bråttom hem från samma jobb. Bråttom i skolan, på dagis, i trafiken, i mataffären – överallt är det bråttom. I vanlig ordning tänker jag inte uppmana till beteenden som leder till stressrelaterade sjukdomar. Men ibland måste man helt enkelt skynda på för att inte förlora matchen. Den blå verkar till det yttre fullkomligt oberörd. Han arbetar på i sin takt utan att bekymra sig om alla utbrända människor i sin omgivning. De har faktiskt sig själva att skylla.

Slutsats: Tala lugnt och metodiskt om för den blå personen att nästa vecka kommer ett högre tempo att krävas. Förklara exakt varför detta är så viktigt. Fastställ att ni bara har 38 timmar kvar att jobba på. De måste användas till rätt saker. Peka på helhetsbilden. Ge honom ett ordentligt motiv till varför han ska gå emot sina instinkter.

Led gärna det hela i bevis genom att peka på den långsiktiga planen. Den måste ju hållas, och för att inte rasera den måste nästa deadline hållas. Handlar det om att till exempel renovera hemma kan det vara bra att i förväg förhandla om när allting ska vara klart. Kommer svärföräldrarna om fyra veckor så gör de ju det. Räkna ut hur många timmar som kan användas till bygget. Bestäm vilka aktiviteter som ska prioriteras. Se till att den blå personen håller sin del av planen, det vill säga att han fortsätter när han har gjort det han ska. Annars är risken att han putsar på detaljer i fem timmar som inte finns.

Har ni all tid i världen är det förstås en helt annan sak.

Står det i boken måste det vara sant

Kan vi inte gå på magkänsla? Pröva att säga det till en strikt blå individ och se vad som händer. Det är som att tvinga veganer bevittna sälslakt. Magkänsla är raka motsatsen till rationellt tänkande, och ingenting kunde vara mer främmande för den blå.

Men vänta nu: Betyder det att man aldrig ska använda sig av sin egen intuition? Även blå individer har vad vi kallar ett sjätte sinne eller ”näsa” för vad som kan vara rätt. Skillnaden är att han inte litar på den. Det kan ju vara fel. Framförallt går det inte att bevisa någonting med hjälp av magkänslan. Det enda som räknas är fakta. Och det är inte säkert att det räcker med det. Det kan finnas andra fakta som är minst lika intressanta att utvärdera.

Slutsats: Berätta för din blå vän att om fakta saknas och man trots detta blir tvungen att gå vidare, faktiskt får gå på det som känns bäst. Det kan gälla arbete, det kan gälla vad som är godast på en restaurang man aldrig varit på. Tala klart och tydligt om för den blå personen att han är tvungen att göra någonting om han inte ska gå hungrig. Bevisa att det är bättre att göra *någon*ting än att göra *ingen*ting.

Tala gärna i termer av att det är logiskt att känna efter just nu eftersom vi inte har alla fakta. Förklara att det blir nästan bra kvalitet i alla fall – kanske bara 95,3 procent, men ändå – och att han här kan dra några värdefulla lärdomar. Hjälp honom att kalkylera risken. Men gå framåt.

Här fattas beslut

Eftersom den blå upplever beslutet i sig som mindre viktigt än vägen till beslutet kan stiltje uppstå. Efter ytterligt noggrant faktainsamlande och minutiösa studier av samtliga tillgängliga förutsättningar kommer man till slut till sanningens ögonblick – beslutet. Allting riskerar att låsa sig. Å *ena* sidan. Å *andra* sidan.

En projektledare jag träffade förra året skulle köpa en ny bil. Under åtta månaders tid provkörde han sexton olika bilmärken. Över femtio olika modeller i olika kombinationer: olika motorer, karosser, växellådor, inredningar, färger. Han provade allt. Tygklädsel vs. läderklädsel. Bensin vs. diesel. Automat vs. manuell. Han gjorde kalkyler på förbrukning, värdeminskning och lämnade olika grafer till respektive bilsäljare för en utvärdering. Efter mycken vånda köpte han till slut en Volvo V70, Sveriges vanligaste bil, i silvermetallic, den vid tidpunkten absolut vanligaste färgen. Just den modellen var den mest testade bilen av alla i den svenska motorpressen det året. Man tycker att det borde ha gått att läsa sig till vad han skulle köpa.

Varför gjorde du det? frågade alla. Varför inte? svarade han.

Här kan du hjälpa till. Förse den blå personen med den avgörande pusselbiten. Försök mjukt och försiktigt styra honom i rätt riktning, eller i varje fall i *någon* riktning.

Slutsats: Var uppmärksam på när processen avstannar. Om till exempel en ny medarbetare ska anställas kanske det slutar med två jämnstarka kandidater. Det har gått bra hittills, den blå personen har hela tiden skickat noggranna informationsmail och hållit alla underrättade om alla mått och steg. Processen har följts till punkt och pricka.

För att det ska hända någonting, förse beslutsfattaren med underlag så han kan ta beslut om någon av kandidaterna. Pressa honom att ta beslut. Påminn om att deadline närmar sig. Påpeka att kvaliteten kommer att bli lidande om ni inte kommer fram till någonting. Förklara att allting är ordentligt genomgånget, och att oavsett vilken kandidat ni väljer är samtliga risker eliminerade.

SAMMANFATTANDE SLUTSATS

Nu har du ett hum om hur du kan möta de olika färgerna för att komma dit du vill. Först handlar det om att känna av de andras frekvens och anpassa dig till dem. På det viset vinner du förtroende och gör att de känner igen sig i dig.

Så grundregeln är alltså att möta en röd person med rött beteende, gul med gult, grön med grönt och slutligen blå med blått. Det låter ju enkelt, kanske du tänker. Men tricket kommer ju när du till exempel är gul och måste anpassa dig till den blå personen. Här kan det behövas träning. Det beror på vilken färg du själv har, hur stark din självinsikt är samt hur gärna du vill komma någon vart med en viss kontakt i din vardag. Du kan alltid göra som Adriano – du kan fortsätta vara dig själv.

Nästa steg blir att börja leda personen bort från eventuella stickspår. Varje färg har som du sett sina uppenbara svagheter. Här kan en blå person hjälpa en gul att bli mer konkret, och den gula kan kanske förmå den blå att knäppa upp och bli lite mer spontan.

Med risk för att låta klyschig – det handlar om att samarbeta, om att mötas. Det visste du redan, men detta är orsaken till just den slutsatsen, och här har du nu fått en lektion i hur det kan gå till.

KAPITEL 13

HUR MAN LEVERERAR RIKTIGT DÅLIGA NYHETER, ELLER OM POSITIV KRITIK TROTS ALLT ÄNDÅ BARA ÄR JUST ... KRITIK

UTMANINGEN MED ATT TA BLADET FRÅN MUNNEN

Vem ser fram emot dåliga nyheter? Inte särskilt många. Ändå behöver sådana trots allt framföras då och då. Det händer ju saker i vår omvärld som inte alltid blir som det var tänkt, och ibland faller det på din lott att meddela det inträffade. Den som är bäst på att framföra saker ingen annan vill höra är förmodligen den röda. Tämligen okänsligt kastar han ur sig att du precis har fått sparken, innan han frågar om du vill ha mjölk i ditt kaffe. Knepigt? Nej, inte alls. Han var bara klar med uppgiften.

Men det är förstås skillnad på dåliga nyheter och dåliga nyheter. Det är ju en sak att berätta att din mormor just avlidit, och en annan att framföra allvarlig personlig kritik. Det förra är alltid svårt och ingen kommer att ta emot beskedet väl. Det senare, negativ feedback, kan däremot vridas till och justeras efter mottagaren på ett sätt som gör att den lättare fastnar där den ska.

Just feedback är ett gigantiskt område. Det ger många ont i magen och många jag möter under mina ledarskapsprogram tycker att det är ett svårt område. Inte bara är det komplicerat att ge feedback, det tycks även vara svårt att ta emot den. Egentligen är det ju konstigt, eftersom det senare innebär att det bara är att sitta där och ta emot. Men alla som har fått feedback och lämnat rummet efteråt vet att det ibland bara knyter sig. Fel levererad orsakar den bara ont i magen. Och ibland är min frekvens för att ta emot feedback inte inställd på rätt sätt.

Lösningen för många chefer jag möter tycks vara att helt enkelt hoppa över feedbacken. Man vet inte hur man gör, varken hur man ger positiv eller negativ feedback, så man struntar i den. Jag behöver knappast påpeka att det inte är lösningen.

Att bara göra sitt jobb har sina baksidor

En gång för många år sedan hade jag en medarbetare, Micke, som hade presterat i överkant under lång tid. Han var den av alla som fyllde sin budget. Han hade vunnit alla säljtävlingar och han var enormt uppskattad av kunderna. Det formligen vällde in chokladkartonger och vinflaskor från alla håll.

Vad gör man med en sådan medarbetare? Man ser till att han stannar kvar. Sagt och gjort. Jag ville visa min uppskattning som hans chef. Så jag ringde hans fru och förberedde det hela. En fredag strax efter lunch kallade jag in gruppen till konferensrummet. Jag drog upp Micke inför alla andra och förklarade att han var otroligt uppskattad och att vi som grupp ville visa hur glada vi var över att ha honom i vårt lag. Jag sa att han skulle ta ledigt resten av eftermiddagen, ta med sin fru på middag och bio och att jag stod för kalaset. Jag gav honom en femhundring – du förstår att detta var några år sedan – och ett par biobiljetter. Barnvakten var redan fixad, så hej med dig. Vi jublade och hurrade lite till och det blev stort kram- och pusskalas.

Micke sa inte ett ord. Förrän efteråt.

Han tog mig åt sidan och gav mig en av de värsta utskällningar jag fått. Hur kunde jag göra honom detta? Hänga ut honom inför alla tjugosju personer som stod och stirrade på honom! Oerhört! Han hade bara gjort sitt jobb. Han fick mig att lova att aldrig mer göra något liknande. Han var missbelåten med mig i en vecka.

Micke var grön. Ger det dig några ledtrådar?

Det finns en utvecklad immunitet mot feedback

Det finns många sätt att ge feedback på fel sätt. Här presenterar jag några sätt som du kan prova om du vill få det mer rätt. Det lustiga är att det fungerar ungefär lika bra oavsett om det handlar om positiv eller negativ feedback. Vissa människor är immuna mot den första sorten, andra mot den senare. Jag har valt att fokusera på den negativa feedbacken, eftersom den normalt sett är den svåraste. Klarar du att leverera den så klarar du förmodligen den positiva.

Råden nedan fungerar lika bra privat som på jobbet. Det enda du behöver veta är vilken färg din måltavla har. Så det börjar som vanligt med att du analyserar vilka färger som finns i rummet. När du väl har gjort det är det bara att skrida till verket. Syftet är att feedbacken ska fungera, det vill säga att den ska leda till det den är till för – en förändring. Hela det föregående kapitlet, hur andra kan uppfatta de olika färgerna, kan hanteras om du bara vet hur. Nästa avsnitt handlar om just *hur.*

SÅ HÄR GER DU FEEDBACK – SOM VANLIGT BÖRJAR VI MED RÖTT – OM DU VÅGAR

Goda nyheter: Det är ingen större konst att ge negativ feedback till en röd person. Det enda du behöver är en kostym av asbest och flamsäkert hår. För nästan oavsett hur du gör så kommer temperaturen i rummet att stiga. Är du bara beredd på det så är det inga större problem. Om en röd person inte skulle reagera på det du säger har du däremot anledning att oroa dig. Det beror på att han antingen struntar i dig och ditt budskap, eller på att han inte mår bra. Det vanliga är dock att någonting av följande inträffar. Så håll i hatten.

Linda inte in saker om det går att undvika

Låt mig redan här vara väldigt tydlig – när du framför kritik till en röd person är det enklaste du kan göra att undvika all form av inlindning. Det är en utmaning att överhuvudtaget nå fram med den här typen av besked, eftersom den röda ju ändå vet att han har rätt och du har fel.

För många år sedan diskuterade jag röda beteenden med en grupp säljare, de flesta gula. De förstod snabbt vad rött beteende var, och den rödaste person som de vid det tillfället kunde erinra sig var deras chef, försäljningsdirektören. De beskrev honom som bufflig, dålig lyssnare, komplett okänslig, manipulativ, obeveklig på resultat, dåligt humör, alldeles för bråttom plus en hel massa andra mindre smickrande saker. Gruppen var allvarligt bekymrad, för de misstänkte att han hatade sin personal. Visst, han arbetade också mycket hårt, och det respekterade de honom för. Men eftersom han bad om förslag till utveckling ibland och varje gång slog ner allt som inte passade hans egen agenda så kom de aldrig någon vart. Förutom det kontrollerade han allt de gjorde i detalj. Kanske var det därför han arbetade så hårt. Det hela lät verkligen oroande, och säljteamet skulle rämna i bitar inom en snar framtid om inget gjordes.

Jag kallade in försäljningsdirektören och förklarade vad gruppen sagt. Han lyssnade med stigande intresse, utan att visa någon större oro. Men hans reaktion var intressant. När jag hade förklarat för honom att hans tjugo säljare – den viktigaste resursen han hade för att nå sina personliga mål – tyckte att han var en okänslig och aggressiv skitstövel, svarade han:

”Det där är ju bara en massa exempel. Det handlar inte om mig. Det är deras oförmåga som är problemet. Om de bara arbetade hårdare och gjorde ett bättre jobb skulle jag aldrig behöva följa upp dem så hårt.”

När jag förklarade att hans otålighet stressade gruppen och gjorde säljarna osäkra, svarade han att det inte var hans fel. Otålighet är ju inte ens en svaghet – det är för tusan en styrka! Om han skulle släpa benen efter sig som alla andra i det här bolaget så skulle ju ingenting blir gjort.

Om de å andra sidan ökade takten i allt de företog sig så skulle han kanske lugna sig en aning och inte ligga på så hårt. Men det handlade inte om honom. Det handlade om dem.

Ge väldigt konkreta exempel – svamla inte runt

Felet låg, som så ofta med röda personer, i omgivningen. För även om röda personer är duktiga på att få saker att hända på egen hand, kan de vara snabba att utse syndabockar. Kom ihåg tävlingslusten som hela tiden lurar under ytan. Mitt sätt att nå fram till den här mannen var att bryta ner det hela i småbitar och peka på konkreta exempel.

Till exempel förklarade jag att när han ringde hem till en säljare klockan nio en fredagskväll för att ställa utmanande frågor om en viss kund, så förstörde han hela nästa vecka för den säljaren. Det var ingen idé att säga att säljaren mådde dåligt, eller inte kunde sova, för det struntade den här chefen i. Det var inte hans ansvar hur folk mådde. Däremot kunde jag peka på att säljaren skulle komma tillbaka till arbetet på måndag morgon, fullständigt utmattad av den mentala anspänningen. Och då skulle han inte kunna sköta sitt jobb. Ingenting skulle bli sålt den dagen. Genom att coacha försäljningsdirektören till att ge tydliga svar fick jag honom att se att han själv skulle få problem om resultatet föll. Plötsligt hade han en anledning att tänka till.

Håll dig till sakfrågorna

Och det är ett av tricken. Minns att den röda personen inte är så värst intresserad av andras känslor eller av vad människor tycker – han tittar på sakfrågan och han gillar att fixa saker. Han ser sig själv som en förträfflig problemlösare, och det jag gjorde var att utse honom till den enda nyckeln till gruppens framgång. För det första passade det hans ego. Han såg sig själv som den store ledaren vars förmåga att gå före gruppen var det som skulle skapa total dominans i branschen.

Var beredd på att krig kommer att utbryta

Så steg för steg, exempel för exempel, situation för situation, gick jag igenom säljteamets uppfattningar med honom. Försäljningsdirektören protesterade varje gång och argumenterade utan undantag kraftfullt mot varje antydan till kritik mot honom. Det enda han gjorde var att sköta sitt jobb.

För varje exempel jag gav, fick jag upprepa samma sak – det spelar ingen roll vad han tyckte, så länge detta var vad säljarna tyckte så hade han ett problem. Han svor och gormade och anklagade mig för inkompetens. Han skulle aldrig mer anlita mig. Ingen annan skulle anlita mig efter det här opåkallade påhoppet jag utsatte honom för. Jag var slut i branschen.

Min metod att bemöta denna orkan var att vägra spela med. Jag lutade mig tillbaka i stolen och väntade på att stormen skulle bedarra. Det sämsta man kan göra i ett sådant läge är att spela med i hans teater, att själv börja skrika och dunka näven i bordet. Hans naturliga instinkt att vinna varje given situation tar då helt över. Nästa steg finns inte i medvetandet. Att vi ska träffas imorgon igen struntar han i. Han tänker vinna det här, även om det kommer att kosta honom relationen. Han struntar i konsekvenserna, aggressiviteten tar över och nu utbryter full strid. Den röda kan mycket väl få för sig att försöka förgöra dig.

Men om du – vilket jag gjorde – vägrar spela med kan du klara av det. Så jag satt kvar, och när han till slut lugnat sig fortsatte jag helt enkelt bara till nästa punkt, utan att med ett enda ord visa att jag hade påverkats av hans orerande och bullrande. Steg för steg fick jag honom att se vilka effekter hans uppträdande fick på gruppen. Och lite i taget började han inse att om han skulle få som han ville var han tvungen att dämpa sig. Att ta det lugnare med folk, att inte ställa så höga krav på andra – och på sig själv – att projekten i princip inte gick att genomföra, att invänta deadlines istället för att som nu kräva leverans en vecka före deadline bara för att han själv var uttråkad.

Be personen upprepa vad du har sagt

Utifrån sett såg det hela förmodligen ut som ett våldsamt gräl, men jag visste att jag kunde åstadkomma verklig skillnad – om jag inte släppte taget. Så jag gjorde det jag rekommenderar alla som försöker sig på att ge negativ feedback till en röd person bör göra – be den röda att upprepa vad som överenskommits. Be honom repetera vad ni kommit överens om.

Så den här försäljningsdirektören fick lydigt (jag hade ju mandat från VD att göra det här, och det visste vi båda två) gå igenom punkt för punkt hur han skulle agera i fortsättningen i vissa givna lägen. Och ändå, trots att han rent intellektuellt visste att jag hade rätt, kunde han inte riktigt ge sig. Han strök en av de mindre viktiga punkterna på listan och visade tydligt att det var en seger för honom. På något vis hade han ändå vunnit.

Slutsats

Förbered dig *extremt* väl och försök inte ge negativ feedback till en röd person om du inte känner dig stark den dagen. Du bör vara full av självförtroende, så välj ditt tillfälle med omsorg. Den röda är alltid stark, alltid full av självförtroende, så för honom spelar det ingen roll. Han blåser till strid på ett ögonblick om det är nödvändigt. Och – förbered dig på att han kommer att försöka ge igen. Han kommer att anklaga dig för allt möjligt för att känna att han kniper poäng.

Fall inte i fällan.

SÅ HÄR GER DU FEEDBACK TILL EN GUL PERSON – OM DU NU HAR TÅLAMODET

Gula personer är fantastiska på mycket. Bland annat gillar de att förändra saker och ting. Helst hela tiden. Och att ta emot feedback kan ju vara ett sätt att komma sig för att förändra sådant som behöver förbättras, skulle man kunna tro. Framförallt negativ feedback är ju ett perfekt sätt att verkligen få reda på vad som behövs för att lyfta prestationen till en högre nivå. Men det är inte riktigt så det fungerar med gula personer.

För att tala i klartext: det är inte alls så det fungerar. När det gäller förändringar är förvisso gula personer positivt inställda, men då bör det vara de själva som kommit med idén. Feedback utifrån faller inte alltid i särskilt god jord.

En god vän till mig, Janne, är en fenomenal underhållare. Det finns inte en grupp han inte kan roa bara man ger honom tillräckligt med utrymme. Historierna är i vanliga fall av hög kvalitet, och under en middag avlöser de varandra så att man kan skratta ihjäl sig. Den ena efter den andra, och det hela är ytterligt underhållande. Janne är verkligen rolig, inget snack om saken.

Men – och det är ett betydande men – han förbrukar allt syre i rummet. Ingen annan får en syl i vädret. Om man försöker så avbryter han och överröstar en, eftersom han inte ser oss andra som samtalspartners, utan snarare som hans publik. Efter ett tag tystnar skratten och det börjar bli jobbigt. Vi som känner Janne vet att det handlar om hans önskan att ständigt stå i centrum, medan andra tar mer tid på sig för att avslöja honom.

Vid en middag gick det så långt att folk började prata illa om Janne bakom hans rygg. Det kändes inte alls bra, så jag bestämde mig för att ta tag i det hela.

Var beredd på att han kommer att börja prata om annat. Gör en agenda – följ den!

Det första jag var tvungen att göra var att förbereda mig. Det skulle inte funka att bara sätta sig ner och prata fritt ur hjärtat med Janne om problemet. Då skulle han bara ta över samtalet och lura mig av banan. Kanske kunde det bli grunden för en bra historia? Så jag bestämde mig för att ge ett antal konkreta exempel. Jag skrev också ner exakt vilka effekter hans uppträdande kunde ha på folk. Och jag försökte förutse alla hans invändningar.

Sagt och gjort. Vid ett tillfälle när han hjälpte mig att lägga sten i trädgården satt vi efteråt svettiga och utmattade med varsin öl i handen. Han hade precis berättat om en resa han gjort i Spanien, och hur livrädd han varit när båten, som tog dem till den lilla ön där de övernattat i två nätter, höll på att kantra. (Jag visste av hans fru att de inte ens hade åkt båt. De hade nämligen tagit ett litet lokalt flyg). Men när han drog efter andan passade jag på.

”Janne”, sa jag. ”Vi behöver prata om ett allvarligt problem. Du pratar för mycket. Och du hittar på. Jag vet att det du just sa inte är sant, för jag har pratat med Lena och hon sa att ni flög ut till ön. Det måste få ett stopp, för du håller på att göra dig ovän med folk.”

Janne stirrade på mig som om jag hade mist förståndet. ”Jag pratar inte alls för mycket”, sa han, föga överraskande. ”Och om jag skulle göra det så beror det på att jag har massor att säga. Jag kommer faktiskt ihåg en gång när jag ...” Jag satte upp en hand framför hans ansikte och rörde den snabbt fram och tillbaka. Det tystade honom. Jag gick direkt till nästa steg.

Ge mycket konkreta exempel – ta accept varje gång

”Vid förra festen vi hade tillsammans så pratade du mer än halva tiden runt matbordet. Jag klockade dig. Under två timmar höll du hov i mer än en.”

”Ni skrattade”, sa han, nu ganska tjurig.

”Till en början. Men om du hade varit mer uppmärksam så hade du märkt att det bara var till en början. Och efteråt hörde jag flera stycken som kommenterade ditt behov av att stå i centrum på ett ganska negativt sätt.”

Detta gjorde Janne mycket upprörd. ”Vilka otacksamma människor! Här underhöll man folk, och vad får man för det? Rena rama påhoppet! En dolkstöt i ryggen!”

”Jag värderar inte det de sa”, sa jag, ”men jag konstaterar att de tyckte att du pratade för mycket. Förstår du vad jag menar?”

Det är otroligt viktigt att ta accept på detta budskap. Ett problem man inte erkänner behöver man nämligen inte lösa. Vad gjorde Janne? Han nickade tjurigt. Jag tänkte att det här hade börjat ganska bra trots allt.

Sedan hände någonting mycket märkligt.

Var medveten om att öronen förmodligen är urkopplade

”Jag förstår att de blev uttråkade”, sa han. ”Du har rätt. Jag behöver förnya mig. Jag har dragit en del av de där gamla historierna för många gånger. Jag måste sluta upprepa mig.”

Jag tog mig för pannan. Han hade totalt missat poängen.

Jag sa: ”Det är inget fel på dina historier. Du behöver bara minska ner på mängden. Dra bara var tredje. Hoppa över två av tre. Problemet är att du pratar för mycket, inte att du upprepar dig. Du måste låta de övriga sju runt ett bord få komma till tals.”

Men han lyssnade inte, utan började dra en ny historia bara för att kolla om jag hade hört den. Jag fick upprepa alltihop en gång till och ta nya accepter.

Var noga med att förklara att det inte är personen du är ute efter – bara hans beteende

Men att kritisera en gul person är svårt, för de tar illa upp. Om inte allting är glass och ballonger hela tiden så måste vi ha ett problem. De tror att ni plötsligt är ovänner. Och Janne reagerade likadant. Han flyttade sig fysiskt en decimeter ifrån mig, en tydlig markering att han var missnöjd. Så jag gjorde det man gör med små barn. Jag förklarade att jag fortfarande uppskattade honom som min kanske allra bästa vän, och att jag tyckte att han var jätterolig. Det enda jag ville var att han silade snacket en aning. Det hade gått överstyr. Jag upprepade säkert tio gånger att jag gillade honom väldigt mycket.

Tyvärr är han en skrämmande dålig lyssnare, så jag var tvungen att påminna om alla roliga saker vi gjort tillsammans, och att jag brydde mig fantastiskt mycket om honom. Jag valde att även kommentera och gratulera honom till hans val av ny bil. Jag manipulerade honom helt enkelt. Lite i taget tinade han upp och hans kroppsspråk blev mindre defensivt.

Förbered dig på kraftiga försvarsmekanismer – risk för martyrbeteende

Men inte heller det räckte. Janne kom med kommentarer av typen: *ingen gillar mig, alla andra är mycket mer underhållande, jag trodde att ni tyckte att jag var rolig.* Förutom alla de vanliga försvarsmekanismerna, förstås: Han höll ju bara festen igång. Det var alla andra som var tysta och tråkiga. Vad var det för underhållande med en introvert tråkmåns? Och att prata mycket – skulle det vara ett problem? Åh nej, det var faktiskt en mycket fin egenskap. Jag påpekade att förutom att han tog all plats, så fyllde han även i luckor som andra lämnade.

Ett konkret exempel: Under den senaste middagen hade Jannes fru Lena fem gånger fått olika frågor, och Janne svarade varenda gång. Till slut blev det nästan löjligt. Alla märkte det utom Janne. Hon slutade helt att prata.

”Men hon tog ju sådan tid på sig! Och jag visste ju svaret!” Han förstod ingenting. Eller så valde han att medvetet spela trögfattad.

Be personen upprepa vad ni har kommit överens om – följ upp så snart du kan

Lättare i teorin än i praktiken. De två gångerna vi träffades direkt efter vårt samtal skärpte han sig. Vid ett tillfälle satt han tyst en hel bjudning. Visst, det var en barnslig markering. Det var dessutom uppenbart att han höll på att spricka av frustration. Att inte prata var som att förvägra honom syre. Och det som upprörde honom mest av allt var att ingen runt bordet frågade varför han inte sa något. Kunde de inte se att han gjorde sig till för deras skull?

Det som skedde var att hans fru började prata mer, och hon fick mycket uppskattning för att hon var så trevlig.

Efter ett tag återgick Janne till sitt vanliga jag. Det var enklast. Han såg inga direkta vinster med att hålla tyst. Och Lena föll i glömska igen. I fallet Janne värderade jag vår vänskap högre än att försöka förändra hans beteende. Jag tog aldrig mer upp frågan, men jag tar ibland Janne-pauser. Jag behöver helt enkelt vila upp mig från honom.

Slutsats

De gula är faktiskt, tvärt emot vad man skulle kunna tro med anledning av deras flexibilitet och egna kreativitet, de svåraste att förändra. De lyssnar inte och de genomför helst bara förändringar som de själva gett upphov till. Det du gör är att massera deras egon så mycket du orkar, och lägger orden i munnen på dem.

Värt att komma ihåg är att deras dåliga minne även gäller jobbiga känslor. Även om de mår pyton av att få kritik så faller även detta snart i glömska. De förtränger helt enkelt allt det jobbiga. Så om du bara står ut med stönandet och stånkandet och kanske tårarna i stunden, så kan du fortsätta mot ditt mål – att få fram den förändring ni båda kommer att må bra av.

Med tålamod och uthållighet kommer du till slut att lyckas.

SÅ HÄR GER DU FEEDBACK TILL EN GRÖN PERSON: MEN TÄNK DIG FÖR FÖRST

Helst av allt skulle jag vilja hoppa över den här delen. Varför då, undrar du? Enkelt. Att kritisera en grön person kan vara grymt. De mår dåligt och vill inte vara med längre. Detta är generellt sett mindre starka egon som ofta kan vara väldigt självkritiska. Man vill liksom inte lägga mer sten på bördan.

Observera en sak bara. Det är skillnad på att vara självkritisk och att göra någonting åt det. Många gröna personer går omkring i livet och önskar att mycket var annorlunda. Men de har sällan drivet att göra någonting åt det. Så de fortsätter att vara missnöjda. Ibland tror jag att det är en grej i sig, att inte vara nöjd. Det är också ett sätt att få lite uppmärksamhet, att skaffa sig lite makt. Jag vet många gröna personer som bestämmer och styr över allt och alla i sin familj genom att helt enkelt vägra göra någonting överhuvudtaget. Psykologerna kallar det för passiv aggressivitet, ett välfunnet uttryck.

Dock, om du nu skulle vilja ge feedback till den gröna kommer här några metoder som skulle kunna fungera. Se bara till att du verkligen har bestämt dig när du väl sätter igång.

Ge konkreta exempel – använd mjuka ord

Det är förstås alltid bra att vara konkret. Skillnaden här är att den gröna faktiskt lyssnar, vilket inte de båda föregående färgerna gjorde. Den gröna hör vad du säger, och tycker illa om det han hör. Men du måste vara konkret och du skulle kunna göra som med den röda – fast tvärtom.

När det inte fungerar att till en röd person säga att du mår dåligt av hans beteende, eller att andra känner sig illa till mods av det ena eller det andra, är det precis vad som fungerar bäst här. Den gröna är en relationsmänniska och tycker inte om att såra. Det kan tyckas manipulativt, men om ett visst beteende gör dig ledsen, arg eller bara allmänt uppgiven – säg det. Den gröna personen kommer att känna av ditt humör med alla sina sinnen, och han kommer att ta in vad du säger om du vågar vara tydlig med det.

Linda inte in saker i onödan – använd mjuka ord

Det är ju det här med tydlighet. Om du själv är det minsta mänsklig ser du hur en grön person sjunker ihop alltmer när du ger honom negativ kritik. Om du berättar för din partner att hans ständiga sportande eller fotbollstittande får dig att känna dig negligerad och oälskad, så kommer du att se hur illa det berör honom när polletten verkligen ramlar ner. Då är det viktigt att du inte backar och tar tillbaka ditt uttalande med kommentarer av typen *men det är kanske inte så farligt* eller *fast jag har ju mitt målande.* Våga vara tydlig och gå rakt på sak.

Det du behöver göra är att framföra det på *rätt sätt.* Tydligt men mjukt. En hand på en axel kan räcka för att sända en signal om att vi fortfarande är kompisar, men jag får problem när du gör si eller så.

Du har rätt – jag är så dum!

Total undfallenhet. Det som händer när du berättar hur du känner inför hans sätt, är en variant på det gula martyrbeteendet. Den gröna kan mycket väl lägga sig helt platt och kalla sig själv för allt möjligt dumt.

Inte sällan blir det kommentarer av typen jag ska *ALDRIG MER* göra så. En kraftig foglighet är ibland oundviklig, och tårar kan förekomma. De krossar sig själva med ytterligare argument för varför de är värdelösa och korkade. De kommer att huka i din närvaro i veckor efteråt och försöka serva dig med allt möjligt som inte har med saken att göra.

Jag känner till en man som av sin fru fick höra att hon verkligen hatade att han alltid skulle spela dataspel en viss tid på kvällarna, bara för att han alltid brukade göra det (vanemänniskan). Han erkände att det var barnsligt, onödigt och kostsamt. (Han köpte någon slags digitala gubbar i något av de större strategispelen för en ansenlig summa pengar varje månad.) Han lovade att vara mycket mer uppmärksam på hennes behov. Han lovade allt och mer därtill för att kompensera sitt trista beteende. Det följande halvåret skyndade han sig hem från jobbet för att hinna laga maten innan hon hann börja med den. Han köpte blommor en gång i veckan och han masserade hennes fötter utan att hon bad om det.

Mycket rart och mycket uppskattat – förutom att han inte gjorde det hon bett honom om – nämligen att sluta spela dataspel. Han hade nämligen undvikit att acceptera just den detaljen. Han hade aldrig lovat rakt ut att sluta.

Var noga med att förklara att det inte är personen du är ute efter – bara hans beteende

Det är som med småbarn – pappa älskar dig väldigt mycket lilla gumman, men kan du sluta äta glass i soffan? Precis som med de gula är problemet vad den här dåliga feedbacken kommer att göra med vår relation. Men det löser du enkelt genom att snabbt återkomma till personen med goda nyheter och positiv feedback. Här räcker det inte att säga att det bara handlar om en viss uppgift som gått åt skogen. Du behöver i handling visa att du inte tänker lönnmörda honom. Han litar bara på det du gör, inte på det du säger.

Be personen upprepa vad ni har kommit överens om – följ upp ganska snart!

Gröna personer – har jag märkt – skriver inte alltid ner vad man säger till dem. En god idé kan därför vara att stämma av om ni uppfattat samma saker under det här samtalet. Har du en medarbetare som du vill ska skärpa till sig vad gäller till exempel tidspassning, se till att han förstår att det är just tider det handlar om. Han kan mycket väl få för sig att du egentligen pratar om någonting annat.

Det vanliga är ju att man jämför andras beteenden med hur man själv skulle uppträda. Och eftersom gröna personer kan vara ganska luddiga i sina egna budskap kan de mycket väl få för sig att du egentligen pratar om något annat. Själv går han ju aldrig rakt på sak, så vad kan det vara du egentligen är missnöjd med?

Se till att ni är överens om vad det gällde. Och följ upp. Vi pratar ju om att ändra på någonting, att du vill se ett annat beteende. Och i vanlig ordning löser gröna personer detta genom att göra … ingenting.

Se till att det inte händer i din grupp.

Slutsats

Om du är mänsklig, vilket jag skulle tro att du är, så kommer du kanske att få dåligt samvete och tycka att du gick på den gröna personen alldeles för hårt. Jag minns själv ett tillfälle när jag grälade på en medarbetare inom bankvärlden, eftersom hon enligt mitt tycke inte gjorde det hon skulle. Hennes reaktion var att braka ihop fullständigt och inte komma till jobbet på två dagar. Det kändes verkligen inte bra, men när vi pratade om det i efterhand visade det sig att jag faktiskt inte bett henne om exakt de uppgifterna. Jag hade bara antagit att hon såg samma sak som jag.

Jag erkänner villigt att jag vid den här tiden var en orutinerad och inte särskilt effektiv chef. Jag begick därför det klassiska misstaget – jag tittade på situationen genom mina egna glasögon och blev helt enkelt förbannad när hennes glasögon visade någonting annat. Och när jag sedan förstod det skämdes jag. Hon såg så bedrövad ut och gick omvägar runt mig. Konsekvensen var att jag under lång tid knappt vågade säga mycket mer än hej och hej då till henne. Hon gjorde det gröna personer är bra på, hon duckade och utförde ännu mindre av sina vanliga arbetsuppgifter.

Det finns en instinktiv känsla hos många gröna att veta när det är läge att ta det extra lugnt. Men det spårade ur. Den här kvinnan utförde praktiskt taget inga arbetsuppgifter alls eftersom hon kunde känna av min tveksamhet och det skulle inte förvåna mig om hon helt enkelt utnyttjade mitt dåliga samvete för att komma undan. Jag tappade greppet om henne. Hon höll till slut på att bli uppsagd för att hon inte gjorde sitt jobb, och jag fick allvarlig kritik av min chef för att jag inte tagit tag i saken.

Se till att du inte gör samma misstag som jag. Låt det inte gå för långt. Ta upp problemet medan tid är. Leverera den negativa feedbacken. Även till de vänliga, gröna personerna i ditt liv.

SÅ HÄR GER DU FEEDBACK TILL EN BLÅ PERSON: ETT VARNINGENS ORD FÖRST, BARA

Innan du kommer på tanken att ge negativ feedback till en blå person – se för Guds skull till att du vet vad du pratar om. Låt mig påminna om att den blå personen vet exakt vad han har gjort och han har bättre koll på detaljerna än du. Så se till att du har dina fakta klara för dig innan du ens tänker tanken. Nedan handlar om hur du levererar feedbacken, men det största jobbet ligger här i att ta reda på vad som verkligen har hänt.

Det kan vara en god idé att stämma av med ett flertal inblandade och dokumentera vad de säger och vilka fakta de påvisar. Den blå personen kommer att kunna citera allt och alla och han kommer alltid att ha bevis för att det han gjort är det rätta – det var ju därför han gjorde så. Hade det varit fel hade han nämligen inte gjort så. Se därför till att du är riggad till tänderna redan innan du bokar mötet.

Ge konkreta, detaljerade exempel, helst i skriftlig form

Det duger inte med svepande formuleringar av typen *jag tycker att du jobbar för långsamt, kan du vara snäll och öka farten?* Det är på tok för generellt. Det spelar ingen roll om du har rätt eller inte – uppgiften *jobbar för långsamt* säger strängt taget ingenting. Säger *vem*? Långsamt i relation till *vad*?

Det du behöver göra är att peka på konkreta exempel som måste vara korrekta och innehålla en viss grad av detaljer. Du behöver säga saker av typen *det senaste projektet tog 16,5 timmar för mycket*. Lägg därefter till effekten av detta. *Vi kan inte debitera kunden dessa 16,5 timmar, vilket gör att lönsamheten nu har minskat med 20 625 kronor* (16,5 h x 1 250 kr/h eller vad ni nu debiterar).

Detta är ett budskap som den blå personen kan överväga att ta till sig. Drar du det för en gul person kommer han att kasta upp, men för den blå är detta en ytterst relevant uppgift. Eftersom det krävs detaljerad feedback blir den dessutom vansklig om du bara ger den under ett samtal. Du behöver därför ha allting nedskrivet. Den missade kalkylen får gärna finnas i Excelformat, det underlättar definitivt. Eftersom blå personer bär på en viss misstänksamhet till för mycket prat, blir det skrivna ordet automatiskt mer sant.

Så skriv ner det du vill ha sagt, men dubbelkolla allting. Och varför faktiskt inte be någon annan kolla siffrorna innan du bokar mötet med den blå sölkorven?

Bli inte för personlig om ni inte känner varandra mycket väl

En gul och en grön chef skulle mycket väl kunna klappa om den blå personen och bli personlig inför ett möte där man planerar att ge kraftigt negativ feedback. Anledningen är enkel – de vet att de själva skulle reagera mycket negativt om någon hoppade direkt in i kritiken utan att mjuka upp dem först. Inget kunde bli tokigare om du behandlar en blå medarbetare på det viset. Han blir bara misstänksam och kommer inte att lyssna som du vill.

Tänk på hur en röd person hade gjort. Han skulle helt enkelt boka mötet, sätta sig ner och skicka över papperet med det negativa resultatet. (Om det nu finns ett sådant. Handlar det om feedback till en granne på att hans löv blåst in på din tomt får du helt enkelt lämna över en påse med löv och be honom räkna dem.) Men den röda kommer inte att linda in någonting. Han kommer att gå rakt på sak. Han kommer som vanligt inte att ha några problem med att tala om att beteendet inte duger. Att dra ut på tiden i ett projekt är oförlåtligt, och eftersom han hade hoppats på att allting skulle vara klart 16,5 timmar i *förväg* och inte 16,5 timmar *för sent*, är han nu djupt upprörd.

Håll dig till sakfrågorna

Slutsatsen är tydlig – ska du nå fram till en blå person ska du hålla dig till sakfrågan. Varje gång du drabbas av dåligt samvete och börjar prata om hur uppskattad han är, kommer du att förvirra honom. Han undrar vad du egentligen vill ha sagt. Han har inget ego som måste blåsas upp, och han kommer att se rakt igenom dina försök att linda in den kritik du egentligen har. Så håll dig till sakfrågan.

Använd inte den famösa sandwichmetoden, flitigt använd av svenska chefer och ledare. För att avdramatisera och mjuka upp ett tungt budskap (*du har förlorat för många kunder, du har kostat oss pengar, du har inte levererat i tid, du har varit ohövlig mot Berit i receptionen*), bör du även säga positiva saker. (*Du är en uppskattad medarbetare, du gör ju oftast rätt, ibland blir det ju inga fel alls, jag gillar dig hemskt mycket.)*

Problemet med sandwichmetoden, gemenligen även kallad *ros-ris-ros*, är att ingen begriper sig på ditt budskap. Vad vill du egentligen ha sagt? För en blå person blir det särskilt obegripligt, eftersom det du lindar in ditt budskap i kommer att vara relationsmässigt och kanske känslomässigt – inte professionellt. Kom ihåg att han inte är där för att bli din kompis, utan för att utföra ett jobb. Se till att prata om det.

Fråga gärna om han har några förslag till förbättringar. Använd ord som kvalitet, utvärdera, analysera, följa upp. Använd helt enkelt ett språk han är van vid. Du når fram så mycket lättare.

Var beredd på motfrågor på molekylär nivå

Givetvis kommer han inte att köpa vad du säger rakt av. Och det är väl rimligt att ge, som i det här fallet en medarbetare, chansen att ställa lite frågor? Det finns en risk att du kommer att möta motfrågor av en magnitud som får dig själv att känna dig misstänkliggjord. Frågorna kommer kanske att omfatta varje steg i den feedback du har gett.

Hur vet du det? Vem har sagt det? Hur har du räknat fram det där? Var står det att det ska vara på detta vis? Hur kommer det sig att jag inte kan hitta den här informationen på intranätet? Av vilken anledning har du väntat till nu med att ge mig den här feedbacken? Kan jag få se på underlagen? Var finns avtalet som reglerar vår debitering? Kan vi verkli-

gen inte lägga till 16,5 timmar i vår fakturering? Har det inte gjorts tidigare? Jag erinrar mig en kund för fyra år sedan som …

Det är inte säkert att du kan svara på alla frågorna, så du får helt enkelt bestämma dig för hur djupt du vill gå. Du kan alltid säga att *det bara är så, gå tillbaka och jobba nu*. Det är det sämsta du kan göra, i alla fall om du vill behålla hans förtroende. Det enda du har bevisat är att du inte har koll.

Be personen upprepa vad du har sagt – följ upp efter en tid

När jag håller seminarier kring ledarskap kommer ofta frågan om att ge feedback upp. Det är ett ämne som är ytterst komplicerat, mycket beroende på att vi låter våra känslor styra oss när vi ger feedbacken. (Och ta emot den, förvisso.) Men som vanligt ger jag samma råd som gäller för de övriga färgerna. Be din blå medarbetare upprepa vad det är ni har kommit överens om. Han behöver kvittera att han har sett och hört detsamma som du.

Det är mycket troligt att han kan upprepa allting mer eller mindre ordagrant, men det är lika sannolikt att han inte har tagit till sig budskapet om du var luddig eller för inriktad på att skydda er relation. Han förstår mycket väl att han ska upprepa det han vet att du vill höra honom säga. Men det är inte samma sak som att han tycker att din negativa feedback var relevant. Han kan mycket väl följa en helt annan världsordning.

Exemplet med det övertrasserade timestimatet är en försåtligt dold fälla. Eftersom ett projekt levererat till en kund bara har det värde kunden anser, är kvalitet av yttersta vikt. Om vi slarvar – fortfarande enligt en blå persons standard – kommer vi inte att få fler uppdrag av den kunden. Vad kommer inte det att kosta i förlorade intäkter? Så hur kan du värdera just tiden så högt? På det logiska planet kan du ganska enkelt bli överbevisad om att du är ute och cyklar.

Men *vet* du att du är rätt ute, inte bara att det *känns* så – följ upp efter en tid och stäm av att han är på banan igen.

Slutsats

Det är svårt att kritisera en perfektionist. Han vet redan vad som är bäst sätt, och han ändrar inte uppfattning bara för att du råkar ha en tjusigare titel på visitkortet. Så det handlar om att vara mycket väl påläst. Konstigare än så är det faktiskt inte.

Det du också behöver komma ihåg är att även om det kan vara svårt att få feedbacken att fästa ordentligt på den blå personen, så har han inga som helst problem med att kritisera andra. Minns att han ser alla misstag alla andra gör, och han kan mycket väl peka ut dina misstag när du minst av allt anar det. Inte för att han är direkt hämndlysten, utan för att du helt enkelt har … slarvat.

KAPITEL 14

VEM PASSAR IHOP MED VEM – OCH VARFÖR ÄR DET EGENTLIGEN SÅ?

GRUPPDYNAMIK I SIN YPPERSTA FORM

Det korta svaret är att en grupp bör bestå av alla färger för att skapa bästa möjliga dynamik. I den bästa av världar hade vi haft lika många av varje färg. Den gula kommer med en ny idé, den röda tar beslutet, den gröna genomför den och den blå utvärderar och kvalitetssäkrar resultatet. Men så ser det långt ifrån alltid ut. Inte sällan hittar vi gula personer på positioner som hade varit mer lämpade för röda. Eller i värsta fall har de lyckats snacka sig till ett jobb som egentligen kräver ett blått beteende. Det finns faktiskt massor av exempel på människor som sitter på fel stolar, och en del av förklaringen ligger i att de saknar naturliga förutsättningar att klara av sina jobb. Dessutom har allt detta även att göra med vilka drivkrafter olika människor har. Olika människor motiveras av olika saker, och det kan få dem att gå ifrån sitt grundbeteende i vissa givna situationer. Men det är överkurs och ingenting jag tar upp i den här boken.

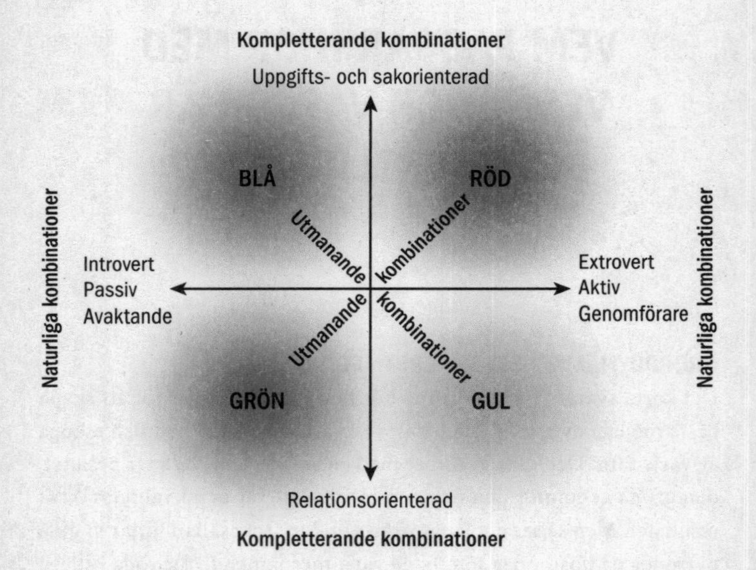

Så hur sätter man ihop sitt team? Titta på bilden ovan. Här ser du på ett överskådligt sätt varför vissa kombinationer är mer lämpade än andra. Ska du rekrytera medlemmar till ditt team kan detta vara en bra grund att börja med.

Som du ser fungerar olika färger olika bra ihop med varandra. Återigen finns det mängder av undantag, men låt säga att ingen i gruppen har någon egentlig kunskap om sitt beteendemönster, och därför saknar någon större självinsikt. Rent allmänt är det lättare för två personer att arbeta tillsammans om de till exempel har samma känsla av tempo i kroppen.

Naturliga kombinationer

Om vi tittar på skissen ovan ser vi att blått och grönt skulle kunna vara en lämplig kombination utan större ansträngningar från någon av dem.

De skulle absolut känna igen sig i varandras förmåga att andas lugnt och tänka efter före. Eftersom båda är introverta känner sig båda trygga med den andre. Ingen av dem bygger några luftslott utan de kommer hela tiden att stå med båda fötterna på jorden. De stressar inte utan tillåter sig att gå på djupet med saker och ting. Visst kan det hända att de har svårt att komma till beslut, men de beslut som tas kommer att förmodligen vara genomtänkta.

Likaså skulle rött och gult fungera smidigt tillsammans eftersom de båda vill skjuta från höften och komma vidare i processen. Båda är kraftfulla och utåtriktade och eftersom de är verbala hittar de enkelt orden. Visst kommer de att ha olika fokus i samtalet, men dialogen kommer ändå att flyta på. Båda sätter höga mål, och tänker fort. Ett team av gult och rött kommer att sätta hög fart och samtidigt som de är tydliga med vad de vill kommer de att motivera sin omgivning till stordåd. Utmaningen ligger förmodligen i att den röda kan uppfatta den gula som alltför pratig, men eftersom ingen av dem är någon lyssnare i världsklass stänger båda av när det passar.

Kompletterande kombinationer

Det skulle även fungera att titta på den andra axeln, och vilket fokus de olika färgerna har. Både blå och röda personer är sakorienterade. Visserligen är den röda mer intresserad av målet än av själva processen, och visserligen är den blå mer intresserad av vägen till målet än målet självt – men de pratar åtminstone om samma sak. Båda ägnar sig åt att arbeta, och ägnar begränsad tid åt att prata om fotboll eller heminredning – utom kanske på lunchen. De skulle komplettera varandra på ett bra sätt. Liknar vi det vid en bil så är den röda gasen medan den blå är bromsen. Och båda behövs för att lyckas med körningen. Tricket ligger i att inte trampa på alla pedaler samtidigt.

Likaså finns det en logik i att placera en grön person intill en gul. De kommer att jobba med olika tempo, men de kommer båda att vara nyfikna på varandra. Båda tycker att människor är intressanta och viktiga. Medan den ena gillar att ta det lugnt vill den andra ha kul. De kommer helt klart att hitta ett liknande fokus. Den gröna kommer att låta den gula ta så mycket plats han vill. Den ena pratar, den andra lyssnar. Det skulle kunna fungera bra. Gröna personer är dessutom bra på att lugna ner lätt hysteriska gula som ibland förlorar kontakten med markytan. De kommer aldrig att glömma bort människan i processen. Visst finns det risk för att de missar att ägna tillräckligt med tid åt själva uppgiften, men de kommer att ha väldigt trevligt. Risken finns också att omgivningen tycker att de inte levererar någonting utan bara roar sig. Eftersom båda dessutom kan ha svårt att säga nej kanske de inte bör anförtros alltför mycket pengar.

Utmanande kombinationer

Det finns samtidigt två mycket komplicerade kombinationer. Det innebär inte att dessa inte kommer att kunna arbeta tillsammans, men det betyder definitivt att här finns utmaningar som behöver övervägas. En av lösningarna är att båda två höjer sin självinsikt rejält.

Titta på grafen på nästa sida.

Den högra kolumnen under respektive färg berättar det man själv ser i sin profil, de bra och positiva sakerna. Den vänstra visar vad ens motsats skulle kunna uppfatta under mindre gynnsamma omständigheter. Du har säkert hört om en person som anses vara en riktig tråkmåns, men när du träffar honom så finner du en mycket intressant person med massor av spännande saker i bagaget. Vem har rätt och vem har fel? Det beror på vem du frågar.

Problematiken ligger mellan de olika färgernas motsatser. Den positiva bilden ger uttryck för hur respektive profil upplever sig själv. Den negativa bilden ger uttryck för hur man kan upplevas av andra. Vi ser olika saker.

BLÅ – ANALYTISK		RÖD – DOMINANT	
Kritisk	Flitig	Framfusig	Stark vilja
Obeslutsam	Eftertänksam	Sträng	Oberoende
Inskränkt	Allvarlig/Ihärdig	Tuff	Ambitiös
Kräsen	Fordrande	Dominerande	Beslutsam
Moraliserande	Metodisk	Hård	Effektiv
GRÖN – STABIL		**GUL – INSPIRERANDE**	
Envis	Stödjande	Manipulerande	Inspirerande
Osäker	Respektfull	Hetsig	Stimulerande
Eftergiven	Tjänstvillig	Odisciplinerad	Entusiastisk
Beroende	Pålitlig	Motverkande	Dramatisk
Tafatt	Trevlig	Egoistisk	Utåtriktad

OCH SÅ FINNS DET KONKRETA PROBLEM

Det är en ganska stor utmaning att sätta samman en röd och en grön person för att till exempel lösa en uppgift. Om jobbet bygger på ett fungerande samarbete uppstår snabbt problem. Den gröna är väldigt passiv till en början, inte minst jämfört med en röd person som sätter igång innan han ens har lyssnat klart på instruktionerna. Medan den gröna tycker det är arbetsamt att behöva göra sin del, har den röda dragit igång med buller och bång.

Den röda kommer att vara mycket kritisk till den grönas ständiga jämmer om att det är för mycket att göra. Samtidigt kommer den gröna att tycka att den röda är en aggressiv skitstövel som aldrig lyssnar. Men under gynnsamma omständigheter kan det trots allt fungera. Den gröna är ju rent allmänt inställd på samarbete, det är deras styrka. De fungerar med många andra människor genom att de inte tar plats i onödan. Och egentligen finns det en viss logik i att tussa ihop en röd och en grön. Den röda gillar att ge order, den gröna är oftast helt okej med att få order.

Med utgångspunkt i Marstons teorier (se sidan 257) inser man dock att den största utmaningen är att be en gul och blå person att arbeta tillsammans. Finns här ingen självinsikt att tala om så kommer en intensiv värmeutveckling att uppträda från första stund. En gul person kastar sig in i uppgiften utan minsta aning om vad som ska göras eller hur det ska utföras. Han läser inga instruktioner och han lyssnar inte på vad saken går ut på. Han pratar vitt och brett om vilken spännande uppgift de har fått. Under tiden läser den blå personen in sig på vilket material som nu kan finnas tillgängligt. Han säger inte ett ord utan bara sitter där. Mer eller mindre orörlig *tänker* han.

Den gula kommer att anse honom vara den mest oinspirerande träbock han någonsin träffat. Den blå däremot blir bara störd av den gulas eviga pladdrande. Surret utan avbrott får det att koka inom honom. Han anser att den gula är en oseriös snackpåse som inte är värd någon som helst uppmärksamhet. Och när den gula till slut inser att han inte vunnit över den blå på sin sida kommer han att ta i ännu hårdare. I värsta fall försöker han charma den blå, vilket kommer att sluta med en rejäl dikeskörning. De kommer att sitta i varsitt hörn och sura, fast av helt olika anledningar.

Självinsikt, min vän, är lösningen.

SÅ VAD GÖR JAG OM JAG INTE VET VEM JAG HAR FRAMFÖR MIG? ENKELT! GO GREEN!

Alla är ju inte lätta att läsa av och tolka. Har en person bara en färg kommer du efter att ha läst ut den här boken inte att ha några problem med honom. Det kommer att vara uppenbart vad du ska göra. En person som endast är röd eller gul går inte att missa. Men även rent gröna eller blå är ganska lätta att upptäcka bara du vet vad du ska titta efter.

Statistiskt sett, som jag tidigare nämnt, har bara cirka fem procent av befolkningen endast en färg. Omkring åttio procent har två och resten har tre. Ingen har fyra, inte i det verktyg jag använder.

Även de som har två färger är relativt enkla att känna igen. Vanliga kombinationer vid två färger är att de följer någon av axlarna, det vill säga blå/röd, röd/gul, gul/grön eller grön/blå.

Givetvis förekommer det att rent motsatta egenskaper återfinns inom en och samma person. Jag har mött massor av gul/blå personer. Det finns inget fel i det, det är bara ovanligare. Men riktigt ovanligt är distinkt röd/gröna profiler. Varför det är så vet jag faktiskt inte.

Vid ett tillfälle mötte jag en kvinna som var mellanchef i ett företag i bilbranschen. Hon var beslutsam och kraftfull i sitt sätt, men hon var samtidigt ytterst omhändertagande. Hennes omsorger om sina medarbetare var genuina, och det gav en del märkliga effekter. Bland annat kunde hon tappa humöret väldigt snabbt. Hennes utskällningar var legendariska. När hon väl kom på sig, gick hon genom eld och vatten för att mildra sitt övertramp och reparera skadorna. Hon mådde verkligen dåligt av att ha gett sig på enskilda individer, men samtidigt kunde hon i stunden inte hejda sig. Faktum är att den här slitningen mellan två motstridiga krafter gjorde att hon var mycket nära att bränna ut sig.

Personer med tre färger kommer alltid att vara svårare att tolka. Om någon är riktigt svår att placera på kartan kan det mycket väl bero på att han har tre färger. Situationen kommer att avgöra hur beteendet blir.

Det bästa råd jag kan ge om du verkligen inte kan analysera personen du möter, är att stänga munnen och börja lyssna. Agera helt enkelt grönt om du är osäker. Jag får ibland kommentaren att den där människan går det inte att begripa sig på – han gör ju ingenting. Men även en person som är väldigt passiv uppvisar ju något slags beteende. Och numera vet du ju vilken färg som förmodligen avses när man säger att någon knappt rör på sig. Det säger massor om det blå beteendet.

KAPITEL 15

SKRIFTLIG KOMMUNIKATION

NÄR MAN INTE HINNER TRÄFFAS UTAN VÄLJER MANAGEMENT BY MAIL FÖR ATT SPARA TID. ELLER VARFÖR MAN NU GÖR DET.

I skrift kan mycket avslöjas. Olika färger skriver väldigt olika. Vissa tar sig verkligen tid att uttrycka sig, medan andra fattar sig kort. Har man chansen att läsa ett längre stycke som en viss person har skrivit – en rapport, en krönika, ett brev eller en insändare – så finns det massor att gå på. Väldigt ofta går det att spåra färgen i det skrivna ordet. Är man fåordig i tal kan man nog vara det även i skrift. Och vice versa.

Har du ingenting annat än ett mail, ja, då får du gå på det du har. Säg att du mailar med en kund. Du vill förbereda dig på rätt sätt. Titta noga på hur mailet egentligen ser ut. Är det faktabaserat? Finns där med någon slags personlig touch? Är det kort och koncist, eller verkar det vara skrivet lite spontant? Alla dessa små tecken är viktiga signaler som du kan använda till din fördel. Som vanligt finns det massor av undantag, men det finns ändå mönster att vara uppmärksam på.

Här följer några exempel på hur det kan se ut.

Avsändare	kristian.jonsson@teamcommunication.se
Mottagare	Cina.cinasson@coco.net
Ämne	Möte

Möte 11 i morgon. KOM I TID!

/K

Vad tror du? Skriker K eftersom han använder sig av versaler? Det är inte säkert. Det kan handla om att han helt enkelt vill betona att mötestiden är viktig. Kanske har han bråttom någonstans. Att den som får mailet kan bli frustrerad över tilltaget är en helt annan sak. Och som vanligt kan den röda personen leva med det. Herregud, han ville ju bara vara tydlig.

Ditt agerande: Svara helst kvickt som ögat. Kort och koncist. Ett sätt kan vara att helt enkelt svara: *OK.*

Avsändare	kristian.jonsson@teamcommunication.se
Mottagare	Cina.cinasson@coco.net
Ämne	Möte!

Tjena, Cina! Läget? Var du på matchen igår? Jag såg att Lasse var där. Han spillde kaffe över hela sig, och jag trodde inte att jag nånsin skulle kunna sluta garva! ☺ kolla bilden jag la upp på fejan! Hurru, jag hade tänkt att vi skulle sätta oss och snacka om den där kunden i morrn innan lunch om det funkar för dig. Elvatiden ok?

Tja ba!

Krille

Avsändare	kristian.jonsson@teamcommunication.se
Mottagare	Cina.cinasson@coco.net
Ämne	Möte!

Oj! Jag glömde visst att bifoga bilden! Här kommer den iallafall! ☺

Krille

Även i skrift uttrycker sig den gula väldig spontant och lättsamt. Det som kommer ut genom fingrarna är glada tillrop och vad som känns rätt just för stunden. Notera gärna det sociala snacket om stackars Lasse och hans kaffe. Ett gott skratt som måste uppmärksammas.

Ditt svar? Det är inte så bråttom, men missa helst inte att återkoppla, annars kan osäkerhet uppstå. Var hjärtlig tillbaka. Glöm inte att tacka för den roliga bilden och tala om att du skrattade högt …

Avsändare	kristian.jonsson@teamcommunication.se
Mottagare	Cina.cinasson@coco.net
Ämne	Möte

Hej Cina,

Jag ville bara påminna om mötet i morgon kl elva. Hoppas det fortfarande passar dig. Jag fixar fika, har med mig lite bullar hemifrån. Ha det bäst!

Med vänlig hälsning,

Kristian

En mjukare och mer personlig ton. Förmodligen har Kristian putsat på det här mailet för att vara säker på att det inte finns några kontroversiella budskap där. Att påminna folk om möten som bokats in för länge sedan kan ju av vissa uppfattas som lätt stötande, så här vill man vara säker på att inget kan misstolkas.

Och hur ska man bemöta detta trevliga mail? Var personlig och mjuk tillbaka. Tacka gärna. Du måste inte säga att det ska bli gott med en bulle, men om du väljer att göra det så kommer det inte att skada. Kom sedan ihåg att ta det lugnt och inte stressa under mötet.

Avsändare kristian.jonsson@teamcommunication.se

Mottagare Cina.cinasson@coco.net

Ämne Möte!

God morgon Christina.

Inför morgondagens möte med vår klient skulle jag uppskatta om du tillgodogör dig den nödvändiga bakgrundsinformationen som ligger till grund för de policybeslut som tagits i frågan.

Jag bifogar de tre dokument som berör området.

Hälsningar,

Kristian Jonsson

+ 46704808080

Kristian.jonsson@teamcommunication.se

Den ursprungliga mötesinbjudningen gick ut för länge sedan, men det har du redan räknat ut, eller hur? Det har förmodligen legat ett larm om att det ska gå ut en påminnelse om detta möte ett dygn innan. Texten i mailet är faktabaserad, och innehåller inte ett spår av personlig touch. En notering finns dock att det är önskvärt att man förbereder sig väl.

Hur kan du bäst svara på det blå mailet? Bekräfta att du mottagit e-posten och filerna. Be att få återkomma med eventuella frågor efter att du gått igenom materialet. Var medveten om att avsändaren utgår från att du läser igenom alltihop noga.

KAPITEL 16

VAD BLIR DE EGENTLIGEN FÖRBANNADE AV?

TEMPERAMENTET KAN AVSLÖJA ALLT OM EN PERSON.

I slutet av den här boken bjuder jag dig på en historielektion. Det handlar om Hippokrates fyra temperament för att beskriva samma olikheter som den här boken handlar om.

Det går att dra vissa slutsatser kring en individs temperament. Med temperament menar jag inte alltid hur folk blir arga, utan hur de reagerar när saker händer. Ett annat ord skulle kunna vara vilken läggning

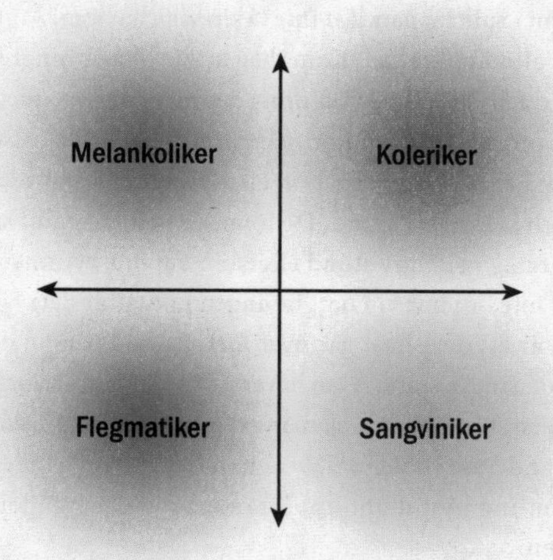

en person har. Det kan handla om att de väljer att agera överhuvudtaget, och att de hittar den rätta energin.

Men visst, ilska är en bra och ganska spännande mätare på vilken färg en person kan ha. Dessutom, situationen avgör. Det som upprör en person upprör inte en annan det minsta. Genom att läsa av hur någon reagerar när saker och ting kör ihop sig kan du få några viktiga ledtrådar. Med hjälp av dessa kan du sedan ganska enkelt ta reda på hur du ska fortsätta analysen. Låt mig visa ett exempel på en snabb diagnos.

MEN FÖR HEL-VE-TE!!!

Låt oss för enkelhetens skull likna de olika temperamenten vid dricksglas. Jag skulle vilja föreslå ett snapsglas till det röda humöret. Varför det, kanske du undrar, ett sådant rymmer ju nästan ingenting?

Nej, och så fungerar många röda personer. Det krävs inte så mycket för att de ska tappa humöret och få ett utbrott. Det kan handla om bilköer, missade telefonsamtal, att någon rör sig för långsamt i rulltrappan. Att inte få sin vilja igenom. Att någon bara är allmänt korkad. Kom ihåg att de ofta är omgivna av idioter. För en röd person finns det mängder av anledningar att uppröras. Styrkan hos många röda är att de briserar för att göra sig av med sin irritation eller eventuella aggression. De får ett utbrott och bråkar en stund. De tömmer helt enkelt ut snapsglaset, vilket inte tar någon längre stund eftersom det inte rymmer så mycket. (Jag talar nu inte om hur vi i omgivningen uppfattar det).

Fördelen är att det oftast går över fort. En röd person orkar sällan vara arg någon längre stund. Han häver ur sig det han ska och sedan går han vidare. Visst kan han lämna många förvirrade människor omkring sig, men det är deras problem. Själv är han färdig med händelsen. Sedan händer någonting nytt djupt upprörande, och det smäller igen. Och igen. Och igen.

Föreställ dig att du tar det där snapsglaset och häller ut det över ditt skrivbord. Inte bra, men fullt hanterbart. Det går att torka upp.

Poängen är den här, det går lika fort att tömma glaset som att fylla det. Det kommer att hända igen. Många uppfattar röda personers temperament som totalt oförutsägbart. Det kan smälla när som helst.

Riktigt så illa tycker jag dock inte att det är. Känner man personen ifråga vet man ganska väl vad som triggar igång all denna ilska.

Men, viktigt att veta om röda personer: De upplever inte själva att de har varit arga – de har bara sagt sitt hjärtas mening eller kanske varit lite högljudda. Återigen, det är bara ett sätt att kommunicera. Exempelvis kan gröna personer tycka att de röda blir förargade bara man upprepar en ståndpunkt. Så mycket ligger i betraktarens öga. Vanligt är att många backar från det här, eftersom de förväntar sig en utskällning. Konsekvensen är tydlig. Röda personer går miste om en hel del feedback genom att de låter säkringarna gå hela tiden.

JAG ÄR FAKTISKT VÄLDIGT UPPRÖRD! HÖR DU VAD JAG SÄGER?

Även de glada gula tappar humöret, tro inget annat. Även om de generellt sett är himlastormande positiva och fyllda av optimism har de en hel del temperament. De är, liksom de röda, aktiva personer, och tar in mängder av intryck. Det innebär att det finns massor att reagera på. Och är man då lite snabb i tanken och tungan inte lyder fullständigt, ja då kan det hända saker. Det som ramlar ut ur luckan där fram är inte alltid genomtänkt.

Eftersom gula personer är mycket uttrycksfulla och samtidigt känslosamma kommer det att märkas i förväg när temperaturen höjs. Den uppmärksamme har egentligen inga problem att se när det brister för en gul person. Blicken skärps, gesterna blir hetsigare, rösten höjs. Allt det där händer men det kommer lite i taget.

Om det röda temperamentet är ett snapsglas kan man likna det gula vid ett vanligt mjölkglas. Här ryms det mer, det är lättare att se när det fylls. Nivån stiger lite i taget, och det är för en vaken omgivning inga problem att se när det händer.

Om vi nu tar det där mjölkglaset och tömmer det över ditt skrivbord – vad innebär det? Det blir betydligt kladdigare och blötare än när vi tömde snapsglaset, eller hur? Fler viktiga papper går åt skogen, och det kräver mer än en vanlig pappershandduk för att torka upp det.

Fortfarande kommer vi att kunna hantera situationen. Även detta temperamentsfulla utbrott kan skötas utan att alltför allvarliga saker behöver inträffa.

Det finns även fördelar med en gul persons humör. Han plågas lite av att han förmodligen har skällt ut någon i sin närhet: kollega, familjemedlem, granne eller kanske dig. Så han kommer kanske att anstränga sig lite extra för din skull nästa gång ni träffas. Han kommer att ha dåligt samvete, något en röd person sällan kan stava till.

Om personen råkar vara en kombination av rött och gult kan diskussionen bli ganska tuff. Då finns det mycket ego i rummet, och man vet inte riktigt vad som sker. Lite beroende på vilka drivkrafter, motivationsfaktorer, personen har kan han dessutom hävda sin egen ståndpunkt nästan in absurdum. Och rent gula personer kan låta egot komma i vägen för det mesta. Fördelen är dock att det dåliga minnet gör att de inte är särskilt långsinta. De glömmer snabbt att det var något problem, vilket kan göra att gröna och blå personer finner dem lite väl spännande.

SE UPP FÖR EN TÅLMODIG MANS VREDE. SE UPP ORDENTLIGT.

Känner du igen det gamla talesättet? Den som myntade det hade förmodligen en grön person i åtanke. Det är inte säkert att du har sett en grön person förlora humöret någon gång. Det kan mycket väl hända att din gode vän, den vänlige och mjuke kompis du aldrig haft en ordentlig argumentation med, faktiskt aldrig visat en tillstymmelse till dåligt humör.

Innebär det att detta är en person som inte kan bli arg? Inte alls. Det innebär bara att allting vänds åt ett annat håll. Inåt.

Den grönas temperament skulle jag vilja likna vid en fyrahundra liters öltunna. Kan du föreställa dig hur många snapsglas som ryms i en sådan? Vi kan fylla, fylla och fylla lite till innan vi ens har täckt botten. Precis så fungerar många gröna personer. De tar emot och tar emot utan att säga ifrån. Mycket hänger ihop med deras ovilja att ta konflikter, men även deras oförmåga att säga nej. De håller helt enkelt med, eftersom det är enklast så.

Betyder det att gröna personer inte har några egna åsikter? Inte alls, de har lika mycket uppfattningar om saker och ting som alla andra. De berättar det bara inte. Och det är ofta själva problemet. De fyller den här tunnan. Vecka ut och vecka in accepterar en grön person den ena upplevda – observera formuleringen *upplevda* – oförrätten efter den andre. Det kan ta flera år innan tunnan är full.

Ta nu nämnda tunna, baxa upp den på ditt skrivbord och töm ut den.

Vad innebär det här? Allting kommer att sköljas bort. Vattnet i tunnan kommer att spola bort inte bara allting på ditt skrivbord, även själva bordet inklusive du själv kommer att åka i väg. Det finns inget stopp. Nu ska allting ut.

Du säger att jag inte har gjort jobbet klart i tid? Är det så? Va? Förra veckan sa du att jag inte gjorde det tillräckligt bra. Nu ska jag tala om för dig en sak ... För ett år sedan lovade du mig ett nytt rum och det har inte blivit av. Och när jag anställdes här, 1997, då lät det minsann så här, och jag ska bara tala om för dig ...

Allt ska ut. Se till att det inte är du som tänder gnistan.

Problemet är omfattande. Gröna släpper inte på trycket utan kontrollerar sina känslor för att inte skapa bråk eller sticka ut. Men de känner och upplever precis lika mycket som alla andra. De saknar bara de naturliga verktygen att släppa ut allting. Det vi i omgivningen kan göra är att underlätta. Vi kan ställa frågor och bjuda in och titta efter signaler. Leta i kroppsspråket efter ogillande. Skapa en god miljö runt den gröna personen så att han blir bekväm med att säga vad han tycker så att han inte behöver backa alltför långt från sina vanliga ståndpunkter. Annars kommer han att vända all sin frustration inåt. Och vi vet numera vad den typen av stress kan göra med en person.

Jag har en egen teori som jag visserligen inte kan belägga vetenskapligt, men jag misstänker att det kan vara huvudorsaken till att gröna personer drabbas av utbrändhet. De bär på oro, ångest och till och med ilska så länge att de till slut blir sjuka av det. Det är ett reellt problem som bör tas på allra största allvar.

VAD VAR DET JAG SA? BESSERWISSER FÜR ALLE.

Under en extremt stressig period i min tidigare karriär inom bankvärlden hörde jag en gång en kommentar om blå personer. Vi arbetade alla dag och natt och många visade väldigt starka känslor. Frustration hängde i luften.

Mitt i alltihop satt vår kreditcontroller. Hon rörde aldrig en min. Visade aldrig om hon var stressad. Hennes ansikte röjde absolut ingenting, och hennes gester var lika begränsade och dämpade som alltid. Medan vi andra åt vår lunch mer eller mindre stående tog hon sina fulla sextio minuter och åt i godan ro. Det var som om ingenting kunde rubba hennes lugn.

Då säger en av mina gul-röda kollegor: *Hon är inte normal. Hon kan inte ha känslor i kroppen.*

Då lät det logiskt. Men när man tänker efter så kan det inte stämma. Blå personer har helt enkelt mindre behov av att kommunicera än vad gröna har. Därför gör de inte det. Vissa saker vänds inåt även för den blå personen. Den snabbtänkte undrar nu om blå personer riskerar utbrändhet lika lätt som gröna. Inte alls. De har nämligen ett system för att hålla stressen under kontroll.

Metaforiskt sett har blå personer en lika stor öltunna som den gröna, men det finns en avgörande skillnad. Längst ner på tunnan sitter en praktisk liten tappkran monterad. Den här kranen gör att den blå personen har en ventil genom vilken han kan släppa ut en del av innehållet i tunnan. Han kan alltså själv reglera trycket om han vill.

Dessutom läcker kranen. Den är otät och det smådroppar ur den mest hela tiden. En blå persons missnöje kommer ut i form av smågnäll.

Titta här nu, nu har någon tappat bort pennan! Typiskt, nu får jag själv göra klart här inne. Som vanligt fick jag den tråkigaste uppgiften. Det är ingen ordning här. Typiskt.

Så där håller det på. Nålsticken drabbar de flesta i omgivningen, men hela tiden är det bara ett trumpet muttrande vi uppfattar. Det tänder liksom inte till på riktigt. Vi tolkar det som ett evigt gnällande, men det finns ett verkligt missnöje. Och eftersom den blå personen inte är tillräckligt aktiv i sig själv, kommer han att bråka om sakerna i stället för att göra någonting åt dem. Det kan handla om att andra borde se det han ser, om att han inte har mandat att agera, eller att han helt enkelt är på dåligt humör. Men för honom själv är det här ett bra sätt att hålla trycket under kontroll. På det viset behöver tunnan aldrig tömmas över någons skrivbord, och verkligt allvarliga katastrofer undviks.

Sättet att hantera det här gnatandet är att ställa motfrågor. Be om exempel. Be om förslag till förbättring. Det kan faktiskt handla om att den blå personen har löst gåtan, men att han behöver en rak fråga för att kliva fram och föreslå en lösning.

VAD BLIR SLUTSATSEN? VAD KAN MAN EGENTLIGEN GÖRA ÅT ATT FOLK INTE ENS BLIR FÖRBANNADE PÅ SAMMA SÄTT?

Genom dessa enkla små iakttagelser kan du snabbt bilda dig en uppfattning om vilken typ av person det är du har att göra med. Var uppmärksam på hur de agerar under stress och press.

Men kom samtidigt ihåg att inga system är vattentäta. Det här är bara indikationer, och det gäller bara enskilda färger. Som jag skrev tidigare kan dessutom olika situationer ge helt olika uppträdanden. Generellt sett gäller att ju viktigare en sak är för en viss person, desto starkare reagerar han.

Se till dig själv. Om någon förolämpar din granne, så kanske du tycker att det var orättvist. Men du river knappast upp himmel och jord över det. Om någon däremot skulle förolämpa din fru, så kommer du att bli fly förbannad. Det är bara ett exempel, men det finns ju en mängd gradskillnader att reflektera över.

KAPITEL 17

STRESSFAKTORER OCH ENERGITJUVAR. VAD ÄR STRESS – EGENTLIGEN?

Ilska är en sak. Stress en annan. Ibland hänger de ihop, men inte alltid. Vissa blir ilskna av stress, andra blir stressade av ilska. När vi talar om stress menar vi ofta känslan av att ha för mycket att göra och för lite tid att göra det på. Tiden räcker inte till för allt som ska göras på jobbet, samtidigt som vi till exempel ska hinna träna, träffa kompisar, vara med familjen och syssla med fritidsaktiviteter av olika slag.

Det är viktigt att ha klart för sig att den känsla av stress som får oss att må dåligt under en längre tid ofta har andra orsaker än brist på tid. Om man känner press och höga förväntningar på vad man ska göra och hur man ska vara kan man bli stressad, även om man egentligen inte har ont om tid.

Pressen, kraven och förväntningarna skapar stress och kan göra att man till exempel känner sig nere, blir handlingsförlamad, får svårt att sova eller får ont i kroppen. Enkelt uttryckt uppstår känslan av stress när vi upplever högre krav och förväntningar på oss än vad vi klarar av att hantera.

OLIKA PERSONER REAGERAR OLIKA PÅ STRESS: VILKEN ÖVERRASKNING!

Allvarligt talat. Vi reagerar olika på stress. Olika personer kan uppleva samma händelse på olika sätt, och en person kan uppleva liknande händelser olika vid olika tillfällen. Det spelar till exempel in vad man har varit med om tidigare och hur man mår just nu.

Om man är utvilad och mår bra kanske man upplever en tuff arbetsvecka med mycket jobb som en utmaning. Men om man är trött och nere kanske man ser samma vecka som hemsk och jobbig.

Hur påverkar kommunikationsstilen din stress? Enkelt uttryckt säger den ingenting om vilken stresströskel du har, det vill säga hur mycket stress du faktiskt tål. Men den kan säga en del om *vad* som stressar dig, och hur du förmodligen kommer att reagera på stress. Jag har tidigare nämnt begreppet drivkrafter, det vill säga vad som motiverar mig att kliva upp ur sängen varje morgon, rusa till mitt arbete och verkligen göra det lilla extra. Den här boken rymmer inte även den dimensionen, men givetvis är det lätt att se att vi blir stressade av att uppleva att vi ägnar för mycket tid åt helt fel saker.

Om du förstår vilka som är dina viktigaste stressfaktorer kan du se till att inte ramla i fällan i onödan. Om du är chef över ett antal personer och känner till deras beteendeprofiler, kan du undvika de värsta fällorna. Mycket stress kan undvikas om man vet hur. Och du kan behålla produktiviteten i gruppen.

Här visar jag några korta fakta du kan ha nytta av. Fundera på var du själv befinner dig. Var på det klara med att stress ofta är en energitjuv. Det går inte att komma ifrån att vi arbetar bäst när vi upplever en viss grad av harmoni.

Följande kapitel är skrivet med viss ironi, och jag uppmanar dig att läsa det på samma sätt.

DET RÖDA BETEENDETS STRESSFAKTORER

Vill du av någon anledning stressa en röd person kan du prova något av följande för att sänka hans självförtroende.

Ta ifrån dem all form av auktoritet

Att inte få vara med och bestämma är riktigt jobbigt för den röda. Dels tycker han att han har bättre idéer, dels tycker han att han helt enkelt borde få vara chef över projektet.

Uppnå inga som helst resultat

Kommer vi ingen vart har kanske allt arbete varit förgäves. En sådan insikt kan hos en röd utlösa kraftiga stressreaktioner, och omgivningen bör akta sig. Han kommer att leta efter syndabockar.

Plocka bort alla former av utmaningar

Om allting går för lätt blir det tråkigt. Det röda beteendet mäter en sak: förmågan att hantera problem och svåra utmaningar. Finns det inga sådana saknar de röda stimulans. De blir passiva och de tycker inte att de har någonting att göra. De kan gå ner i ett långsamt tempo som kan vara svårt att bryta.

Slösa med tid och resurser och arbeta så ineffektivt som möjligt

Det är slöseri med tid att bara sitta och flumma. Inte för att det nödvändigtvis är det vi gör, men om man inte maximerar det man kan få ut av tiden är det slöseri i den rödas ögon, och särskilt stressande ur ett chefsperspektiv. Han mäts antagligen på organisationens effektivitet.

Se till att det blir slentrian av alltihop

Vardagliga och enformiga uppgifter är rena döden. Det är helt enkelt tråkigt. De röda förlorar sin koncentration och kommer att hitta på något annat att göra. Rutinarbete är inte det de är bra på. De är dåliga på detaljer, och de vet om det. Någon annan borde ta tag i det trista rutinarbetet, eftersom den röda anser sig ha en bättre syn på helheten.

Begå en massa dumma misstag

Misstag är en sak, dumma misstag något helt annat. Det är så häpnadsväckande onödigt. När den röda uppfattar att omgivningen är korkad blir han tokig. Varför fattar inte alla vad de ska göra? Hur svårt kan det vara?

Ge dem ingen kontroll över andra

Den rödas kontrollbehov kan vara omfattande. Och det handlar inte om att kontrollera detaljer och fakta. Det man kontrollerar är människorna. Vad de gör, hur de gör det och så vidare. Utan den kontrollen blir den röda mycket frustrerad.

Säg regelbundet åt dem att dämpa sig eller sänka rösten

De blir vansinniga när människor säger att de är arga fast de inte är det. De kommer ju alltid att vara lite hetsigare än genomsnittet, men det betyder faktiskt inte att de är arga. Och just den anklagelsen kan faktiskt få dem att bli arga – på riktigt.

SÅ VAD GÖR DEN RÖDA PERSONEN NÄR HAN BLIR STRESSAD OCH PRESSAD?

Han skyller på andra. Eftersom den röda inte sällan är omgiven av idioter har han lätt för att peka ut syndabockar. Och han kan mycket väl ta i ordentligt när han vill ge någon skit för att det har kladdat till sig. Se upp, är mitt råd, för det kan svida ordentligt i skinnet.

Röda personer är alltid mer krävande än andra. De förväntar mycket av sig själva, och de förväntar sig mycket av dig. Han blir även överdrivet krävande och drivande under stress. Det kommer att bli ännu värre än vanligt.

Övriga i gruppen kan räkna med att bli utestängda av sin röda kollega. Han sluter sig, gräver ner sig i uppgiften och arbetar ännu hårdare. Räkna med att ilskan lurar strax under ytan, så var gärna försiktig med vad du hittar på i hans närhet.

KAN JAG HJÄLPA RÖDA PERSONER ATT HANTERA SIN STRESS?

Har du befogenhet att ge en direkt order är svaret enkelt. Be honom eller henne att helt enkelt skärpa sig. Det funkar faktiskt. Ett annat sätt att underlätta för röda personer i stressade lägen är att skicka hem dem och säga till dem att aktivera sig fysiskt. Skicka dem till en löpartävling och låt dem göra av med energin på att vinna någonting som inte spelar någon roll för gruppen. När han kommer tillbaka har det mesta runnit av honom.

DET GULA BETEENDETS STRESSFAKTORER

Vill du av någon anledning stressa en gul person kan du med fördel prova något av följande för att få honom ur balans.

Låtsas att de är osynliga

Du minns den gulas drivkraft, eller hur? Se på mig! Här är jag! Om du vill få honom ur balans så osynliggör du honom helt enkelt. Syns han inte så finns han inte. Han upplever sig ignorerad och förbisedd och det kommer garanterat att skapa stress.

Deklarera att du är ytterst skeptisk till alltihop

Den som visar mycken skepsis är helt enkelt mycket negativ, vilket är stressande för de gula. De vill ha det positivt och ljust, och även vanliga realister kommer att bli betraktade som domedagsprofeter. Pessimism och negativitet dödar effektivt allt engagemang hos de gula, och det skapar en väldig press på dem.

Fyrkantifiera arbetet så mycket som möjligt

Precis som den röda skyr den gula rutiner, repetitiva arbetsuppgifter och färdiga scheman. De skapar gärna scheman åt andra, men kan inte följa dem själva. Tvinga in dem i ett av dina scheman, och du kommer att se hur stressfläckarna slår ut i ansiktet på din gula (o)vän.

Isolera dem noggrant från resten av gruppen

Avsaknad av någon att prata med är kanske det värsta som finns. Eftersom de måste prata, måste det finnas någon som lyssnar. Att bli instängd i ett kontorsutrymme med bara ett skrivbord är ett straff värre än döden. Det är som att bli deporterad till Sibirien.

Upplys om att det är oseriöst att skratta på jobbet

Inget skoj och ingen humor? Är detta en begravningsbyrå? Precis den kommentaren fick jag en gång av en gul person som fann att vi konsulter inte hade tid att flamsa. Hon blev mycket stressad av allt allvar, och slutade innan provanställningen var över.

Pressa dem att tänka efter före

Undertryckt spontanitet är som att tvinga ner locket på kastrullen när mjölken håller på att koka över. Det går ju bara inte. Det skapar en förfärlig röra, och alla blir inblandade när den gula kommer att – högt och ljudligt – bjuda in alla övriga i sin stresspiral. Och det är lika bra att vara beredd – den gulas stress kommer att märkas. Tro inget annat.

Oavbrutet bråkande och tjafsande om småsaker

Ideliga konfrontationer är jättejobbigt. Detta är något av en paradox, för gula är inte konflikträdda som de gröna. Men blir det för mycket bråk så stör det deras längtan efter skoj och positivitet, vilket i sig skapar stress. Bråk kan de ta, men för mycket gör att de kommer ur form och förlorar sin vanliga lyster.

Satsa på offentlig förnedring

En gul som får ta emot negativ feedback när andra hör det, kommer inte att se bra ut. Det räcker för att han aldrig mer ska prata med dig. Han kommer dessutom att uppvisa kraftfulla försvarsmekanismer, och du uppnår ingenting överhuvudtaget.

SÅ VAD GÖR DEN GULA PERSONEN NÄR HAN BLIR STRESSAD OCH PRESSAD?

Du får vara beredd på att han kommer att framhäva sig själv ännu mer än vanligt. Egot gör att han inte kan låta bli att blåsa upp sig än mer eftersom han måste kompensera att han inte mår bra. Detta gör att han aktivt letar efter uppmärksamhet, vilket får honom att må bättre. Risken är nu att han kommer att prata för mycket, att han kommer att ta upp all plats under möten och i relationer, och placera sig själv i centrum av precis allt.

Du kanske inte trodde att det var möjligt, men han riskerar även att bli överdrivet och orealistiskt optimistisk. Du har nämligen inte upplevt en verklig utmaning förrän du försökt hantera en riktigt stressad gul person. Han kommer att dra upp planer som är så vilda att inte ens han kan tro på dem. Men det är naturligt för honom.

KAN JAG HJÄLPA GULA PERSONER ATT HANTERA SIN STRESS?

Tillåt honom att ordna en fest. Han behöver träffa människor under sociala former. Det kan dessutom vara bråttom. Han kan sjunka väldigt djupt i sin egen misär om han tillåts leva under stress alltför länge. När det ser som värst ut, föreslå en krogrunda, en fest eller varför inte bara ett enkelt barbeque-party? Det behöver inte vara så avancerat, men se till att han får ha det trevligt en stund. Se alltså bara till att det blir KUL!

DET GRÖNA BETEENDETS STRESSFAKTORER

Vill du av någon anledning stressa en grön person föreslår jag följande otrevligheter.

Ta ifrån dem all form av trygghet

Ge dem uppgifter de aldrig gjort förut och förklara helst ingenting. Men förvänta dig samtidigt perfekt genomförande. Lämna dem ensamma i möten med människor som ställer orimliga krav. Stötta dem inte när det hettar till i ett samtal. Skicka på dem en ilsken röd person. Stressen kommer som ett brev på posten.

Lämna massvis av lösa trådar

Oavslutade uppgifter och lösa trådar är djupt olyckligt. Gröna personer vill veta hur saker och ting hänger ihop, och när de inte förstår hur processen är uppbyggd blir det inte bra. Ofärdiga projekt, påbörjade saker som inte har något slut stökar till det rejält. Detta är skälet till att gula är fenomenala på att stressa upp gröna.

Häng över dem utan avbrott

När en grön person inte får sitt privata utrymme, när det inte finns någonstans dit han kan dra sig undan från världen blir han mycket stressad. Visst tycker han om andra människor, men han behöver sitta en hel del för sig själv också. Finns inte den möjligheten kan det låsa sig fullkomligt.

Blixtsnabba förändringar och omotiverade tvära kast

De rödas och de gulas specialitet. Snabba beslut som de inte alltid motiverar. Att tvingas till oväntade och snabba förändringar plågar gröna personer, och de kan fastna i absolut likgiltighet. De allra värsta förändringarna är de som delas ut på förmiddagen, och just som den gröna har börjat fundera över saken kommer en kontraorder. Ingenting blir som förr.

Är du hygglig och gör om det där från början till slut?

Att behöva göra om uppgifter är liktydigt med ett underkännande. Måste någonting göras om kan det bara bero på att det man gjorde först inte dög. Negativ feedback, alltså. Det betyder i förlängningen att jag inte duger som person, vilket givetvis är ytterligt stressande. De gillar mig inte här.

Man kan inte vara överens om precis allting, hörru

Upplevelser av oenighet inom arbetsgruppen eller familjen leder ofelbart till stress. Det är konflikter vi pratar om, och det är bara bråkmakare som håller på med sådant. Friktion inom den viktigaste gruppen, familjen, är riktigt allvarligt. Den gröna vet inte vad han ska göra.

Att pressa dem att kliva upp på scenen

De vill under inga omständigheter hamna i centrum i större sällskap. Grupper med fler än tre personer bör betraktas som större, om inte den gröna känner alla väldigt väl. Det är djupt olyckligt att ställa sådana krav på gröna människor, eftersom de bara kommer att stirra i sina papper. Alla kommer att se hur olusten kryper över dem, och resten av gruppen kommer också att bli stressad. Inte bra.

SÅ VAD GÖR DEN GRÖNA PERSONEN NÄR HAN BLIR STRESSAD OCH PRESSAD?

Han blir väldigt reserverad och nästan kylig. Hans kroppsspråk blir stelt och låst, och är du den utlösande faktorn visar han tydligt att han inte vill ha med dig att göra. Det finns gröna personer som till och med uppvisar kraftig känslolöshet. De blir kalla och avvisande även mot personer de i vanliga fall bryr sig mycket om.

De visar även stor tveksamhet i allt de gör. Stress gör gröna personer osäkra, och de är rädda för att göra fel. Det kan vara på jobbet, men även hemma. Om ett barn blir sjukt kan den gröna bli passiv och bara titta på eftersom han är rädd för att begå misstag. Han tar dessutom på sig skulden för situationen, och kan låsa sig totalt.

I arbetet kan det vara lite annorlunda. Det beror på. Många gröna fastnar i envishet eller tjurighet och provocerar omgivningen genom att vägra ändra på någonting. Även när de ser att en situation inte fungerar kan de vägra att agera. Det kan se väldigt konstigt ut, men den vanliga gröna envisheten tar överhanden och hindrar dem från att handla.

KAN JAG HJÄLPA GRÖNA PERSONER ATT HANTERA SIN STRESS?

Tillåt dem att göra ingenting. Få dödtid som trädgårdsarbete, sömn eller annan avkoppling. Det kan handla om att skicka dem på bio – inte med en stor grupp människor, utan eventuellt helt ensamma – eller ge dem en bra bok som tar två dagar att läsa ut. De vill inte göra någonting egentligen. Låt dem göra det tills stressen lagt sig. Då kommer de tillbaka till sitt vanliga jag.

DET BLÅ BETEENDETS STRESSFAKTORER

Vill du av någon anledning stressa en blå person ska du prova att rubba varenda cirkel du hittar.

Du vet inte vad du snackar om

Man kunde tro att blå personer inte tar kritik personligt, men är den helt tagen ur luften – enligt honom– och anses vara obefogad kan det vara mycket besvärligt. Inte så att han är rädd för konflikten, eller för att ni ska bli ovänner, utan för att deras känsla för perfektion får sig en törn.

Vi tog ett spontant beslut i ledningsgruppen

Förändringar kan vara helt okej, eftersom han inte inbillar sig att någonting egentligen är perfekt. Men han behöver höra bevekelsegrunderna bakom förändringen. Om det inte står i planen är det således oplanerat, och oplanerat tyder på bristfällig struktur – inte bra. Detta ledder ofelbart till huvudvärk.

Det där ser faktiskt väldigt osäkert ut men vi kör väl ändå

Allting innehåller ett visst mått av risk. En blå person ser risker överallt. När en röd person skulle säga att det vore en risk att hoppa fallskärm utan skärm, skulle en blå person säga att det är en risk att köpa en ny gräsklippare. Man vet faktiskt inte vad som kan hända. Och ju mer tempot ökar, desto större blir riskerna.

Titta, här kommer tjocka släkten helt oanmäld!

Ordning och reda. Arbeta i lugnt tempo, renovera om köket enligt en tydligt fastställd plan är det som gäller. Om plötsligt halva släkten tittar in blir allting omkullkastat. Överraskningar är ingenting man bör utsätta honom för. Eftersom han dessutom kanske inte har kommunicerat sina egna planer fullt ut kan det krocka ganska ordentligt.

Hoppsan, vad hände här egentligen?

Misstag begås av klantskallar och slarvmajor. Blå personer begår inga misstag, så när alla vi andra stökar till det och därigenom rubbar planerna kan det sluta med att den blå helt enkelt drar igen dörren och slår dövörat till. Han vill inte höra att projektet kraschat, utan fortsätter helt enkelt på sin del – trots att den delen kanske inte längre är aktuell.

Din förbaskade paragrafryttare

Har du ingen fantasi? Vi måste faktiskt vara lite flexibla här. Detta är ett utmärkt sätt att få en blå person att förlora fotfästet i vardagen. Personer som bryter mot regler och förordningar betraktas med misstänksamhet och ska hållas kort. Om en blå person inser att han är i händerna på en organisation som helt struntar i vad som egentligen gäller, kan det resultera i betydande motstånd.

Nu får vi helt enkelt chansa lite

En variant på punkten ovan. Rätt är rätt, och förberedelser är faktiskt A och O. Det står till och med i en bok. Så när den blå personen inte hinner förbereda sig på sitt – ibland ytterst omständliga – sätt, utlöses stressen. Han är motsatsen till spontan, och att tvinga fram svar från en blå person som inte satt sig in i ett ämne går inte. Svaren kommer att innehålla så många brasklappar att de knappast går att använda.

Överdrivet känslomässiga personer

Nä. Känslopjunk är rent obehagligt. Det blir kladdigt och otrevligt och en blå person tycker inte om det. Logik är det som räknas, och om du missar det tycker han att det är väldigt jobbigt. Han håller sig undan och han glömmer aldrig att du är en känslomässig person som inte använder hjärnan på samma sätt som han använder sin.

SÅ VAD GÖR DEN BLÅ PERSONEN NÄR HAN BLIR STRESSAD OCH PRESSAD?

Han blir överdrivet pessimistisk. Jodå. Det blir faktiskt värre än någonsin. Allting blir plötsligt nattsvart och han kan till och med gå in i en depression. Håglöshet är vanligt, och ingenting är längre intressant. Det kommer att regna domedagsprofetior över oss alla. Dessutom blir han outhärdligt petig. Under stress ökar ju många takten för att hinna med. Inte den blå. Han drar i bromsen, för nu finns det verkligen ingen tid att begå några misstag. Omgivningen får räkna med en omfattande kritik. Han kommer plötsligt att påpeka vartenda litet misstag han kan uppfatta – och det är ganska många. Han kan mycket väl bli en odräglig besserwisser.

KAN JAG HJÄLPA BLÅ PERSONER ATT HANTERA SIN STRESS?

Han behöver avskildhet. Han måste få tid och utrymme att tänka. Eftersom han vill analysera läget och förstå sambanden, behöver han ges tid till just det. Ge honom utrymme, så kommer han tillbaka – till slut. Men faller han för djupt ner i depressionen kanske du behöver erbjuda mer distinkt hjälp.

Slutsats: Vad kan vi lära oss av att studera olika människor under stress? Det finns en tydlig lärdom att dra, och det är – förutom att stress är negativt för de flesta – att en individs normala uppträdande och beteende förstärks under stress. En röd person blir ännu tuffare och aggressivare mot sin omgivning, en gul person blir mer surrig och ostrukturerad, en grön blir än värre passiv och oengagerad än vad han redan är och de blå kan helt låsa sig och klyva hårstrån så tunna att de inte ens syns med blotta ögat.

Det viktigaste är att undvika att stressa upp människor i onödan. Jag begriper att du redan visste det, men det kan vara bra att ha klart för sig vad som stressar vilken profil. Att pressa en röd person är inte stressande som det är om du pressar en grön eller blå. Tvärtom måste du pressa en röd person för att han ska leva upp. Om allt går som på räls blir han bara uttråkad.

Situationen avgör, profilen avgör, du avgör, tidpunkten på dagen avgör, graden av arbetsbelastning, gruppen, vädret – en massa saker avgör. Använd ögon och öron så kommer det att gå alldeles lysande.

KAPITEL 18

EN KORT BETRAKTELSE GENOM HISTORIEN

INGENTING HAR FÖRÄNDRATS – EGENTLIGEN. SÅ HÄR HAR MÄNNISKOR ALLTID VARIT.

Bakgrund till allt du har läst hittills

I det här kapitlet förklarar jag hur man har kommit fram till den forskning som ligger till grund för vad den här boken egentligen handlar om. Om du inte är intresserad av historia eller referenser eller forskning eller sådant som tar okänd mängd tid från ditt i övrigt så rika liv kan du hoppa över det här kapitlet. För alla er andra – så här tänkte man förr i tiden:

I alla kulturer har det funnits behov av att kategorisera människor. När man lämnade grottstadiet och blev mer reflekterande som människor upptäckte man över hela jorden att folk är olika. Vilken överraskning.

Men hur olika är människor egentligen? Och vilka sätt har funnits att beskriva detta på? Förmodligen finns det lika många sätt som det finns kulturer på jorden. Men jag ska visa några exempel.

Vilken av de gamla grekerna ska vi använda nu? Hippokrates?

Läkekonstens fader anses vara Hippokrates som levde på fyrahundratalet före Kristus. Han var inte vidskeplig som många andra läkare på den tiden. Han ansåg att sjukdom kom från naturen och inte från gudarna. Hippokrates menade till exempel att epilepsi orsakades av en blockad i hjärnan. Numera är det ju allmänt känt, men då var det revolutionerande.

Humoralpatologin eller fyrsaftsläran, har med de fyra temperamenten att göra. Temperamentet är, enligt Hippokrates, vårt grundläggande sätt att reagera. Vår personlighet eller sinnesstämning, vilket är den ursprungliga betydelsen. Och vårt temperament styr alltså vårt beteende.

Hälsan är god när blod, gul galla, svart galla och flegma är i balans. När vi kräks, hostar eller svettas, till exempel, försöker kroppen bli av med en eller flera av dessa ämnen.

Chloe kommer av grekiskan och betyder gul galla. Kolerikern styrs alltså av den gula gallan, eller levern. Hetsiga och temperamentsfulla skrämde kolerikerna ibland sin omgivning med sitt kraftfulla sätt. Koleriker kan översättas med *den hetlevrade*.

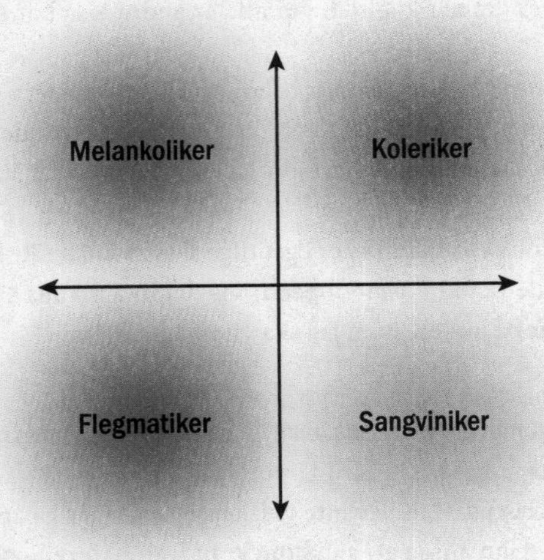

Latinets *sanguis* betyder blod. Sangvinikern styrs av blodet, av hjärtat. Kreativa och sorglösa spred de positiva vibbar omkring sig. Fyllda av blod och därför optimistiska och gladlynta med ett luftigt sätt. En synonym för sangviniker är *optimist*.

Flegmatikerna får sin påverkan från hjärnan. *Flegma* betyder inget annat än slem. Slem är trögflytande, vilket symboliserar flegmatikerns temperament. En flegmatiker är helt enkelt en trögrörlig person.

Melankolikern slutligen hade ett överskott av svart galla – grekiskans *melaina chloe* som betydde just svart galla och som finns i mjälten – och uppfattades därför ofta som tungsint och dyster. En vanlig synonym till melankoliker är just – *pessimist*.

Så långt Hippokrates teorier.

Naturfolket som med sin kalender gav hela världen hicka 2012 – Aztekerna

Aztekerna var ett naturfolk som levde i centrala Mexiko från trettonhundratalet och ett par hundra år framåt. Indianer helt enkelt, som levde nära naturen. De är bland annat kända för att ha förutspått jordens undergång år 2012 – eftersom deras tideräkning verkade ta slut där. (När detta aldrig inträffade lanserades teorin att de helt enkelt hade slut på tillräckligt stora stenblock att rista in sagda kalender på).

Hur som helst, när de försökte dela in människor i olika kategorier använde de sig av någonting de kände till väl – de fyra elementen: eld, luft, jord och vatten. Än i dag används de fyra elementen för att beskriva olika sinnesstämningar, och om Aztekerna verkligen var först med det är det ingen som riktigt vet. Men *att* de gjorde det, det vet vi, för det har vi sett på andra stora stenblock de lämnat efter sig.

Eldmänniskorna var precis som de låter: eldfängda, explosiva, lite hetsiga av sig. Krigartyper som tog till svärd för att få sin vilja igenom. Ledartyper.

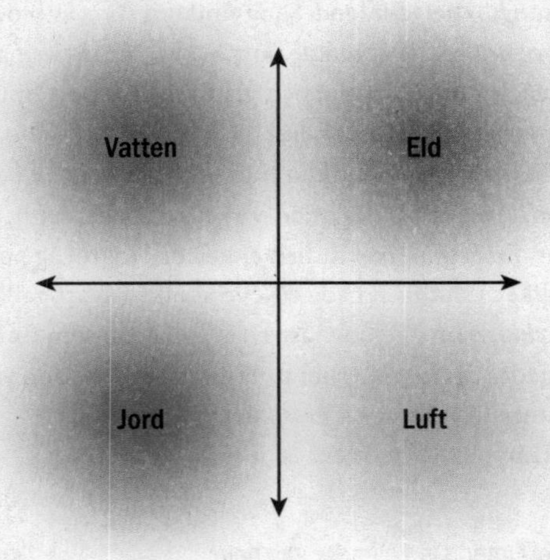

Luftmänniskorna var annorlunda. De var också målmedvetna, men betydligt lättsammare. Svepte in som en medryckande vind och rörde upp lite damm.

Jordmänniskorna arbetade för byn, för kollektivet. Dessa fick stå för det stabila och det trygga. De var där för att skapa långvariga saker, för att bygga för framtiden.

Vattenmänniskorna då? Vatten var ett element aztekerna hade respekt för. Vatten kan krossa allt i sin väg, men man kan även hälla vatten på flaska – bara man vet hur man gör. Lugna och trygga betraktade vattenmänniskorna vad som skedde.

Som du ser påminner indelningen en hel del om Hippokrates teorier – det är bara andra rubriker på samma sak.

William Moulton Marston – skälet till att färgspråket bara funkar på mentalt friska människor

William Moulton Marston skapade det systoliska blodtryckstestet som användes i ett försök att upptäcka bedrägeri. Upptäckten resulterade i den moderna lögndetektorn. Men Marston var också författare av uppsatser i populärpsykologi. År 1928 publicerade han sitt verk *Emotions of normal people,* där han redde ut skillnaderna i beteendemönster hos friska människor. Tidigare hade både Jung och Freud publicerat studier som omfattade mentalt instabila människor, så Marston var något av en pionjär, som utarbetade grunderna till vad som kom att kallas DISC-modellen. Själva begreppet *DISC* introducerades dock något år senare genom Walter Clarkes vektoranalys. Detta är, som du sett hittills, en modell för att kategorisera olika typer av mänsklig kommunikation. Hans forskning har för många lett till en oändlig källa av värdefulla insikter när det handlar om förmågan att verkligen förstå sig själv.

Marston hade funnit ett sätt att visa på vilket sätt människor är olika. Han fann några distinkta skillnader på vilken den modell den här boken handlar om bygger. Numera används nedanstående uttryck:

- dominans visar aktivitet i en fientlig miljö
- inspirerande visar aktivitet i en gynnsam miljö
- stabilitet visar passivitet i en gynnsam miljö
- analytisk förmåga visar passivitet i en fientlig miljö.

Det uttryck som numera används över hela världen är DISC-profiler. Baserat på de fyra initialerna i modellen. Marston använde ordet *compliance* på engelska, vilket på svenska är anpassningsbarhet. Det ord jag har använt i boken är analytisk förmåga, eftersom det bättre beskriver den typen av individer.

Det *dominanta* draget hos en viss individ handlar om hur han närmar sig problem och hanterar utmaningar. Men det är också det enda som kan mätas. *Inspirerande* innebär att en person tycker om att inspi-

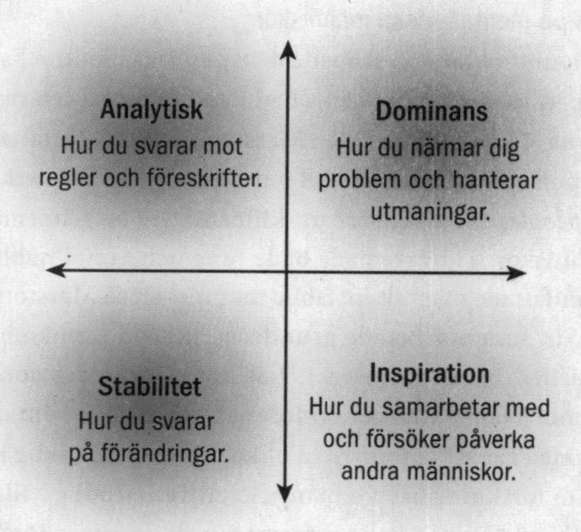

Bilden ovan visar vad de olika faktorerna egentligen mäter.

rera andra. En person med detta drag vill ständigt övertyga andra. Lite förenklat skulle man kunna säga att om dominans handlar om att agera, handlar inspirerande om att interagera.

Graden av *stabilitet* mäts huvudsakligen av hur mottaglig en individ är för förändringar. Högt behov av stabilitet innebär låg förändringsbenägenhet och tvärtom. Detta leder givetvis till ett antal specifika beteendemönster. Det var till exempel bättre förr.

Den *analytiska förmågan* slutligen visar hur benägen någon är att följa regelverk och förordningar. Även detta ger ju vissa egenskaper som hänger ihop. Här har vi dem som inte accepterar att saker och ting blir fel. Kvalitet är viktigt.

Som du säkert observerat har alla samma färger, oavsett om det handlar om modern psykologi eller om indianer i Latinamerika. Färgerna är inte det viktigaste, utan är bara ett sätt för den som inte känner till systemet att lättare ta det till sig. Som konsult har jag utbildat människor i detta ämne i säkert tjugo år, och jag har funnit att färgerna verkligen underlättar inlärningen.

Marston slutade forska i ämnet någon gång på trettiotalet. Han tycks ha blivit upptagen av annat. Många andra har använt hans forskning och utvecklat ett verktyg som enligt de senaste uppgifterna använts av bortåt femtio miljoner människor de senaste trettiofem åren. Till exempel har amerikanen Bill Bonnstetter gjort ovärderliga insatser för att skapa handfasta verktyg som hjälp att analysera hela systemet. Sune Gellberg, grundare av IPU, Institutet för Personlig Utveckling, tog verktyget till Sverige, och har sedan dess varit ledande på ett flertal analysverktyg med oändliga användningsområden.

Vill du veta mer om IPU:s arbete, och kanske själv licensiera dig på detta verktyg, kan du med fördel ta en titt på: www.ipu-profilanalys.se.

Kom dock ihåg det här: I teorin är det ingen skillnad mellan teori och praktik. Men i praktiken så är det ju det.

Jag har beskrivit de fyra huvuddragen som Marston pekade ut, men kom ihåg att de flesta av oss är en kombination av flera färger.

KAPITEL 19

RÖSTER UR VERKLIGHETEN

Den bok du håller i din hand är den fjärde upplagan av *Omgiven av idioter – hur man förstår dem som inte går att förstå.* När den trycktes hade 15 000 svenskar läst den. Anledningen till att jag alls skrev den är att jag under många år under olika sammanhang, utbildningar, föreläsningar osv fått frågan: Var kan man läsa mer? Hittills har svaret alltid vart att det kan man inte. Sedan skrev jag boken och nu har även du läst den.

Som författare vill man alltid veta vad folk tycker om det man skrivit. Eftersom jag även skriver skönlitteratur vet jag hur det kan svida att få höra sanningen, men jag gillar samtidigt att utmana mig själv. Så jag har helt enkelt intervjuat fyra personer med helt olika profiler om vad de anser, både vad gäller systemet i sig, men även hur de ser på sin vardag – utifrån vilken färg de har. Observera: notera gärna på vilket sätt de svarar på frågorna - inte bara vad de faktiskt har att säga. Du kan antagligen lära dig någonting här.

Helena, VD på ett privatföretag med cirka 50 anställda.
Mest röd och varken grönt eller blått. En liten klick gult.

Vad tror du om det här verktyget? DISA-språket?

Jag tycker att det verkar vara ett effektivt sätt att slippa missförstå varandra. Jag fattade snabbt vad det gick ut på, även om jag tycker att boken gott kunde ha varit kortare – hälften så lång, kanske. Själv hade jag nog koncentrerat texten betydligt mer. Gillar inte upprepningar. Men visst går det att använda. Jag delade till exempel ut den till alla mina medarbetare som julklapp förra året med uppmaningen att de skulle läsa den. Och nästan alla gjorde det.

Vad tar du mest med dig i form av praktisk kunskap?
Att jag inte behöver tassa så mycket som katten kring het gröt längre. Nu vet min personal att jag inte alls är en elak despot, utan att jag bara är röd. De fattar att jag inte är arg utan bara målmedveten. Mest intressant var att läsa om blått beteende. Jag hade inte tänkt på att de ser saker så annorlunda. Och att processen i sig är så viktig. Det är ju därför de tar sån tid på sig.

Något annat?
Nej. Jo, de gula. De har jag undrat mycket över genom åren. Allt detta prat. Jag har en del bekanta som är på det viset. Sitter och blåser en massa varmluft i ansiktet på en utan att egentligen komma med så mycket. Grannen till exempel. Planer hela tiden som aldrig blir av. Jag struntar ju i det, men hans fru måste ju vara vansinnig vid det här laget. Och i mitt företag är det tydligt att de får för lite gjort, de gula. Men det är inga större problem anser jag. Jag bara vrider åt tumskruvarna lite hårdare och kräver att de levererar. Att det blir sura miner kan jag leva med. Jag är inte där för att ha det mysigt.

Vilken är dina erfarenheter av grönt beteende?
Javisst, ja. Ja du. (Här gör Helena en lång paus, tittar ut genom fönstret.) De behövs givetvis också. Lojala och plikttrogna. Men i ärlighetens namn ... Jag hade aldrig tänkt på att de pratar bakom ryggen på mig. Men det stämmer faktiskt. De är fenomenala på att sprida rykten har jag märkt. Minsta lilla ändring så startas ett jäkla snack i fikarummet. Spekulationer om än det ena, än det andra. Oftast helt felaktigt och på fel grunder. Det hade ju varit enklare om de kommit direkt till mig med

sina undringar, eller hur? Jag menar, hur svårt kan det vara att kliva in till chefen och ställa vilka frågor man nu har? De vet att jag alltid kommer att svara ärligt, så det här springet i buskarna gör mig faktiskt ganska frustrerad. Vet inte hur många gånger jag har sagt att vi ska ha högt i tak på firman. Är det nån som lyssnar på det?

Vad tror du att det beror på att de inte hörsammar din uppmaning att säga vad de tycker?
De är väl rädda för att jag ska bli arg, förstås. Och jag har inte tänkt på det tidigare. Att de tror att jag är arg bara för att jag ibland höjer rösten eller spänner ögonen i nån, men det betyder ju bara att jag vill markera att det jag säger är viktigt. (Paus.) Själv struntar jag i om det hettar till i samtalet, det är inte alls samma sak som att vara arg – att vilja mycket. Men det är klart att det var en nyhet att folk kan backa inför nån som är mycket starkare. Det jag inte förstår är att detta kan inträffa när man har med vuxna människor att göra. Det tar inte boken upp.

Du anser det vara ett omoget beteende – att inte säga vad man tycker?
Omoget och omoget. Oärligt skulle jag snarare säga. Ungefär som ett barn som vägrar erkänna att han varit i chipspåsen fast han inte fick. Jag ser ju att han varit där – vad är vitsen med att neka? Det är nog den saken jag inte begriper. Erkänn ditt misstag! Hur svårt kan det vara? Erkänn vad du gjort eller inte gjort så kan vi gå vidare sen. Men det här duckandet … Det gör mig vansinnig.

Okej. Om vi tittar på de övriga färgerna. Du sa att du har lättast för de blå? Relativt lätt med de gula. Men hur är det med andra röda personer? Andra med samma profil som du själv?
Oftast inga problem. Vi gör det vi ska som jag ser det. Jag har en ledningsgrupp som består av fem personer förutom jag själv. Jag skulle säga att tre är röda. Eller vänta. Två röda och en rödgul. En är blå – con-

trollern. Och den sista är ... Svårt att säga. Han är både visionär och samtidigt väldigt detaljfokuserad. Kan man vara gulblå?

Ja. En ganska vanlig kombination. Men inget grönt i ledningen alltså?
(Ler.) Nej.

Hur fungerar ditt röda beteende rent allmänt, tycker du?
Alltså, innan jag läste boken och gjorde en egen profil funderade jag inte så mycket. Hade liksom inte reflekterat över det. Men ju mer jag läste, desto mer insåg jag att jag själv har orsakat en del av de bekymmer jag mött i yrkeslivet. Det här med att inte få veta vad folk egentligen har för uppfattning om saker och ting är ju bara en sak. Det har aldrig slagit mig att en del kan vara rädda för mitt beteende. Och visst har jag råkat ut för en hel del turbulens när jag fattat alldeles för snabba och ogenomtänkta beslut men det är bara för att jag vill så mycket. Givetvis inser jag ju att jag behöver tänka igenom vissa saker innan jag bestämmer mig för nånting, men det bara händer. Jag får en idé – vips! Genomfört innan lunch.

Vilka konsekvenser kan det få att fatta ogenomtänkta beslut?
Har du några exempel?
Massor. (Skratt.) En gång tackade jag ja till ett jobb utan att undersöka ersättningen. Visade sig att jag fick jobba 60 timmar i veckan utan ett öre i övertidsersättning. Vid ett tillfälle anställde jag en person som sen visade sig vara totalt värdelös. Jag tog inga referenser, utan antog att han visste vad han pratade om. Det visade sig att han inte kunde varken branschen eller produkten. En riktig tomte. Tyvärr hann han kosta oss en hel del innan jag till slut lyckades göra mig av med honom. Mycket pengar. Miljoner.

Det låter inget vidare. Hur är det utanför arbetet?
Hur hantera du privata relationer?
Där funderar jag ännu mindre. Men det är lite festligt. Jag visade boken för min man, och bad honom läsa den. Det gjorde han ju inte, det blev

väl för mycket på en gång förstås, men jag markerade vissa områden som jag krävde att han skulle läsa.

Rött beteende?
Rött beteende. Och han läste en del. Kände antagligen igen sin fru. Skrattade lite, men sa väl inget särskilt nu när jag tänker efter.

Kommenterade han det som fanns om grönt beteende?
Nej.

Hur fungerar ni tillsammans? Som ett team?
Hur fungerar vi tillsammans? (Högt skratt.) Jag talar om vad som ska göras, och han får göra det. Innan han hunnit klart hittar jag på någonting annat åt honom, och så skickar jag honom dit. Sen blir jag irriterad över att han inte har gjort klart. Men han har aldrig avslutat nånting i hela sitt liv. Vi skrattar en del åt det där. Att jag skapar oreda men skyller på honom. Han har det nog inte så lätt.

Jag förstår. Vilka skulle du säga är dina största utmaningar utifrån ditt röda beteende?
Vissa människor tar evinnerlig tid på sig för att ta det enklaste beslut, och det provocerar mig nåt rent otroligt. Jag vet att jag är snabb, men vissa är obegripligt långsamma. Det är ingen skillnad privat eller på jobbet. Till exempel: vi har sagt att vi ska köpa en gammal läsfåtölj till en viss plats huset. Eftersom jag jobbar så mycket kom vi överens om att min man skulle … (här höjer Helena på ögonbrynen, och långsamt sprider sig ett leende över hennes ansikte). *Jag* kom överens om att han skulle ta tag i efterforskningarna. Kolla nätet, auktionshusen, second hand-butiker och så vidare. Men ingenting hände ju! Två dagar senare när jag frågade hade han fortfarande inte åstadkommit nånting alls! Så medan jag satt på toaletten under lunchen dagen efter hittade jag fem alternativ som jag skickade till honom. Och när jag kommer hem fem

timmar senare har fortfarande ingenting hänt! Jag fick ett utbrott och han stängde in sig i källaren.

Okej, ett bra exempel, tack. Hur länge har ni varit gifta?
Fjorton år. Vi träffades av en slump. Jag brukar säga att jag drogs till att han kunde hålla munnen stängd när det gällde, och det gör han fortfarande. Men ibland önskade jag att han klev fram lite mer och bara gjorde saker. Vad han såg hos mig har jag faktiskt aldrig frågat.

Men hur löser ni era konflikter om han är grön och du är röd?
Löser och löser. Jag tycker inte att vi har så mycket konflikter egentligen. Det är väl i och för sig mest jag som bråkar om det är nåt, men han kan å andra sidan tjura ganska mycket.

Vad menar du med tjura?
Han kan gå omkring i dagar med hängande huvud och se ut som att världen har fallit ner i skallen på honom. I vanliga fall struntar jag i honom, han brukar repa sig. Men ibland får jag nog av alla tråkiga miner och frågar vad saken gäller. Konfronterar honom liksom.
(Paus.)

Vad händer då?
Vad som händer då? Tja ... han säger att det inte är nåt problem. Att allting är toppen. Men det är det ju inte. Jag har alltid haft ganska lätt att läsa av hans ansikte, och det lyser lång väg om nåt inte är som det ska. Problemet är att han vägrar att erkänna att han är sur. Vilket oftast innebär att han är sur för någonting som jag har gjort. Eller sagt. Problemet är att jag inte kommer ihåg nåt. Jag får gissa mig fram. Vilket är stört omöjligt. Oftast handlar det om nån liten obetydlig förflugen kommentar jag sagt i förbifarten, oftast nåt jag glömt i samma stund som jag sagt det. Och om jag inte gissar rätt så surar han än värre. Det kan hålla på i veckor. Fattar egentligen inte att han orkar.

Men hur går ni vidare om det inte går att reda ut saken? Om det är okej att jag frågar?
Du, vi sopar det under mattan. Det vill säga jag glömmer bort alltihop eftersom jag aldrig såg det som nån konflikt, och min man lagrar ”konflikten” i nåt privat arkiv som bara han vet om. Det måste vara fullt på den där hyllan vid det här laget.

Helena tänker efter en stund. Sedan säger hon: Du vet, jag har alltid fått ovett för att jag har sagt min mening, för att jag gått mina egna vägar. Jag har aldrig riktigt passat in. Hittat på dumheter redan som barn, tagit risker. Senare i livet är jag i och för sig glad över att jag tar risker, för det har ju tagit mig nånstans. Men visst har det frestat på också.

Vilken nytta har du haft av att vara mer riskbenägen än många andra, tror du?
Att sitta och fundera leder ingen vart. Det spelar ingen roll hur stora planer du har om du inte sätter dem i verket. Ibland har jag inte vetat vart jag varit på väg, men det har aldrig hindrat mig. Jag har åkt på mängder av motgångar, gjort konkurs och tvingats bort från jobbet och sånt. Inte alls roligt, men det är sånt jag har tagit för att komma nån vart. Som jag ser det är det inte hur mycket du vet eller kan som fäller avgörandet, utan vad du faktiskt gör. Och jag har alltid varit bra på just det. Att göra saker.

Vilket råd skulle du vilja ge personer som möter dig? Vad bör de tänka på?
(Paus.) Att inte låta sig skrämmas av att jag är lite väl ’på’ ibland. Att inte backa bara för att jag låter väldigt mycket. Att jag inte är arg bara för att jag liksom … trycker till ibland. Men även att de gärna får komma till skott nån gång. Min man och jag pratar ofta om hur olika vi levererar ett budskap. Medan han ger bakgrunden i tio minuter och sen kommer till poängen går jag rakt på sak med det viktigaste. Kanske blir det lite

bakgrund, men antagligen inte. Men folk borde tänka på att man kan jobba utan att prata hela tiden. Lägg energi på uppgiften i stället för på en massa annat. Umgås kan vi göra på fritiden.

Håkan, säljer reklamplats på en av de större kommersiella TV-kanalerna. Mest gul med något stänk av grönt. Inget blått eller rött.

Vad tror du om det här verktyget? DISA-språket?
Verkligen toppen! Ett otroligt bra verktyg som jag skulle vilja tipsa varenda människa om. Jag kände igen mig så otroligt mycket i rapporten också! Jag fattar inte hur bara 24 frågor kunde ge så mycket exakta svar på hur jag funkar. Skithäftigt. Jag har visat rapporten för alla jag känner, och vi har skrattat högt åt alltihop. Boken har jag läst stora delar av, mest om gult, då. Allt håller jag inte med om, men mycket.

Vad håller du mest med om avseende det som tar upp gult beteende?
Att vi gula är väldigt kreativa och påhittiga. Det har jag alltid fått höra. Att jag är så himla bra på att lösa komplicerade problem eftersom jag kan se lösningen på ett annorlunda sätt än alla andra.

Vad menar du med annorlunda?
Einstein har ju sagt att man inte kan lösa ett problem med samma tankesätt som när man skapade det. Ungefär så. Och det är exakt vad jag också tycker. Därför ser jag alltid på ett problem med nya, fräscha ögon. Är det nåt mina kunder säger att de är nöjda med är det just det – att jag är väldigt kreativ just där. Sen är det ju det här med att jag helt enkelt är bra på att vinna mänskor. Jag har alltid haft väldigt lätt för att ta folk, är något av en naturbegåvning där faktiskt. Känner massor av människor, har alltid gjort. Och att jag är bra på att prata inför grupp. Redan i skolan var jag ordförande i elevrådet, och pratade ofta till hela skolan.

Hela skolan?

Ja, alla elever, alltså. Eller inte alla, inte riktigt. Okej, min årskurs mest. Alla nior. Men det var alltid bra stämning och folk gillade det. Sen dess har det bara fortsatt. Jag blir oftast utsedd till talesman, eller talesperson som det numera heter, i olika sammanhang.

Kan du ge några exempel?

Oh ja. Till exempel på kurs. Grupparbeten. Jag får alltid redovisa. Och det blir bra. Jag har alltid varit bra på att lägga fram budskapet. Kundmöten. Är vi fler från firman så är det jag som sköter snacket.

Vad tycker de andra om det då?

Inga problem. De gillar att slippa. Många har ju inte så lätt för att hitta orden, som du säkert vet. Var du psykolog? Jag känner en tjej som är psykolog. Jobbar på ett fängelse, verkar väldigt intressant. Hon brukar berätta att många fångar mår rent skit. Men det är ju inte så konstigt. Jag skulle inte stå ut med att sitta inne. Fy fanken, alltså.

Jag är inte psykolog utan beteendevetare.

En grej i rapporten som jag inte fattade, var det där med utvecklingsområden.

Vad tänker du på då?

Det framgår att jag skulle vara snabb att fatta beslut, och det stämmer. Men att de skulle vara baserade på en alltför grund analys håller jag inte med om. Tvärtom är jag väldigt analytiskt lagd. Jag gör alltid noggrann research till exempel. Tar reda på mängder av fakta innan jag bestämmer mig för någonting. Så där stämmer inte rapporten alls.

Jag förstår. Är det nåt mer som inte stämmer?

Att jag skulle använda för många ord när jag kritiserar. Det är helt fel. Jag är faktiskt väldigt koncis och så. Eftersom jag kan det här med hur man använder språket så känner jag inte igen kommentaren. Och dålig faktakoll. Går mest på känsla. Det är ju egentligen inte en dålig grej utan en bra grej.

Att gå mer på känsla än på fakta?
Exakt. Vi människor är ju känslovarelser. Givetvis använder vi oss mer av känsla. Särskilt jag. Det här är något jag verkligen är bra på. Att använda magkänslan på rätt sätt. Många har ju inte den, ja, den känslan, helt enkelt.

Så kan det nog vara. Tror du att man kan lära sig att använda magkänslan?
Nej. Det är nåt man föds med, antingen har man det, som jag, eller så har man det inte. Då är det kört.

Så de som inte är duktiga på att använda magkänslan, dem är det kört för?
Nej, inte kört. Det var inte så jag menade.

Du sa att det var kört om man inte kunde använda magkänslan?
Okej, jag överdrev kanske. Men håll med om att det är viktigt!

Men behöver man aldrig hålla känslorna i schack och faktiskt använda logik istället?
Jodå, absolut. Det är väldigt viktigt att tänka logiskt och rationellt. Det har jag alltid sagt. Man måste se till vad som funkar, och det kan man ju lära sig. Jag skulle tro att det är lättare för en sån som mig, som har varit med ett tag. Jag har ju varit säljare i massvis av år. Jag kan ju se skillnaden. Jag vet vilka fakta som måste beaktas.

Jag är ledsen, men jag är lite förvirrad. Nyss sa du att det bara var magkänslan som gällde? Hur hänger det egentligen ihop?
Du förvränger mina ord. Jag har aldrig sagt att man inte ska använda sig av logik. (Här korsar Håkan händerna över bröstet och kniper ihop

läpparna.) Vad jag säger är att man ska gå på magkänsla. (Paus.) Och fakta.

Vi lämnar det. Vad tar du mest med dig i form av praktisk kunskap efter att ha läst boken?
Att blå personer är förbaskat tråkiga. Fast det visste jag ju redan innan. Jag visste bara inte att de var blå. Men de där analfixerade paragrafryttarna, alltså … Jag minns en gång ett projekt vi skulle genomföra. Inga komplicerade grejer egentligen och vi hade gjort det tidigare. Ett speciellt sätt att sälja in ett helt nytt produktområde. Egentligen var det bara att köra ut hela rasket, men vi hade ett par blå snubbar i teamet. De var duktiga, pålästa och allting, men de kom ju aldrig igång med jobbet. De planerade och skrev listor och gjorde kalkyler och rotade efter detaljer. Ingenting hände, flera gånger om.

De kanske inte var så bra på att använda magkänslan?
Hur menar du?

Så du har svårt att samarbeta med blå personer?
De hänger inte med i mitt tempo, det är hela saken.

Sedan du lärde dig det här systemet, har du sett några vinster rent privat?
Nej. Jag är som jag alltid har varit. Det funkar bra. Har massor av polare. Festerna vi ordnar hemma är legendariska. Grannarna pratar om dem i månader efteråt.

Så du bjuder in grannar också? Det låter ju väldigt trevligt.
Nej, för fasen. De är skitråkiga.

Men vad är det de pratar om då? Om de inte ens varit med på fes
(Paus.) Ja du. Det frågar man sig faktiskt. Ha-ha!

Vilket råd skulle du vilja ge personer som möter dig? Vad bör de tänka på?
Som möter mig?

Ja, alltså, hur skulle du vilja att andra agerade runt omkring dig?
Det kan jag tala om. Knäpp upp lite. Ta inte livet så himla allvarligt. Jag menar, man lever faktiskt bara en gång. Folk borde komma ihåg det, tänka på det mer. Att vi måste tillåta oss att ha kul samtidigt. Och fastna inte i saker hela tiden. Gå vidare. Haka inte upp er på allting. Det gör inte jag. Jag tycker att man ska ha skoj.

Okej, det är vad du anser. Men vilket råd skulle du vilja ge dem som träffar just dig? Hur vill du bli bemött?
Med ett leende. Man kommer långt med ett leende.

Och när det gäller arbetet? Hur vill du bli bemött där?
Det var ju det jag sa. Med ett leende. Resten ordnar sig alltid.

(Paus.) Okej. Det finns ju inga perfekta människor. Vi har alla våra fel och brister, och det är inte så kul att prata om såna saker. Vilka är egentligen dina svagheter, tror du?
Du vet, jag brukar inte tänka så. Mitt fokus har alltid varit att fokusera på det om är positivt, att lyfta fram sånt som fungerar och förstärka det. om alla gick omkring och tänkte på vad som inte fungerar så skulle det
[illegible] nte bli nånting gjort, eller hur?

[illegible] giskt, men det finns ju svagheter med alla beteenden? Dessa [illegible] nappast bara för att vi inte pratar om dem?*
[illegible] menar. Vad jag menar är att man inte ska fokusera [illegible] lyfta fram det som är positivt, mer så. Gudarna [illegible] t med dysterkvistar runt omkring oss, eller [illegible] nde. Oroar sig för allting, ser faror pre- [illegible] n ju inte gå omkring och vara ängslig

hela tiden. Det funkar ju inte. Jag har en granne, han är rädd för allt. Särskilt om det är nya grejer, sånt som jag är bra på. Ibland tror jag att han är rädd för sin egen skugga. Eller blått beteende. Riskjägarna! Allting är en risk för dem. Även om man vet vilket resultat man kommer att få så är de ändå fokuserade på riskerna. För mig är detta helt obegripligt.

Det du säger är ju helt korrekt. Gröna är inte benägna att förändra saker, blå personer fastnar i analysen av t ex risker. Ser du några svagheter men rött beteende?
Buffliga. Tveklöst det jag tänker främst på. Många är ganska otrevliga faktiskt. Visst är de resultatorienterade och så, men det finns ingen anledning att vara ohövlig. Vissa kan vara otroligt korta i tonen. Du vet, man skickar ett långt och trevligt sms, och till svar får man OK. Det tar så lite tid att lägga ytterligare ord, det kostar ingenting, och folk blir mer positiva. Jag är alltid väldigt noga med hur jag uttrycker mig.

Så du har analyserat fram svagheter hos de röda, de gröna och de blå. Upplever du att det finns några utvecklingsområden i det gula beteendet?
Jaaa ... det beror väl på detta med självinsikt. Utan självinsikt kan det ju bli lite tokigt. (Paus.)

Tänker du på något särskilt?
Om den det gäller inte är nån bra lyssnare till exempel, men inte vet om det, då kan det bli ett ganska konstigt fokus i samtalet. Fast ibland kan man ju inte bara lyssna. Jag upplever ganska många gånger att jag är tvungen att ta kommandot i vissa möten för att det ska hända någonting. Med mitt otroliga driv blir det oftast väldigt bra.

Okej, så vissa gula personer kan lära sig att lyssna bättre. Hur ser det ut för dig? Har du några svagheter tror du?
(Här uppstår en mycket långt paus.)
Inga som jag kommer på så här på rak arm.

Elisabeth är grön med lite blå inslag. I hennes anpassade beteende finns en aning gult, men inget rött alls. Hon arbetar inom landstinget.

Vad tror du om det här verktyget? DISA-språket?

Det var roligt att vara med om den här testen. Jag vet en hel del om hur jag är sedan tidigare, men jag tycker att det blev ännu tydligare nu. Nu vet jag att de röda tycker att jag är envis och lite för försiktig av mig. Men jag vill ju att man ska hålla sams. Samarbete är viktigt för mig. Det tycker jag att alla borde känna.

Är det någon särskilt du tar med dig efter att ha läst boken Omgiven av idioter?

Det var min son som kom med den i födelsedagspresent. Han är så snäll, har alltid med sig nånting trots att jag sagt att jag inte vill ha några presenter. Han är ju arbetslös och har det inte så fett, men han är omtänksam, Filip. Det tog ganska länge innan jag kom igång med boken. Jag hade faktiskt lite svårt att komma in i den, mest för att jag blev avbruten hela tiden. Men när jag väl var igång så var den trevlig. Och roliga exempel. Jag har faktiskt läst författarens andra skönlitterära böcker. Väldigt spännande men otäcka. Jag läste högt för min man om hans färger, vilket vi skrattade väldigt mycket åt.

Vilka färger tror du att han har?

Oh, han är gul. Och blå. Samtidigt, faktiskt. Kan man vara det?

Ja. Det kan man absolut. Vad var det som var roligt?

Ja, det här med att han är tidsoptimist. Han tror alltid att han ska hinna med mycket mer än han gör. Och så blir vi försenade om vi ska någonstans. Han ställer sig i duschen tre minuter innan gästerna kommer. Såna saker. Men det var lite det jag föll för den där gången för nästan trettio år sen. Men det gör ingenting. Han är fin, min Tommy.

Vad tar du med dig i form av praktisk kunskap?
Att jag går bra ihop med gröna, och det är ju bra eftersom vi är så många! Jag gillade det där som sades om att vi tar hand om varandra hela tiden. Det är viktigt. Man måste göra det. Utvecklingen går ju inte i den riktningen, det känns som om alla blir mer och mer egoistiska, men jag tror inte det kommer att hålla i längden. Sen läste jag en del om gult, min man, om blått, min syster. Hon är ganska så fyrkantig av sig. Rätt stel och på nåt sätt ointresserad.

Ointresserad av vad?
Av oss andra, egentligen. Hon frågar aldrig hur man har det, ringer knappt när man fyller år.

Ringer knappt? Betyder det att hon inte ringer på din födelsedag?
Jo, det gör hon. Men det känns som om hon gör det av plikt snarare än att hon är verkligt intresserad. Och så kan hon vara ganska kritisk. Tommy bytte ut vårt kök för nåt år sen. Då kommer Eivor – det är min syster – och det första hon gör är att racka ner på det han har gjort.

På vilket sätt gjorde hon det?
Ja, alltså, bland det första hon sa var att en lucka hängde snett.

Gjorde den inte det då?
Jo, den hängde snett. Men varför var hon tvungen att poängtera det? Han hade ju jobbat med köket i flera veckor, och det första han möter är en fullkomlig sågning av allt han hade gjort.

Så hon kritiserade mer än bara luckan?
(Elisabeth skakar på huvudet.)

Vad kan du säga om röda personer?
Ja … de är ju bra på sitt sätt.
(Paus.)

Vad tänker du på då?
De är ju väldigt effektiva förstås. Får mycket gjort och så. Och snabba är de. Ibland önskar jag att jag hade lite mer av det där i mig, men det har jag inte. Jag är som jag är, jag.

Men du tänker att det kunde vara bra att vara lite röd – ibland?
Javisst. Men man är ju som man är. Och de är ju ganska ... tuffa.

På vilket sätt är de tuffa?
Ja, lite okänsliga i vissa situationer. Våran avdelningschef är nog ganska röd. Han kan säga lite vad som helst till folk. Och kirurgerna är fruktansvärda att ha att göra med. Bossar med folk precis hur de vill.

Hur påverkas du av det?
Det är jobbigt med alla konflikter. Man kan ju inte undvika dem helt och hållet, det vet jag, men det är jobbigt när alla är osams hela tiden.

Så alla är osams hela tiden?
Inte alla, kanske. Och inte hela tiden förstås. Men det funkar inte. Kommunikationen funkar inte. Det är dålig stämning och ledningen lyssnar inte. Många mår faktiskt ganska dåligt. Jag var själv sjukskriven förra året.

Har du tagit upp det med din chef?
Vi provade för fem år sen. Det hjälpte föga. Det blev bättre ett litet tag innan allting återgick till det normala.

Okej. Hur mår du nu då?
Det funkar. Vi är ett bra gäng som jobbar, och det är viktigt. Vi håller liksom ihop. Många har jobbat länge där. Vill inte byta.

Vad tänker du om din egen färg? Hur fungerar det att vara grön bland de andra färgerna?
Det är ju de röda, då. De gillar ju inte ens oss gröna fast vi är många fler. De klagar på oss, man har själv hört det. De säger saker, kallar oss saker helt i onödan.

Men vad menar du med det? Kan du ge ett konkret exempel?
Konkret och konkret. Vissa saker behöver inte uttalas. Man bara vet det. Man känner ju på sig när nån är missnöjd. Det hänger ju liksom i luften.

Du sa att din chef var röd?
Inte den närmaste, men avdelningschefen. Jätteröd.

Och hur vet du det?
Jamen, det är han. Hur tydligt som helst. Går fort, pratar fort. Väldigt krävande. Målmedveten förstås. Hårda nypor. Har gjort nedskärningar.

Om man genomför nedskärningar så har man hårda nypor?
Det måste man väl ha.

Så hur funkar du med den här chefen då?
Inte vet jag. Jag har aldrig pratat direkt med honom. Men man vet ju.

Man vet ju?
Man har ju hört andra som råkat illa ut.

Vad har hänt då, då?
En del har ju blivit väldigt kritiserade för till exempel sen ankomst. Blev inkallad direkt. Men inte jag. Jag är noga med tider.

Så nån höll sig inte till arbetstiderna och fick kritik?
Utskällning, praktiskt taget.

Hur lät den då?
Jag var ju inte där och lyssnade, men han hade ju talat om att så fick man inte göra.

Anser du att det är okej att komma för sent till jobbet?
Nej, det är inte okej.

Men är det inte chefens ansvar att påpeka om någon missar sånt?
Jag antar det. Men det beror ju på hur man gör det.

Skrek han och skällde?
Nej, men han sa att så fick man inte göra, och om hon gjorde det igen så fick hon en varning.

Hur många gånger hade hon kommit för sent?
Oh, hon kommer aldrig i tid.

Okej. Vad tycker du att andra ska tänka på när de möter dig i vardagen? Hur skulle du vilja bli bemött?
Ja, det är väl bra om folk fattar att man vill ta det lite lugnt. Att man inte är med på att ändra omkring allting precis hela tiden. Och jag vet att jag gärna vill lära känna folk innan jag pratar jobb. Ta en kaffe, prata lite. Det är trevligt, sen kan man jobba, och då är jag väldigt lojal.

Någonting annat?
Ja, vi gröna är ju inte så bra på konflikter. Vi behöver lära oss det lite bättre.

Stefan är en blå ekonom som arbetar på huvudkontoret i en mycket stor koncern med kontor i flera europeiska länder. Han säger själv att han har en del röda inslag som inte riktigt kommit fram i analysen. Något gult eller grönt kan han inte se i sitt beteende.

Vad tror du om det här verktyget? DISA-språket?
Ett ganska intressant koncept. Det verkar som om forskningen ägnat sig åt frågan under ganska lång tid vilket jag finner spännande. Jag har sett det här verktyget i en annan form tidigare, men då var det bokstavskombinationer av olika slag. Det vore intressant att jämföra de båda modellerna.

Det stämmer att det finns flera olika verktyg. De flesta har samma grundforskning i botten, sedan har det tagit lite olika vägar upp genom historien. Detta är ett av dem som har den högsta träffsäkerheten.
Syftar man då på reliabiliteten eller validiteten?

Både och. Jag kan rekommendera Marstons egen bok Emotions of normal people. *Vilka slutsatser har du dragit efter att ha läst boken?*
Det var intressant att se hur författaren har lagt upp det. Först har han skrivit om det röda, sedan om gult, grönt och blått. Sedan varvat det på det viset hela boken igenom. Ganska bra, eftersom man inte hinner tröttna på någon färg. Och jag har noterat att det är nästan precis lika mycket text om respektive färg, vilket ju är ganska imponerande. Jag undrar hur han lyckades med det?

När det gäller beteenden, vad tycker du att du har lärt dig så här långt?
Att människor är olika. Det visste jag naturligtvis sedan tidigare, men det är intressant att se på vilket sätt. Och det var goda exempel i boken. Till exempel det jag läste om rött beteende, det var särskilt intressant.

Vad tänker du på då?
Deras väldiga driv framåt. Jag har en kollega med precis det uppträdandet. Alltid framåt, alltid först i kön. Han har en imponerande snabbhet i sina beslut. Det blir förstås en hel del fel, men han är ganska snabb på att upptäcka det, så jag tycker inte att det är ett jättestort problem.

Hur fungerar du tillsammans med röda personer?
Ganska väl, anser jag. Visst slarvar de en hel del som sagt, men det går ju att ta ur dem. Min roll är oftast att säkerställa att vi hållit oss till planen, och det är ju inte den rödas främsta styrka. De är bra på annat. De är ofta ganska duktiga på att improvisera sig fram, vilket kan vara underskattat ibland. Och de är modiga.

Det låter inte som att du har några större problem med rött beteende?
Nej. Det beror förstås på vad du menar med större, men rent definitionsmässigt har jag inga större problem med dem. Då tror jag att de har mer omfattande svårigheter med såna som mig.

Vad tänker du på då?
Jag vill ju till exempel ha väldigt god ordning på allting. Inga misstag kan tolereras. Vi sitter ju på en ekonomifunktion som har att säkerställa indata till kommande bokslut. Det finns inte utrymme för några som helst misstag. Och det är klart, det driver ju ett ganska petigt beteende. Om jag förstått saken riktigt så är ju röda personer inte intresserade av detaljer, vilket är i stort sett vad mitt arbete går ut på. Det får enorma konsekvenser ifall jag skulle slarva med decimalerna. Det får helt enkelt inte hända.

Okej. De övriga färgerna då? Hur fungerar du tillsammans med till exempel gröna?
Tämligen väl. Vi är båda – åtminstone enligt boken – introverta, vilket jag tycker är positivt. Då kan man ägna sig åt arbetet i stället för att sitta och småprata.

(Paus.)

Men gröna personer tycker ju om att småprata?
Det är korrekt. Det gör förstås inte jag. Om det inte gäller arbetet. Där kan vi prata ganska länge. Vilka processer är att föredra, hur kvalitetssäkrar vi arbetet och så vidare. Det jag inte uppskattar hos de gröna är att de har en tendens att maska. De är ofta borta från skrivbordet och gör något annat i stället för att arbeta, och det gör ju allting långsammare. Det är ett problem.

Upplever du det som ett vanligt problem på din arbetsplats?
Ja.

Vad har du gjort för att komma åt problemet?
Ingenting.

Varför inte det?
Det är inte mitt ansvar. Det är givetvis en ledningsfråga.

Har du tagit upp detta med ledningen?
Nej.

Låt se om jag har förstått. Vissa individer maskar, så att ni blir försenade. Du har iakttagit detta, men inte gjort någonting för att förändra tillståndet?
Det är riktigt.

Hur kommer det sig?
Det är ett ledningsproblem helt enkelt. Jag har inga befogenheter att agera där.

Vad hade du gjort om du haft befogenheter?
Det är en hypotetisk fråga.

Men om vi antar att det varit verklighet?
Men det är inte verklighet. Jag har inget intresse av sådana frågor. Det är ingen tjänst jag skulle söka och följaktligen vet jag inte vad jag skulle göra.

Bara av ren nyfikenhet – om din chef bad dig om ett råd i exakt den frågan: en medarbetare gör inte det han eller hon ska ... Vilket råd skulle du ge då?
Rent hypotetiskt?

Ja.
Jag skulle be chefen att följa upp henne tätare. Ge återkoppling på det som inte fungerar och kräva att det felaktiga beteendet korrigerades.

Okej. Kan vi tala lite om det gula beteendet?
(Nu korsar Stefan händerna över bröstet och nickar.)

Hur ser du på personer med distinkt gult beteende?
Det är lite bekymmersamt, det där. Man önskar ju att de tog saker och ting på större allvar. Arbetet till att börja med. Visst inser jag att man även behöver ha roligt på jobbet, men det behöver i sådana fall avsättas tid för den typen av aktiviteter. Man kan inte gå omkring och tramsa på arbetstid hur som helst. Det värsta är egentligen att de stimmar omkring och stör allt och alla med sitt pladder. Jag tycker också att de kan vara väldigt underhållande många gånger, men jobb är jobb och fritid är fritid. Sedan är det detta med deras bristande sinne för att ha fakta på bordet. Jag anser att de är väldigt oskickliga med sakfrågorna. Tar alldeles för lätt på, ja, på det mesta egentligen. Det leder till alldeles för många avvikelser. Om till exempel en strikt gul individ skulle arbeta som controller – hur skulle det gå? Han skulle ju inte veta vad han skulle titta efter. Men det verkligt allvarliga är ju att de säger så mycket som inte stämmer. Exempelvis att de har undersökt vissa detal-

jer fast de inte alls har gjort det. Eller att de inte slarvar trots att var och en kan se att det är exakt det de gör. Det hela är ytterligt frustrerande.

Har du lärt känna en gul person på riktigt någon gång?
Hur kan man undvika det? De spiller ju ut sina liv till vem som helst utan urskillning. De tror nog att vi övriga är intresserade av deras sommarstuga, eller deras hundvalpar, eller deras barns nya tänder, eller deras brors nya fiskebåt. Men inget kunde vara mig mer likgiltigt.

Men hur gör du för att umgås med gula personer?
Varför skulle jag göra det? Jag noterade frågan på sidan 264. Fråga 24 vill jag minnas att det var.

Den om vem man umgås med på fritiden?
Exakt. I mitt fall är det mycket enkelt. Jag undviker gula personer.

Varför?
Jag står inte ut. De pratar ihjäl mig. Jag orkar inte med alla ord om allt och inget. Det är omöjligt att veta om något av det de säger verkligen stämmer överens med verkligheten, och det irriterar mig. De skarvar hela tiden och till slut vet man varken ut eller in. Vid ett flertal tillfällen har en svåger till mig pratat om sin nya tjänst. Men han beskriver den annorlunda varje gång. Jag har frågat efter vilken titel han har eftersom jag inte kan förstå vad han sysslar med, men han blir alltid mycket svävande då. Vid något tillfälle undrade jag över företagets utveckling, och jag fick en lång harang om att de snart skulle ta något slags världspatent på någonting. Men hur det skulle gå till eller vilka studier eller forskning som låg bakom gick inte att ta reda på. Hopplöst.

Han kanske inte visste svaret?
Då hade han kunnat säga det. 'Jag vet inte'. Så svårt är det inte. I stället lät han munnen gå om en massa saker jag inte var intresserad av.

Vilket råd skulle du vilja ge till dem som möter dig i vardagen?

Bra fråga. Att de ska respektera min önskan att vara professionell, det vill säga att inte ägna värdefull arbetstid åt sånt som inte rör arbetet. Att de ska vara bra förberedda när de kommer till mig med frågor. Jag behöver en hel del bakgrundsfakta för att kunna ge korrekta anvisningar.

Till sist en rak fråga.

Javisst.

Vilka är dina största svagheter?

Låt mig tänka. Ibland fastnar jag i detaljer för mycket. Det vet jag. I arbetet tycker jag inte att det gör nåt, men privat kan det bli ett problem.

På vilket sätt?

Min fru är ganska röd. Hon tycker att jag är långsam och hon har delvis rätt. Sedan är jag av naturen ganska misstänksam mot nya idéer. Inte så att jag inte kan förändra mig, men jag har en förmåga att se problem där det inte nödvändigtvis finns några. Beslutsångest. Ibland har jag svårt att bestämma mig. Vi skulle behöva en ny TV då den nuvarande håller på att gå sönder. Men det finns så många modeller, och jag har inte hunnit göra ordentlig research ännu. Min fru anser att vi kan gå ut och köpa en på tio minuter. Men tänk om den inte är bra? Hur ska jag veta att den fyller våra behov? Det är en ganska stor investering. Så än så länge får vi nöja oss med den gamla.

Någon sista reflektion?

Intressant koncept, som sagt. Jag ska beställa Marstons bok *Emotions of normal people.*

KAPITEL 20

ETT LITET SNABBTEST AV HUR MYCKET DU HAR SNAPPAT UPP

Om du vill kan du testa dina kunskaper. Se det som en kul grej som du sedan kan testa dina bekanta på. Hur mycket vet ni egentligen om hur människor fungerar? Det är min förhoppning att svaren kan leda till intressanta diskussioner, antingen vid nästa kick-off eller runt middagsbordet hemma.

1. Vilken kombination av profiler skulle naturligt komma överens på det sociala planet?
   - ☐ Två Gula
   - ☐ Två Röda
   - ☐ Gula och Röda
   - ☐ Blå och Gröna
   - ☐ Alla ovan nämnda

2. Vilken kombination av profiler arbetar naturligt bra tillsammans?
   - ☐ Gröna och vem som helst
   - ☐ Två Gula
   - ☐ Två Röda
   - ☐ Blå och Röda
   - ☐ Alla ovan nämnda

3. Vilken profil kommer alltid att vilja vara chef för ett projekt?
   - ☐ Röd
   - ☐ Gul
   - ☐ Grön
   - ☐ Blå

4. Vilken profil har tendens att vara den bästa kirurgen?
   - ☐ Röd
   - ☐ Gul
   - ☐ Grön
   - ☐ Blå

5. Vilken person skulle njuta mest av att hålla tal?
   - ☐ Röd
   - ☐ Gul
   - ☐ Grön
   - ☐ Blå

6. Vilken person skulle oftast veta var han har sparat ett mail från chefen?
   - ☐ Röd
   - ☐ Gul
   - ☐ Grön
   - ☐ Blå

7. Vilken person skulle vilja göra fler tester eller få mer information innan denne fattar beslut?
   - ☐ Röd
   - ☐ Gul
   - ☐ Grön
   - ☐ Blå

8. Vilken person kan du alltid lita på kommer i tid?
   - ☐ Röd
   - ☐ Gul
   - ☐ Grön
   - ☐ Blå

9. Vilken person följer inte reglerna gång efter annan för att få ett jobb gjort?
   - ☐ Röd
   - ☐ Gul
   - ☐ Grön
   - ☐ Blå

10. Vilken person är mest villig att prova på nya saker om det skulle få jobbet gjort?
    - ☐ Röd
    - ☐ Gul
    - ☐ Grön
    - ☐ Blå

11. Vilken person kommer ihåg personlig kritik längst?
   - ☐ Röd
   - ☐ Gul
   - ☐ Grön
   - ☐ Blå

12. Vilken person tar mest åt sig av personlig kritik?
   - ☐ Röd
   - ☐ Gul
   - ☐ Grön
   - ☐ Blå

13. Vilken person är minst organiserad men vet vart han ska gå för att få tag på det han behöver?
   - ☐ Röd
   - ☐ Gul
   - ☐ Grön
   - ☐ Blå

14. Vilken profil tenderar att alltid vilja bestämma?
   - ☐ Röd
   - ☐ Gul
   - ☐ Grön
   - ☐ Blå

15. Vilken profil vill helst ha det senaste modet?
   - ☐ Röd
   - ☐ Gul
   - ☐ Grön
   - ☐ Blå

16. Vilken profil skulle tycka bäst om nya utmaningar?
   - ☐ Röd
   - ☐ Gul
   - ☐ Grön
   - ☐ Blå

17. Vilken profil är snabbast att döma andra människor?
   - ☐ Röd
   - ☐ Gul
   - ☐ Grön
   - ☐ Blå

18. Vilken kombination av profiler skulle bilda det bästa teamet?
   - ☐ Två gröna
   - ☐ Två röda
   - ☐ Gula och röda
   - ☐ Blå och gröna
   - ☐ En blandning av alla färger

19. Vilken profil kommer förmodligen att prata mest?
- ☐ Röd
- ☐ Gul
- ☐ Grön
- ☐ Blå

20. Vilken profil skulle snabbast ta till sig nya idéer?
- ☐ Röd
- ☐ Gul
- ☐ Grön
- ☐ Blå

21. Vilken profil skulle delegera en uppgift men ändå utföra den själv?
- ☐ Röd
- ☐ Gul
- ☐ Grön
- ☐ Blå

22. Vilken profil är den bästa lyssnaren?
- ☐ Röd
- ☐ Gul
- ☐ Grön
- ☐ Blå

23. Vilken profil kommer inte att missa den sista punkten i instruktionen?
- ☐ Röd
- ☐ Gul
- ☐ Grön
- ☐ Blå

24. Vilken profil är vanligast i din umgängeskrets?
- ☐ Röd
- ☐ Gul
- ☐ Grön
- ☐ Blå

Svaren finner du längst bak i boken.

Vitsen med fråga 24 är att jag vill att du reflekterar över följande:

På ditt jobb kan du kanske inte alltid välja vilka du ska jobba med. De bara finns där, oavsett om du skulle ha valt dem eller inte. Där får man oftast vackert spela med de kort man har. Men utanför arbetet, där du själv kan välja vilka du ska tillbringa din tid tillsammans med – vilken typ av personer väljer du? Har du valt människor som är ganska lika dig själv, eller umgås du mer med sådana som är din raka motsats?

Givetvis finns inget rätt eller fel svar, men det är intressant att fundera kring. Vilka väljer vi, när vi väljer helt själva?

Och hur väljer vi den partner vi vill tillbringa resten av livet med? Din spegelbild, eller din motsats? En mycket fascinerande fråga, eller hur? Men svaret på hur den processen ser ut kommer först i nästa bok. Håll ögonen öppna.

Låt oss gå vidare

Okej, min vän – det börjar bli dags att sammanfatta det här. Innan jag gör det, vill jag berätta om en fascinerande upplevelse jag hade för några år sedan. Det här är min iakttagelse.

KAPITEL 21

ETT AVSLUTANDE EXEMPEL UR VARDAGEN

DET KANSKE MEST BELYSANDE GRUPPARBETET I VÄRLDSHISTORIEN

För några år sedan fick jag under en konferens för mig att experimentera med en grupp chefer inom ett telekombolag. Deltagarna var professionella och klipska, tveklöst var samtliga lyckosamma inom sina respektive områden. De hade utmärkta vitsord och var alla tilltänkta för lysande karriärer. Jag hade redan gjort kommunikationsprofiler på dem allihop – alla hade fyllt i en självskattningsanalys som visade vilken kommunikationsstil de hade. Vi hade alltså redan gjort deras analyser och jag hade förberett mig på exakt det sätt jag på sista sidan föreslår att även du kan göra.

Det jag gjorde var att dela in cheferna i grupper där de skulle arbeta med personer med liknande profiler som de själva. Det skulle bli lätt att komma överens, föreställde jag mig. De skulle verkligen begripa varandra direkt. Totalt tjugo personer. Jag kallade grupperna för Röd, Gul, Grön och Blå. Något måste de ju heta.

Jag delade ut arbetsuppgiften. De skulle lösa ett specialkonstruerat problem som dels var kopplat till deras verksamhet, dels krävde samarbete. De fick en timme på sig. Alla grupperna plockade med sig instruktionen med gott humör och gav sig i väg för att slå de andra grupperna på fingrarna. Själv satte jag mig och gjorde annat.

Efter att arbetsgrupperna hållit på en stund gick jag runt och undersökte jag vad som pågick i de olika grupprummen.

Hos grupp Röd var ljudnivån hög. Tre personer stod upp och visade med alla medel att just de hade rätt. Två skällde och röt medan en fjärde bestämt sig för att jobba själv. Obekymrad över den högljudda konflikten en meter bort skrev han så att pennan glödde.

När jag frågade om allt var okej där inne, stannade allting upp och alla fyra tittade förvånat på mig.

Går det bra för er? upprepade jag oroligt.

Skitbra, sa den ene av grälmakarna bistert. *Strax klara här.*

Jag lämnade dem och gick vidare. Även hos grupp Gul rådde febril aktivitet. Man kunde nästan ta på energin i rummet. Här hände det grejer. Diskussionerna gick höga även här medan alla försökte övertyga de andra om just sin ståndpunkt. Där de röda varit rent av förbannade på varandra var det här idel leenden. Två av de gula kämpade om utrymmet vid whiteboarden, en annan berättade just en underhållande anekdot som överhuvudtaget inte hörde till ämnet. Även jag skrattade, eftersom den var så pass rolig. Den femte chefen i grupp Gul ritade gubbar på ett papper och skickade mail från sin mobil.

Jag lämnade dem för ett besök hos grupp Grön. Där inne härskade ett sällsamt lugn. Rösterna var dämpade och man lyssnade hellre än pratade. I rummet rådde en total strävan efter stabilitet och trygghet. Fem av cheferna satt lugnt ner och lyssnade på en av kollegorna som berättade en finstämd berättelse om sin hund som tragiskt avlidit av ålder samma vinter. Han saknade fortfarande sin livskamrat.

Den sista chefen hade skissat några förslag på hur de skulle kunna lösa uppgiften jag hade gett dem, men varje förslag slutade med ett frågetecken. Hon behövde mer input, men det såg ut som om hon skulle bli tvungen att be om den. Hon var bekymrad.

Jag gick vidare. Hos den sista gruppen, grupp Blå, pågick en nästan absurd tystnad. Jag blev allvarligt bekymrad efter att ha suttit med dem i tre minuter utan att någon yttrat så mycket som ett enda ord. Garanterat pågick en hel del tankeverksamhet under ytan, men någon egentlig kommunikation var det verkligen inte frågan om.

En kvinna läste tyst igenom uppgiften, medan läpparna rörde sig. Jag frågade om de behövde hjälp att komma igång. Jag fick ett par avvaktande nickar till svar. Snart pågick trots allt en djupgående överläggning. Här skulle man gå till botten med saken. Det var uppenbart att man avhandlade rätt saker, men på en ytterligt detaljerad nivå. Planläggningen pågick länge kring hur man borde lägga upp arbetet.

Jag minns att jag sneglade på klockan. Halva tiden hade passerat, men ännu hade ingenting konkret producerats. Förslag lades fram men förkastades snart av andra på grund av formalia. Allting vägdes på guldvåg, och fördelar balanserades hela tiden mot nackdelar. Det viktiga var inte att starta med arbetet, det viktiga var att allting gick rätt och riktigt till.

Jag lämnade dem åt sitt öde och gick tillbaka till den stora konferenssalen.

Redan innan tiden var ute anlände grupp Röd med triumferande leenden. Belåtet gratulerade de varandra till att vara först tillbaka. De hade tydligt vunnit det här.

Alla de övriga grupperna blev jag tvungen att hämta. De som hade svårast att verkligen återvända var grupp Gul. Jag fick gå tillbaka två gånger innan de fann lämpligt att infinna sig. Då pratade två av dem i sina mobiltelefoner och en tredje hade hunnit hämta kaffe och kaka.

När alla grupperna var tillbaka lät jag alla redovisa i tur och ordning.

Grupp Röd intog segervisst podiet. Uppgiften hade snabbt förvandlats till en veritabel tävling: De var klara på 30 minuter trots att de haft en timme på sig. Resten av tiden hade de ägnat åt att ringa runt till sina medarbetare och kontrollera vad dessa egentligen gjorde av sin tid. Det var en gedigen presentation, välordnad struktur och ordentligt genomtänkt. Trettio sekunder genom redovisningen visade det sig att den röda gruppen löst en helt annan uppgift. Det var inte alls vad jag bett om.

När jag frågade om de verkligen hade läst instruktionerna började samtliga argumentera högljutt. En av männen förklarade självsäkert att de beslutat sig för att anpassa uppgiften till verkligheten. Det var strängt taget ett lysande arbete. Han förväntade sig applåder, men när ovationerna uteblev ryckte gruppens medlemmar på axlarna och satte sig på sina platser. Inom en sekund lekte kvinnan med sin mobil. Ett livsviktigt sms måste omedelbart skickas.

Därefter blev det grupp Guls tur. Denna bestod av tre kvinnor och två män. Alla log och ställde sig längst fram. Vem skulle börja? En kort förhandling ägde rum och en av kvinnorna charmade till slut till sig rätten att starta. Hon gav sig snabbt ut i det fängslande ämnet och vilka spännande överläggningar de haft den senaste timmen. Hon talade en stund om vilken inspirerande övning det hela var, hon beskrev hur hon tänkte använda insikterna när hon kom tillbaka till arbetsplatsen. Hennes skildring var väldigt underhållande och alla skrattade. Även jag roades av kvinnans story, särskilt med tanke på att den hade ett enda syfte: att dölja att gruppen inte hade löst uppgiften. Grupp Gul lyckades dock skaffa sig applåder, mycket relaterat till det höga underhållningsvärdet av deras framträdande.

Det blev dags för grupp Grön. Det tog en stund att få upp alla på podiet. Där grupp Gul kivats om att hinna först var grupp Grön bekymrade. *Ska alla fram dit? Vem ska redovisa? Ska jag? Borde inte du?* Åtminstone hälften av de sex deltagarna såg ut som om de hade lite ont i magen. Förvisso var detta den största gruppen men de kände sig ändå utstirrade.

Ingen tog befälet. Efter en stunds lågmälda överläggningar började till slut en av männen prata. Han stod huvudsakligen vänd mot whiteboarden, talade dämpat och vände sig ängsligt mot sina gruppmedlemmar för stöd. Han var så försiktig i sina betraktelser att budskapet gick hopplöst förlorat. Han tittade alltmer desperat på sina medbrottslingar.

Syftet med hela övningen var att belysa att inga grupper kunde bestå av samma slags individer, att mångfald var enda möjliga vägen. När redovisningen var klar – givetvis hade inte heller grupp Grön löst själva uppgiften, även om de faktiskt kommit längre än grupp Gul – frågade jag om alla inom gruppen *var överens* om det som sagts.

Det olyckliga språkröret sa att han *troligen höll för sant att de flesta var relativt överens.* Jag frågade gruppen och alla nickade samfällt. Åtminstone fyra av gruppens deltagare hade bistra ansikten och stod med armarna hårt korsade runt kroppen när de meddelade att de var kolossalt överens. En av kvinnorna kastade förbittrade blickar mot språkröret. Men visst tusan var hon överens.

Grupp Blå marscherade slutligen upp på en rad och ställde sig i bokstavsordning enligt ett i förväg uppgjort schema. Arne gick igenom instruktionerna och avslöjade ett antal punkter som gjort uppgiften svåröverskådlig. Bland annat anmärkte han på meningsbyggnaden i dokumentet jag lämnat ut – mest tid la han på att förklara att det faktiskt inte hette *kollegor* utan *kolleger*, även om både Svenska Akademiens Ordlista och *tyda.se* använde sig av bägge formerna – och påpekade inte mindre än två ytterligare grammatikfel – redan på första sidan.

Därefter blev det Berits tur att på en nivå gränsande till molekylär gå igenom strukturen de arbetat efter och hon avbröts två gånger av Arne som ansåg att ett par småsaker behövde förtydligas. När Kjell tog över var man fortfarande inte i närheten av lösningen av själva uppgiften. Stefan rätade inte heller han ut några frågetecken och när Örjan slutligen kungjorde att de behövde mer tid för att göra jobbet klart utbröt kaos i salen.

Grupp Röd idiotförklarade snabbt grupp Blå, grupp Gul ansåg att det var det tristaste de någonsin upplevt och grupp Grön verkade bara lida sig igenom hela föreställningen.

Slutsatser att dra

En grupp människor sätts lämpligen ihop av en blandning av människotyper. Det är enda sättet att få till en vettig dynamik i en grupp. Alla förstår det egentligen. Trots det syndar de flesta organisationer jag mött mot denna grundläggande förutsättning när man rekryterar människor. Chefer tar in nya människor som är precis som de själva. Dem förstår man sig åtminstone på.

Aha-upplevelser kallar vissa det. Jag kallar det *åh nej*-upplevelse.

Hur grupparbetet jag precis berättade om kunde sluta som det gjorde, och vad man kan göra för att undvika liknande incidenter, är vad den här boken har handlat om. Jag hoppas att du funnit nöje i att läsa den, och att du har hängt med på en spännande resa i hur människor funkar, vad som gör dem lika och vad som gör dem olika. För vi är alla olika. Nåja, kanske inte alla av oss. Men många av oss är ganska olika. Exakt hur olika lär du dig om du har ögonen öppna.

Resten är upp till dig.

Svaren på frågorna i kapitel 20:

1. Två gula
2. Gröna och vem som helst
3. Röd
4. Blå
5. Gul
6. Blå
7. Blå
8. Blå
9. Röd
10. Gul
11. Grön
12. Gul
13. Gul
14. Röd
15. Gul
16. Röd
17. Röd
18. En blandning av alla färger
19. Gul
20. Röd
21. Röd
22. Grön
23. Blå
24. Här finns inget givet svar, vilket du säkert inser.

UTDRAG UR
OMGIVEN AV PSYKOPATER

”Our society is run by insane people for insane objectives. I think we're being run by maniacs for maniacal ends and I think I'm liable to be put away as insane for expressing that. That's what's insane about it.”

JOHN LENNON

INLEDNING

Föreställ dig att en väldigt attraktiv person av det kön du föredrar sätter sig mitt emot dig och leende utbrister: *Du är den mest fantastiska människka jag någonsin har mött!* Du känner direkt att det inte är något spel, att personen verkligen menar allvar. Han eller hon ställer frågor om dig, vill veta precis allt. Pratar inte alls om sig själv och uppträder som om det bara finns ni två i rummet. På det följer fokus på dig som person som får dig att må så bra, mycket bättre än du någonsin har mått förut. Personen uttrycker beundran för dig, säger enbart vänliga saker och uttrycker känslor av den typ du har längtat efter att få höra i hela ditt liv. Den här personen verkar förstå precis vem du är, hur du är, vad du tycker om och vad du ogillar. Det känns som om du till slut har hittat din själsfrände. På något egendomligt plan berörs du i hjärtat på ett sätt som aldrig förr.

Kan du se det framför dig? Kan du känna det inom dig? Visst vore det underbart?

Nu till frågan: Kan du se dig själv i spegeln och ärligt säga att du inte skulle bli påverkad? Att du står över sånt romantiskt trams och att du genast skulle fatta misstankar och förstå att den där personen egentligen är ute efter något helt annat? Om det inte är din kropp så är det antagligen dina pengar.

Tänk efter innan du svarar. För har du aldrig varit med om en sådan situation så kommer du aldrig att se faran. Den här personen kommer att berätta sina hemligheter för dig, och han eller hon kommer att få dig att avslöja dina. Du kommer att svara på alla intresserade frågor vars enda syfte är ett: att ta reda på så mycket som möjligt om dig.

För några år sedan skrev jag en bok som heter *Omgiven av idioter – hur man förstår dem som inte går att förstå.* Boken handlade om grunderna i DISA-språket, ett av världens vanligaste sätt att beskriva mänsklig kommunikation och skillnaderna i våra olika beteenden. Boken blev en succé, vilket jag inte direkt hade väntat mig. Jag tror att det hänger ihop med att många med mig är fascinerade av beteenden, andras givetvis, men framförallt sitt eget. Och det är väl bara att erkänna: *JAG är en intressant person!* Åtminstone för mig själv.

Den indelning jag använder mig av, både i den boken och i den här, bygger på Marstons forskning, och består av fyra huvudkategorier med färger som pedagogiskt stöd till minnet. Rött beteende, gult, grönt och slutligen blått. Rött för dominans, gult för inspiration, grönt för stabilitet och blått för analytisk förmåga. En genomgång av vad färgerna betyder i praktiken kommer i nästkommande kapitlen. Detta verktyg kan användas för att få svar på många av våra frågor om hur människor fungerar, men givetvis besvarar det inte alla frågor.

Människor är egentligen för komplexa för att beskrivas fullt ut, men ju mer man förstår, desto lättare är det att se de skillnader som trots allt finns. Denna metod ger kanske åttio procent av hela pusslet. Ganska mycket, men långt ifrån allt. Det finns annat att ta hänsyn till. Genusperspektivet, ålder, kulturella skillnader, drivkrafter, intelligens, intressen, erfarenheter av alla de slag; ny på jobbet eller gammal i gamet; var du är placerad i syskonskaran plus en hel massa annat. Låt oss för enkelhetens skull konstatera att pusslet har väldigt många bitar.

Nu till problemet

Det visade sig efter ett tag att det finns de som väljer att använda den här kunskapen på helt fel sätt. Och det var aldrig min mening. Det jag nu vill är därför att göra dig uppmärksam på dessa individer. En vanlig fråga som jag har fått i samband med boken *Omgiven av idioter* är om man kan ha *alla* färger. *Jag är lite av varje färg*, säger läsare i en lång rad mejl jag tagit emot. Och visst kan det kännas så. Ibland agerar jag rött, ofta gult och grönt, men vissa gånger är jag tveklöst blå. Svaret på denna fråga är faktiskt ganska enkel: vi har alla förmågan att använda vilket beteende vi vill, tack vare att vi är intelligenta varelser som kan tänka själva. I takt med att självinsikten ökar vet en gul person när det börjar bli dags att stänga munnen och öppna öronen. Och en grön person kan lära sig att säga sitt hjärtas mening även om det skulle kunna leda till en konflikt. Men, i grund och botten är det vanligtvis två färger som dominerar mitt beteende.

En obehaglig upplevelse

Ungefär ett år efter att *Omgiven av idioter* hade lanserats inträffade en egendomlig och obehaglig händelse. En ung man kom fram till mig efter en föreläsning jag hållit på ett universitet. Han ställde sig mitt framför mig, ansikte mot ansikte, trängde mer eller mindre undan andra som ville komma fram och ställa frågor. Med en intensiv blick sa han att han inte kände igen sig i *någon* av färgerna. Jag frågade vad han menade, och han sa att ingenting av det jag beskrivit passade in på honom. Han menade att han var den femte färgen. Dessutom ville han veta mer om hur man gjorde för att verkligen anpassa sig till de andra färgerna. Han ville veta hur det gick till, och hans ordval var intressant: han ville vet hur *han på bästa sätt kunde utnyttja denna kunskap.*

Okej.

Han fick ett standardsvar eftersom jag inte hade möjlighet att börja analysera honom där han stod, och när han insåg att han inte skulle komma någonstans med sina påståenden klev han åt sidan. Men han lämnade inte lokalen, utan stod några meter bort och betraktade mig hela tiden ända tills jag packade ihop mina saker.

Betraktade, förresten? Faktum var att han stirrade på ett nästan oförskämt vis på mig i kanske tio minuter. Jag såg människor komma fram till honom, hälsa och le. Och varje gång log han tillbaka. Fast egentligen var det inte alls vad han gjorde. Han *låtsades* le. Ansiktet förvreds i en egendomlig, konstig grimas, ett slags efterapning av ett leende. Vissa av dem han log mot reagerade, såg frågande ut, medan andra inte noterade det som det minsta udda. Och efter varje "leende" återgick han till sitt allvarliga, koncentrerade stirrande. På mig. Det var rent obehagligt.

Och vad menade han egentligen med att *på bästa sätt utnyttja denna kunskap*?

Det slog mig att den unge mannen hade rätt på en punkt – DISA-språket passar inte in på riktigt alla. Det finns faktiskt en del av befolkningen som inte går att kategorisera. Dessa är olustiga figurer som vi ska vara väldigt försiktiga med. Vi har alla hört historierna om mästermanipulatörerna, sol-och-vårarna, bedragarna. *Hur kunde han lura mig så fullständigt?* brukar offrens kommentarer vara. *Varför såg jag inte att han var en bedragare?*

Ja, varför? För att dessa individer vet hur de ska vända ditt eget beteende emot dig själv. De har en instinktiv förståelse för hur man manipulerar en person till i stort sett vad som helst. Och de kan dupera i princip vem som helst genom det de har *lärt sig om den personen*. Och deras syfte är alltid detsamma: att ta det de vill ha. I deras spår följer kaos och oordning.

Så frågan är: om en person egentligen inte har någon egen personlighet, utan alltid speglar den han har framför sig – vad är han då? Han är inte röd, eller gul och definitivt inte grön eller blå. Är han alla färger? Den femte färgen? Svaret är – inget av det. Han är något mycket värre, någonting som inte går att kategorisera på det sätt vi kategoriserar normala människor. Han är någon som inte har någon egen personlighet, som endast imiterar det han ser, för sin egen vinning. Han är en typ av kameleont med en dold agenda som bara han känner till. Och vi kan vara säkra på att denna agenda endast gynnar honom själv.

Jag skulle snarare säga: ingen färg alls. För en person som egentligen inte har någon personlighet, som hela tiden spelar en roll – är ingen riktig person. Han är mer en skugga, en reflektion av verkligheten men inte riktigt verklig. Det är ett slags vandrande bedrägeri på två ben. Har du mött den här typen av individ så vet du vad jag pratar om.

Men vilka *är* det jag pratar om? Vilken sorts personer är det som försöker apa efter det andra gör? Och vad kan deras syfte vara?

Att låtsas vara som alla andra

Klartext: rovdjur i människoskepnad. Låter det dramatiskt? Anledningen till det är mycket enkel: det *är* dramatiskt. Dessa individer skadar i slutändan de flesta människor de kommer i kontakt med, och oftast vet offren inte ens om vem som ligger bakom oredan.

Detta, min vän, är vad psykopater gör.

Tur att de sitter i finkan hela bunten

Psykopater finns spridda ute i samhället precis som alla andra. De infiltrerar företag och organisationer, de utför relativt lite verkligt arbete och bidrar endast i undantagsfall med någonting. De tar sällan notan på restaurangen och de har aldrig några pengar när räkningarna ska betalas. De är oftast otrogna, manipulativa och bedrägliga. De är notoriska lögnare; de flesta av dem ljuger när det inte ens finns någon anledning till det. De kan lura vem som helst att tro på dem, och de vänder allt du säger emot dig. Men inte sällan är de ytterst populära. Många tycker om dem, sätter dem på en piedestal, till och med respekterar dem.

Hur är det möjligt? frågar du dig. Bra fråga. Varför tycker vi om en person som är så bedräglig? *Inte jag,* tänker du nu, *jag skulle avsky honom från första stund.* Precis. Om du kände hans verkliga jag. Men det gör du inte. För det visar han inte. Med lite tur kanske du kommer att upptäcka det till slut. I bästa fall innan du står på ruinens brant, har förlorat jobbet och är isolerad från alla du kallade dina vänner.

Men vänta nu, kanske du tänker. Psykopater är ju seriemördare och allmänna våldsverkare. *De flesta av dessa galningar sitter ju inne.*

Om det bara hade varit så väl. Det stämmer att många sitter bakom lås och bom eftersom de inte kunnat kontrollera sina impulser. De är våldsamma och ibland rent ut sagt korkade. När de ser något de vill ha så tar de det helt enkelt, ofta med våld, vilket snabbt avslöjar dem. Men majoriteten av alla psykopater sitter *inte* inlåsta. De mer intelligenta psykopaterna och de som inte huvudsakligen begår grova våldsbrott vandrar omkring bland oss precis som vem som helst. Detta är personer som inte skyr några som helst medel för att skaffa sig det de vill ha. Och du har garanterat träffat på några av dem.

Men är vi verkligen omgivna av dem?

Titeln *Omgiven av psykopater* är vald med omsorg, eftersom det finns betydligt fler psykopater än jag tror de flesta är medvetna om. Jag vill visa hur du kan känna igen en mästermanipulatör, och det är min förhoppning att du kommer att komma till insikt om vad du kan göra för att skydda dig om du skulle råka ut för en.

Vilka blir konsekvenserna?

Den unge mannen på föreläsningen – hans egendomliga beteende gnagde i mig under flera månader. De där stirrande ögonen, det konstlade leendet. Allting var så märkligt. Hur det gick för honom? Svaret fick jag för inte så länge sedan. Av diverse orsaker hade jag anledning att ganska nyligen återkomma till det där universitetet. Jag sökte upp prefekten för den institution där jag hade föreläst och frågade om den unge mannen. Vem var han? Vad kunde prefekten berätta? Svaret jag fick var förfärande.

Den unge mannen hade ertappats med att förskingra omkring en halv miljon av forskningsmedlen innan han till slut blev polisanmäld av prefekten. Men innan dess hade han gjort två av kvinnorna på institutionen med barn. Den ena fick han avskedad för sexuella trakasserier mot honom själv, den andra försökte begå självmord efter att affären hade avslöjats. (Hon var gift sedan många år.) Två av medarbetarna var sjukskrivna för utbrändhet efter att den unge mannen hade startat intriger och skapat oreda inom arbetsgruppen. Gruppchefen hade sagt upp sig och allmänt kaos rådde. Ingen visste vad man skulle göra, målen hade glömts bort och gruppen höll på att gå under.

Men den unge mannen hade lärt sig att le. Han hade lärt sig hur man skulle framstå som den där trevlige killen som alla gillade. Han klarade sig i nästan två år innan han åkte ut. Ingen misstänkte honom. Han hade alltid förklaringar till allting. Och det var alltid någon annans fel.

Med darrande röst berättade prefekten för mig att den unge mannen hade släppts fri efter att han hade övertygat både polis och åklagare att han hade begått det ekonomiska bedrägeriet *på uppdrag av prefekten.* Det var med nöd och näppe att prefekten själv – trettioåtta år på universitetet ifråga – undgick allmänt åtal. Pengarna var givetvis borta, och bevisen var så luddiga att ingenting kunde göras åt den verkliga bedragaren. Jag frågade vart den unge mannen tagit vägen. Prefekten berättade att han just fått ett nytt arbete inom ett it-bolag. Han var nu projektledare för en stor investering och skulle ta bolaget till nya höjder.

Det visade sig att den unge mannen lärt sig att *på bästa sätt utnyttja denna kunskap.*

När prefekten var färdig med sin berättelse rann tårar utför kinderna. Det var förfärligt att se.

Hade jag kunnat, hade jag gjort en analys av den här unge mannen. Vad hade analysen visat? Ärligt talat – jag vet inte.

Det mest skrämmande är dock detta: han finns fortfarande där ute. Och om du springer på honom är det bäst att du vet hur du ska agera. För om han kan nosa sig till dina svagheter kommer han att trycka på alla knappar han kan för att krossa dig. Inte för att han hatar dig eller att det nödvändigtvis skulle vara något personligt över det hela. Utan för att det är vad psykopater gör. De tar det de vill ha av dig. På vilket sätt som helst. Konsekvenserna intresserar dem inte.

De förför och bedrar. De ljuger och manipulerar, stjäl och parasiterar. Och de får kraft av att förgöra andra människor. Detta är deras främsta bränsle.

Överdrivet? Inte det minsta. När du läser den här boken kommer du kanske få svårt att sova om nätterna. Jag ber i så fall om ursäkt redan i förväg.

Jag kommer att förklara hur du känner igen en psykopat, och hur du känner igen personer med psykopatiska drag. Jag kommer även att visa vad som kan göras åt dem.

Ännu en bok om psykopater?

Efter att *Omgiven av idioter – hur man förstår dem som inte går att förstå* kom ut har jag föreläst över hela Europa i ämnet. Boken satte fokus på vissa saker som jag själv kanske hade tagit för givna. Folk är olika. Check. Det visste vi redan. Men hur olika och på vilket sätt? Och framförallt – vad kan man göra åt det?

Systemet med färgerna, DISA-språket som William Moulton Marston lade grunden till, förklarar ju en hel del av hur människor fungerar. Men det förklarar, som jag tidigare nämnde, inte allt. Marston var till exempel den första stora psykologen som forskade på friska människor. Både Jung och Freud ägnade sig huvudsakligen åt psykiskt sjuka.

Går alla att stoppa in i DISA-systemet? Nej, faktiskt inte. Det funkar endast på mentalt stabila personer. Har du något slags diagnos såsom borderline, svår autism, schizofreni eller liknande fungerar det helt enkelt inte. Eller psykopati.

Hur många psykopater finns det egentligen?

Men vänta nu, kanske du säger. *Psykopater är ju ändå så pass ovanliga att det knappast är någonting att ta hänsyn till. De kan inte utgöra mer än någon promille av befolkningen.* Jag förstår hur du tänker. Psykopaterna är dock fler än du anar. Enligt de senaste vetenskapliga rönen utgör de mellan två och fyra procent av befolkningen. Som jämförelse kan jag nämna att det är många gånger fler än det finns personer med endast rött beteende. Dessa utgör nämligen endast omkring en halv procent av befolkningen; ändå ägnade jag ganska många sidor åt dem i den förra boken.

Tänk dig själv: om du vore fårfarmare med tusen får och får höra talas om att det finns två vargar i närheten – vilka skulle du vilja veta mer om? Fåren ... eller vargarna? Givetvis vill du ha koll på vargarna. Även om de inte är så många, och även om de inte kommer att döda alla får de möter så är det bra att förstå hur en varg fungerar. För när den väl bestämmer sig för att slå är det redan för sent. Då tar den de får den vill ha.

När det handlar om psykopater handlar det dessutom lika mycket om de sidoeffekter de har på sin omgivning. En enorm mängd människor drabbas av deras beteende. För effekterna av deras metoder stannar sällan runt dem själva. Skadorna de orsakar får långtgående konsekvenser. De drar alltid många människor med sig.

Hur du kan skydda dig själv mot detta beteende är vad den här boken handlar om. Jag kommer att utgå från Marstons system med de fyra färgerna för att visa hur respektive personlighetstyps styrkor och svagheter kommer att spela en illasinnad psykopat i händerna. Han eller hon kommer att vända dem emot dig. Det är bland annat därför terapi inte fungerar på psykopater. De går inte att bota.

I boken kommer jag att repetera en del av vetenskapen kring de fyra färgerna. Skälet är att du som inte har läst *Omgiven av idioter* ska ha en bättre förståelse för språket i boken, för varför vissa exempel ser ut som de gör. Om du redan har läst min förra bok och anser dig kunna systemet till etthundra procent – ha tålamod. Påminn dig om att repetition är kunskapens moder.

> "The closer to the truth, the better the lie, and the truth itself, when it can be used, is the best lie."
>
> ISAAC ASIMOV

Ett exempel på psykopati

Mitt första exempel av vardagspsykopati är helt självupplevt. Jag har skrivit flera böcker och efter att min första thriller getts ut kontaktades jag via mejl av en ung kvinna som ville bli författare. Hon hade läst min bok, den var fantastisk, kunde jag hjälpa henne vidare? Min idé om hur jag hanterar mina läsare är enkel. Jag uppskattar verkligen all kontakt med dem som läst mina böcker, och jag välkomnar dig att höra av dig med synpunkter på till exempel den här. Men jag ger oftast inte mer än ett svar. Jag har inte möjlighet att inleda några längre dialoger, av det enkla skälet att jag arbetar sex dagar i veckan. Jag mejlade något slags standardsvar och tänkte inte mer på saken. Men den här kvinnan återkom gång på gång, tonen blev alltmer aggressiv i takt med att jag inte svarade.

En tid senare får min dåvarande sambo ett mejl där det framgår att den unga kvinnan – nu under ett helt annat namn – har en relation med mig, och att vi ska gifta oss. Min sambo och jag blir båda ganska paffa, och mejlet innehöll en lång rad allvarliga anklagelser mot mig. Till exempel skulle jag ha haft relationer med uppåt ett hundratal unga kvinnor och dessutom gjort minst tjugo av dem med barn. Allt detta inom loppet av några månader. (Detta ledde så småningom till en polisanmälan, och polisen undrade förbluffat hur jag hade tid att arbeta överhuvudtaget.) Det fanns mycket mer av dessa vansinnigheter men jag kan inte återge allting. Sammanlagt fick min sambo ett femtiotal mejl med varierande innehåll, men alltid på samma tema.

Själv fick jag, parallellt med att detta pågick, avancerade kärleksmejl från samma unga kvinna. Hon saknade mig oerhört. Hon längtade efter att få träffa mig igen. Skulle vi inte titta på den där lägenheten i centrala Stockholm i alla fall? Via min på den tiden helt öppna Facebookprofil hade hon samlat på sig en stor mängd information om mig och mitt privata liv, vilket gjorde att vissa saker hon skrev lät ganska trovärdiga. (Varning utfärdad – du vet inte vem som ser vad du gör på nätet eller vad de kan använda det till.)

Detta pågick i cirka sex månader innan polisen lyckades få stopp på henne. Det hela var avancerad stalking. Med hjälp av sociala medier lyckades kvinnan ställa till det ganska rejält för mig, bland annat bland ett stort antal författarkollegor. För mig var alltihop pinsamt och förfärligt – jag visste ju inte ens vem hon var till en början.

Psykfall, tänker du. *En vanlig galning. Det finns massor av dem där ute.*

Kanske det. Men mönstret fanns där. Via polisens utredning framkom att kvinnan gjort samma sak minst en gång tidigare. Även då mot en man som var avsevärt äldre än hon, också han författare och betydligt mer etablerad än jag. Du kan mycket väl ha hört talas om honom. Han tog så illa vid sig att han pensionerade sig från sitt vanliga arbete. Jag pratade med honom flera gånger för att förstå, men ingen av oss lyckades begripa vad kvinnan egentligen var ute efter. Förutom ett slags hämnd för att jag inte spelat med i hennes eventuella författardrömmar.

Lisbet Duvringe och Mike Florette skriver i sin bok *Kvinnliga psykopater*: ”Hämnden smakar gott och de (psykopaterna) ser ett nöje i att förstöra; de njuter av det. Särskilt kvinnliga psykopater verkar med nöje söka emotionell hämnd, social aggression, och då i form av rykten som skapar manipulativa, osäkra och hotfulla relationer. Det är en typ av destruktiv hämnd som inte syns lika markant som fysiskt våld och är därmed svårare att identifiera.”

Jag vet precis hur det känns att råka ut för det beteendet. Polisen plockade in den unga kvinnan till förhör, och i och med det upphörde all förföljelse som genom ett trollslag. Märkligt, va? Då hade hon ändå själv pekat ut andra som eventuellt skyldiga till missdåden. Det är det som stärker mig i tron att hon inte var psykiskt sjuk. Hade hon haft en diagnos, något slags störning, så hade hon inte kunnat hejda sig så plötsligt. Men hon var hela tiden fullt medveten om vad hon gjorde. Det började dock bli hett under fötterna, och hon lade ner sin kampanj och gick förmodligen vidare mot nya jaktmarker där hon kunde fortsätta sitt perverterade beteende.

Polisen sa att de aldrig mött en så trovärdig lögnare tidigare. Kvinnan tycktes själv tro på sina ord. Trots att de kunde lägga fram tekniska bevis på att hon låg bakom förföljelsen av mig (de genomsökte hennes datorer och hittade allt de behövde) nekade hon till alltihop. Och det stannade inte vid det. Hon angav en effektiv moteld genom att anmäla mig för olaga hot. Istället var det *jag* som förföljde *henne*. Hon anklagade mig för mordhot, för att ha lejt yrkesmördare som jag av någon bisarr anledning skulle ha kontakt med. Allvarliga anklagelser, lindrigt sagt. Det enda som räddade mig från att kopplas ihop med den här människan var att jag enkelt kunde visa att jag inte befunnit mig på olika platser där vi antogs ha haft våra små möten.

Mönstret fanns där. Detta var den här psykopatens metod att förstöra mitt liv och min författarkarriär. Hennes hämnd för att jag vägrade kommunicera med henne angående hennes eget förmodade skrivande gissar jag. Nu lyckades det inte. Det hon faktiskt lyckades förstöra var den relation jag levde i. Den sargades så illa av hela historien att vi gick skilda vägar till slut. Då hade min dåvarande sambo utvecklat rent paranoida drag. Hon satt timmar varje dag på sociala medier och spanade efter den här kvinnans aktiviteter. Inget jag sa kunde hejda henne.

Den unga kvinnan ifråga levde vidare, glättigt underhöll hon sig med en man på en segelbåt. Det fick jag veta att man kunde se på Facebook. Hon verkade inte lida det minsta, medan min sambo var patologiskt svartsjuk och isolerade mig från allt – till och med från mina barn – för att se till att det inte skulle kunna hända igen. När jag inte ens kunde hälsa på personalen i skobutiken, eller prata med servitrisen när vi åt middag ute på restaurang utan att råka ut för ett regelrätt korsförhör, insåg jag att allt var förlorat. Och då hade jag inte ens träffat den här kvinnan i verkligheten.

Hur många drabbades?

Hur många människor lyckades den här psykopaten ställa till det för? Låt oss räkna efter. Mig själv såklart. Mina båda barn. Min sambo. Hennes tre barn. Min far och min sjukliga mor. Min syster och hela hennes familj. Mina kollegor i det bolag där jag arbetade vid tiden för dessa händelser. Alla personer jag räknade som mina vänner.

En psykopat – kanske femtio offer. En på femtio. Två procent. Där har vi det.

Den här berättelsen drar jag inte fram för att få ditt medlidande. Nu har jag lagt det bakom mig. Men jag vill visa att *vem som helst* kan drabbas. Ingen av oss är immun mot den här typen av beteende, och givetvis är jag numera betydligt mer misstänksam mot människor jag möter. Förhoppningsvis märks det inte alltför mycket, men jag vet att det går två eller fyra psykopater på hundra människor. Så jag är mer uppmärksam på egendomliga beteenden numera.

Men hur vidrig historien ovan än var för mig och mina nära och kära, är den ingenting jämfört med mycket annat som äger rum i den här världen, för psykopater når ofta mycket långt i sin strävan mot makt.

Det kanske vore intressant att veta hur eskimåerna hanterade sina psykopater? Ibland när männen skulle ut och jaga på havet var det någon som simulerade sjukdom, eller att han var skadad. Han kunde inte följa med, så han stannade kvar på land. När jägarna kom tillbaka tre månader senare hade byn brunnit ner och alla kvinnorna var med barn.

Vad gjorde eskimåerna med den skyldige? De satte honom på ett isflak.

”The ones who are insane enough to think that they can rule the world are always the ones who do.”

STEFAN MOLYNEUX

Det mycket värre exemplet ...

Om jag säger Adolf Hitler – vad säger du då?

Hitler startade en världsbrand som i slutändan kostade omkring sextio miljoner människor livet. Förutom allt övrigt lidande som drabbade hundratals miljoner människor världen över. De materiella kostnaderna går förmodligen inte ens att uppskatta. Tänk om alla dessa oräkneliga miljarder istället använts till något gott!

Om jag påstår att Hitler var en fullblodspsykopat, skulle du säga emot mig då? Förmodligen inte. Rent instinktivt känner vi i hela kroppen vilken galning detta måste ha varit. Och du har säkert tänkt samma sak som jag: varför såg ingen vilken dåre han var? Varför hejdades han inte i tid? Hur kunde hela Tyskland låta honom göra det han gjorde? Varför satte ingen stopp för honom?

Bra frågor allihop. Och svaret är att psykopater är skickliga på att dupera sin omgivning.

Men rent vetenskapligt – hur *vet* vi att Hitler var psykopat? Forskaren Kevin Dutton, författare till boken *The good psychopath's guide to success*, använde ett personlighetstest för att diagnostisera psykopati hos vuxna. Testet kallas för PPI-R (*Psychopath Personality Inventory – Revised)* och utvecklades ursprungligen av Scott Lilienfeld och Brian Andrews för att bedöma vissa egenskaper i icke-kriminella populationer.

Avsikten var att på ett omfattande vis lista psykopatiska personlighetsdrag utan att ta särskilda hänsyn till antisociala eller kriminella beteenden. Den innehåller också metoder för att upptäcka avvikelser inom ledarskap eller allmänt ansvarslöst agerande.

PPI-R-testet avslöjar åtta specifika faktorer:

- **Machiavellisk personlighet**, dvs. brist på empati och distans till andra till förmån för att uppnå sina egna mål
- **Social anpassning**, förmågan att charma och dupera andra
- **Frånvaron av empati**, dvs. en påtaglig brist på känslor, skuld, eller hänsyn till andras känslor
- **En sorglös brist på framförhållning**, dvs. svårigheter att planera framåt och överväga konsekvenserna av sina handlingar
- **Oräddhet**, dvs. viljan till riskbeteende samt som vanlig konsekvens en brist på rädsla
- **Ansvarslöst uppträdande**, oförmågan att ta ansvar för sina egna handlingar, och istället skylla på andra eller att rationalisera sitt eget avvikande beteende
- **Avvikande och impulsivt beteende**, bristen på respekt för sociala normer och socialt acceptabla beteenden
- **Immunitet mot stress**, inga reaktioner på traumatiska eller på annat sätt spänningsframkallande händelser

Det man gjort med dessa faktorer är att dela upp punkterna ovan i underkategorier, samt att gruppera dem på ett speciellt vis för att få fram en tolkningsbar modell. De båda kategorierna är *Fearless Dominance* och *Self-Centered Impulsivity*. Efter att ha studerat det omfattande historiska material som faktiskt finns om Hitler, kunde Dutton placera Hitler högt upp på listan över individer med starka psykopatiska drag. Egentligen är vi inte särskilt överraskade, eller hur? Hitler kom dock inte lika högt på listan som Saddam Hussein eller Idi Amin. Eller, för den delen, Henrik VIII. Det går att läsa hela studien *What psychopaths and politicians have in common* i september-oktoberupplagan av *American Scientific Mind* 2016.

Bara diktatorer och tyranner, alltså?

Riktigt intressant blir det dock när Dutton utgår från samma verktyg kring andra kända ledare ur historien och undersöker hur de fungerade med sin omgivning. Särskilt intressant var hur de fattade sina beslut, hela tiden medvetna om hur dessa beslut skulle påverka andra människor. Nästan lika högt upp på listan som Hitler finner Dutton egendomligt nog dennes nemesis: Winston Churchill. Och i princip lika högt placerar Dutton de båda presidentkandidaterna i det amerikanska presidentvalet 2016: Donald Trump *och* Hillary Clinton.

När vi ändå talar om amerikanska presidenter (just det ämbetet har ju en skaplig påverkan på resten av klotet) så finns det till och med en lista över vilka av dem som uppvisar flest psykopatiska drag. Dutton har intervjuat personer som anses vara experter på respektive president, till exempel historiker och forskare, samt ett antal individer som faktiskt arbetat med nu levande presidenter. Utan att bli alltför teknisk så handlar det om hur respektive president ”scorar” inom samlingsområdena *Fearless Dominance* och *Self-Centered Impulsivity*.

Vinnarna är ... de charmigaste trollen

Allra högst på Duttons lista hamnar ... John F. Kennedy. Tvåan är ... Bill Clinton. Dessa båda har bland annat gjort sig kända som sympatiska, medkännande och vinnande personligheter; skickliga talare och duktiga på att vinna människors förtroende. Trevliga killar, strängt taget, men de hade även en hel del annat för sig. Dokumenterad promiskuitet är en av dem. Ett par steg längre ner på listan hamnar Roosevelt, George W. Bush, Nixon samt Lyndon B. Johnson. Exempel på presidenter som tycks sakna psykopatiska drag helt är Jimmy Carter, George Washington, Abraham Lincoln, Harry S. Truman, samt faktiskt, de allra flesta övriga.

Dutton hade vid tiden för den här bokens tillkomst inte publicerat någon bedömning av president Barack Obama.

Hur nu populära och framgångsrika presidenter kan hamna så högt upp i en så seriös undersökning kanske verkar egendomligt, men efter att ha läst den här boken kommer du att förstå hur de hamnade där.

Varför ska du läsa *Omgiven av psykopater*?

Mitt mål med den här boken är inte att skrämma dig eller att få dig att misstro andra människor – tvärtom. Det jag vill är att du lär dig vilka du kan lita på och vilka som kanske drivs av andra agendor än vad de berättar för dig. Oavsett om du är en företagsledare och söker en ny vice vd, eller en kvinna som känner att du äntligen har träffat den rätte, eller en vuxen person som fortfarande inte förstår varför du får ont i magen varje gång du träffar din mamma – så kan du med hjälp av boken ta reda på vem som är äkta och vem som inte är det. Ett sunt förhållningssätt till människorna omkring dig är att föredra framför något som kan leda till relationsmässig, känslomässig, självförtroendemässig och ekonomisk katastrof. Många som blivit plågade av en psykopat förlorar viljan att leva vidare. De ger upp och förtvinar mentalt, om de inte helt enkelt tar sina egna liv.

Låt oss ta en titt på vad det hela handlar om.

Häng med, nu åker vi.

Vill du kontakta Thomas Erikson?

Thomas är en flitigt anlitad föreläsare och konsult, och arbetar med olika typer av utvecklingsprojekt inom en mängd olika organisationer. Fokus är beteendeförändringar och han är specialiserad på det mesta som berör ledarskapet inom en organisation.

Vill du veta hur du skulle kunna ha nytta av hans erfarenheter? Varför inte kontakta honom direkt? Det gör du lämpligast genom ett mail till: info@thomaserikson.com

Mer information om hans olika verksamheter finner du på:

thomaserikson.com

teamcommunication.se

omgivenavidioter.se

omgivenavpsykopater.se